「十三五」国家重点出版物出版规划项目

国家出版基金项目
NATIONAL PUBLICATION FOUNDATION

中国中药资源大典

中国中药资源大典

资源大典

湖南卷

3

黄璐琦 / 总主编

张水寒　刘　浩 / 湖南卷主编

刘湘丹　刘　浩 / 主　编

北京科学技术出版社

图书在版编目（CIP）数据

中国中药资源大典. 湖南卷. 3 / 刘湘丹, 刘浩主编. --
北京：北京科学技术出版社, 2024. 6. -- ISBN 978-7
-5714-3754-1

Ⅰ. R281.4

中国国家版本馆CIP数据核字第202493CM33号

责任编辑：侍　伟　李兆弟　尤竞爽　王治华　吕　慧　庞璐璐　刘　雪
责任校对：贾　荣
图文制作：樊润琴
责任印制：李　茗
出 版 人：曾庆宇
出版发行：北京科学技术出版社
社　　　址：北京西直门南大街16号
邮政编码：100035
电　　　话：0086-10-66135495（总编室）　　0086-10-66113227（发行部）
网　　　址：www.bkydw.cn
印　　　刷：北京博海升彩色印刷有限公司
开　　　本：889 mm×1 194 mm　　　1/16
字　　　数：920千字
印　　　张：41.5
版　　　次：2024年6月第1版
印　　　次：2024年6月第1次印刷
审 图 号：GS京（2023）1758号
ISBN 978-7-5714-3754-1

定　　价：490.00元

《中国中药资源大典·湖南卷》

编写委员会

总 主 编 黄璐琦

顾 问 邵湘宁 郭子华 肖文明 蔡光先 谭达全 秦裕辉 葛金文

主 编 张水寒 刘 浩

技术牵头单位 湖南省中医药研究院

普查队依托单位 （按拼音排序）

安化县中医医院	安仁县中医医院
安乡县中医医院	保靖县中医院
茶陵县中医医院	长沙市中医医院
长沙县中医医院	常德市第二中医医院
常德市第一中医医院	常宁市中医医院
郴州市中医医院	辰溪县中医医院
城步苗族自治县中医医院	慈利县中医医院
道县中医医院	东安县中医医院
洞口县中医医院	凤凰县民族中医院
古丈县中医医院	桂东县中医医院
桂阳县中医医院	汉寿县中医医院
赫山区中医医院	衡东县中医医院
衡南县中医医院	衡山县中医医院
衡阳市中医医院	衡阳市中医正骨医院
衡阳县中医医院	洪江市第一中医医院
湖南省直中医医院	湖南医药学院
湖湘中医肿瘤医院	华容县中医医院
花垣县民族中医院	会同县中医医院

嘉禾县中医医院	江华瑶族自治县民族中医医院
江永县中医院	津市市中医医院
靖州苗族侗族自治县中医医院	蓝山县中医医院
耒阳市中医医院	冷水江市中医医院
澧县中医医院	醴陵市中医院
涟源市中医医院	临澧县中医医院
临武县中医医院	临湘市中医医院
零陵区中医医院	浏阳市中医医院
龙山县中医院	隆回县中医医院
娄底市中医医院	泸溪县民族中医院
渌口区淦田镇中心卫生院	麻阳苗族自治县中医医院
汨罗市中医医院	南县中医医院
宁乡市中医医院	宁远县中医医院
平江县中医医院	祁东县中医医院
祁阳市中医医院	汝城县中医医院
桑植县民族中医院	邵东市中医医院
邵阳市中西医结合医院	邵阳市中医医院
邵阳县中医医院	韶山市人民医院
石门县中医医院	双峰县中医医院
双牌县中医医院	绥宁县中医医院
桃江县中医医院	桃源县中医医院
通道侗族自治县民族中医医院	望城区人民医院
武冈市中医医院	湘潭市中医医院
湘潭县中医医院	湘乡市中医医院
湘阴县中医医院	新化县中医医院
新晃侗族自治县中医医院	新宁县中医医院
新邵县中医医院	新田县中医医院

溆浦县中医医院	炎陵县中医医院
宜章县中医医院	益阳市中医医院
永顺县中医院	永兴县中医医院
永州市中医医院	攸县中医院
沅江市中医医院	沅陵县中医医院
岳阳市中医医院	岳阳县中医医院
云溪区中医医院	张家界市中医医院
芷江侗族自治县中医医院	资兴市中医医院

主编简介

>> 张水寒

二级研究员，博士研究生导师。享受国务院政府特殊津贴专家、享受湖南省政府特殊津贴专家、湖南省卫生健康高层次人才医学学科领军人才，入选国家"百千万人才工程"，并被授予"有突出贡献中青年专家"荣誉称号。主要从事中药资源、中药制剂及中药质量标准方面的研究。

近 10 年来，主持和参与"重大新药创制"、国家自然科学基金、"十二五"国家科技支撑计划等 20 余项课题。获得新药证书 12 项、药物临床批件 22 项、国家发明专利 13 项。发表学术论文 200 余篇，其中以第一作者和通讯作者发表 SCI 论文 30 余篇，编写专著 7 部。获得国家科学技术进步奖二等奖 1 项、省部级奖励 5 项。

2011 年以来，担任湖南省第四次全国中药资源普查技术总负责人、湖南省中药资源动态监测省级中心主任，主持建立"技术分层、突出量化、严把质控"的中药资源普查组织管理与技术保障模式；开展重点品种研究示范，大力推动普查成果转化、应用。

主编简介

>> **刘　浩**

副研究员。湖南省中医药研究院中药资源研究所中药资源与鉴定研究室主任。主要从事中药资源、中药鉴定与本草学研究。

历任湖南省中药资源普查工作领导小组办公室成员、专家委员会委员、专家委员会办公室副主任，负责湖南省第四次全国中药资源普查组织管理与技术保障工作的具体实施，采集、鉴定普查标本近10万号，参与建成湖南省中药资源数据库、药用植物标本馆，熟悉湖南省中药资源基本情况及道地药材传承与发展的情况，编制省级、县级中药材产业发展规划10余份。2014年起任湖南省中药资源动态监测省级中心秘书，参与建成"一个中心，三个监测站，百个监测点"的湖南省中药资源动态监测与技术服务体系。

序　言

　　中药资源是中医药事业和产业发展的重要物质基础。随着中医药事业和产业蓬勃发展，社会各界对中药资源的需求量逐渐增加。为摸清中药资源家底，科学制定中药资源保护和产业发展政策措施，国家中医药管理局组织实施了第四次全国中药资源普查，对促进中药资源可持续利用、助力健康中国行动的实施和区域社会经济发展做出了重要贡献。

　　湖南地处云贵高原向江南丘陵、南岭山脉向江汉平原过渡的地带，属大陆性亚热带季风湿润气候区，独特的地理环境孕育了丰富的中药资源。锦绣潇湘，物华天宝，人杰地灵。湖南省作为首批6个中药资源普查试点省区之一，由湖南省中医药研究院作为技术牵头单位，组织全省技术人员队伍，出色地完成了湖南第四次中药资源普查工作任务。

　　张水寒和刘浩两位"伙计"基于湖南中药资源普查获得的第一手调查资料，系统整理分析、总结普查成果，牵头主编了《中国中药资源大典·湖南卷》。该书既有湖南自然社会概况、中药资源种类等总体情况介绍，又有湖南特色中药资源的历史源流与生产现状阐述，还对4 196种中药资源的基本情况进行详细介绍。该书可作为认识和了解湖南中药资源的工具书，具有重要的学术价值和应用价值。希望该书的出版，能助力湖南中药产业高质量发展，为中药资源的可持续发展、优化中药产业布局、促进学术交流和科学研究起到积极推动作用。

付梓之际，欣然为序。

中国工程院院士

中国中医科学院院长

第四次全国中药资源普查技术指导专家组组长

2024 年 4 月

前　言

　　湖南地处云贵高原向江南丘陵过渡、南岭山脉向江汉平原过渡的中亚热带，位于东经 108° 47′～114° 15′、北纬 24° 38′～30° 08′。东以幕阜、武功诸山系与江西交界，西以云贵高原东缘连贵州，西北以武陵山脉毗邻重庆，南枕南岭与广东、广西相邻，北以滨湖平原与湖北接壤，形成了东、南、西三面环山，中部丘岗起伏，北部湖盆平原展开的马蹄形地形。湖南有半高山、低山、丘陵、岗地和平原等多种地貌类型，其中山地面积占全省总面积的 51.22%。湖南位于长江以南的东亚季风区，加之离海洋较远，形成了气候温暖、四季分明、热量充足、雨水集中、春温多变、夏秋多旱、严寒期短、暑热期长、雨热同期的亚热带季风湿润气候。湖南为华东、华中、华南、滇黔桂 4 个植物区系的过渡地带，其境内植物具有较明显的东西、南北过渡性。地带性植被为常绿阔叶林，地带性土壤为红壤。湖南亚热带季风的大气候与复杂地势地貌的小环境，共同孕育了丰富的中药资源。

　　湖南历史文化悠久，是华夏文明的重要发祥地之一。道县玉蟾岩遗址出土了世界上现存最早的人工栽培稻标本，距今 1.2 万年。澧县城头山古文化遗址被称为"中国最早的城市"，距今约 6 000 年。宋代罗泌《路史》载炎帝"崩，葬长沙茶乡之尾……唐世尝奉祀焉"。《古今图书集成·衡州府古迹考》载："炎帝神农氏陵，在酃之康乐乡。""康乐乡"即今株洲市炎陵县鹿原镇。长沙马王堆汉墓出土的 16 部医书涉及方剂学、脉学、经络学等多门学科，代表了我国先秦时期的医药成就，其中《五十二病方》是我国现存最早的方书。

湖南中药资源的研究与应用历史悠久。马王堆汉墓出土的药材有桂皮、花椒、干姜、藁本、佩兰、辛夷、牡蛎、朱砂等，出土医书中的中药名共406个。《新唐书·地理志》载："岳州巴陵郡贡鳖甲，潭州长沙郡贡木瓜，永州零陵郡贡零陵香、石蜜、石燕，道州江华郡贡零陵香、犀角，辰州泸溪郡贡光明砂、犀角、水银、黄连、黄牙……锦州卢阳郡贡光明丹砂、犀角、水银。"唐代柳宗元《捕蛇者说》云："永州之野产异蛇，黑质而白章。"此即常用中药蕲蛇。宋代苏颂等编撰的《本草图经》，实际上是继《新修本草》后本草史上第二次全国药物普查的成果，集中反映了宋代实际的药物出产与使用情况，该书收载了当时湖南境内8州的28幅药图，包括辰州丹砂、道州石钟乳、道州滑石、道州石南、永州石燕、衡州菖蒲、衡州玄参、衡州栝楼、衡州地榆、衡州百部、衡州马鞭草、衡州五加皮、衡州乌药、澧州莎草、邵州苦参、邵州天麻、邵州乌头、鼎州茅根、鼎州连翘、鼎州地芙蓉、鼎州水麻、岳州假苏、岳州薄荷等。清代吴其濬所著《植物名实图考》收载的湖南药用植物达267种。明清之际，湖南各府县广泛修著地方志，并在"物产"中记载本地所产药材，如清道光《宝庆府志》（1849）与光绪《邵阳县志》（1876）均记载："百合，邵阳出者特大而肥美。"清末《邵阳县乡土志》（1907）载："玉竹参一名葳蕤，又名女萎，近谷皮洞多产此。"并载邵阳常见中药材尚有黄精、香附子、金樱子、栀子、金银花、桑白皮、厚朴、丹皮、天花粉、天南星、何首乌、前胡、桔梗、牛膝、五倍子、络石藤、吴茱萸、木通、车前草、香薷、木鳖子等。

中华人民共和国成立以来，党和政府高度重视中医药的传承与发展。湖南先后开展了4次全省范围的中药资源调查工作，掌握了全省中药资源的种类、分布、产量与民间药用情况的本底资料。20世纪50年代末，湖南开展了"群众性的中医采风运动"，全省献方达数十万个，湖南中医药研究所（1957年创办，1962年更名为湖南省中医药研究所，1984年更名为湖南省中医药研究院）组织专家对献方进行了研究，为各地挖掘使用中药资源奠定了坚实的基础。20世纪60—70年代，湖南开始兴起中草药群众运动。为了更好地开展中草药群众运动，湖南省中医药研究所对基层医疗工作者、赤脚医生、老药农、老草医与地方卫生局、药品检验所、医药公司提供的大量标本和资料进行了整理与鉴定，系统地梳理了这一时期湖南中药资源的种类和应用情况。1962年，湖南省中医药研究所出版了《湖南药物志（第一辑）》，该书收载药用植物 417 种。1972 年，《湖南药物志（第二辑）》出版，收载药用植物 406 种。1979 年，《湖南药物志（第三辑）》出版，收载药用植物 341 种。20 世纪 80 年代，湖南第三次中药资源普查正式开始，此次普查共采集植物、动物、矿物标本 298 785 份，拍摄照片 13 457 张，调查到全省中药资源种类 2 384 种，其中植物药 2 077 种，动物药 256 种，矿物药 51 种；全国重点调查的 363 种药材中，湖南产 241 种；测算全省植物药蕴藏量 107.8 万 t，动物药蕴藏量 1 306 t，矿物药蕴藏量 1 147 万 t；共收集单验方 25 355 个，经各地（州、市）筛选汇编的有 8 000 多个，经名老中医严格审查选用的有 2 400 余个，这 2 400 余个单验方编成了《湖南省中草药民间单验方选编》。

2011 年，第四次全国中药资源普查试点工作启动。湖南作为首批 6 个试点省区之一率先启动普查工作，历时 11 年，先后分 6 批，进行了全省 122 个县级行政区域的中药资源普查工作。湖南本次普查共调查代表区域 550 个，代表区域总面积 149 101.03 km^2；调查样地 4 598 个，样方套 22 904 个；采集腊叶标本 116 443 号、药材样品 10 204 份、种质资源 5 913 份；调查传统知识 1 252 份；拍摄照片 1 519 340 张；计算蕴藏量的种类 584 种；调查栽培品种 160 种、市场流通中药材 479 种；调查数据约 210 万条。本次普查全面掌握了湖南中药资源种类与分布、重点品种的资源量、中药材市场流通等信息，为湖南中医药事业、产业发展提供了科学依据。

湖南第四次中药资源普查为适应时代发展需求，创新应用了大量现代技术，提高了工作效率，保障了数据的完整性、一致性、准确性和实用性。通过引入空间信息技术与分层抽样方法设置的调查区域与样地更具代表性，从而使资源蕴藏量的估算更加科学。野外调查中应用 GPS、数码相机、信息采集软件等获取经度、纬度、海拔等信息化数据，搭建了信息化工作平台。湖南在约 210 万条数据的基础上建成了湖南省中药资源数据库，实现了全省中药资源数据的长久保存、可视查询、成果转化和共享服务。本书中的基原图片、资源分布等内容充分利用了数据库的查询、统计功能，湖南省最新中药资源区划也利用了普查数据，全省被划分为湘西北武陵山中药资源区、湘西南雪峰山中药资源区、湘南南岭北部中药资源区、湘中湘东丘陵中药资源区、洞庭湖及环湖丘岗中药资源区 5 个中药资源分区。

编著一套图文并茂、系统全面反映湖南中药资源家底的著作是普查工作的重要组成部分。2021 年，湖南第四次中药资源普查进入收尾阶段，我们组织专家对《中国中药资源大典·湖南卷》的编写体例、资源名录、图片整理及分工安排进行了多轮讨论，最后形成了编写工作方案。野外工作得到的一手数据，是我们编著本书的关键素材，书中的图片来源于野外拍摄，分布信息来源于凭证标本的采集地点，资源蕴藏量信息来源于实际调查，因此，本书充分体现了湖南第四次中药资源普查的全方位成果。

第四次全国中药资源普查技术指导专家组组长黄璐琦院士多次带领普查专家组莅临湖南指导普查工作。湖南省委、省政府高度重视中药资源普查工作；湖南省中医药管理局作为普查组织实施单位，构建了符合湖南实际情况的普查组织模式；湖南省中医药研究院作为技术牵头单位，组织成立了专家委员会，指导全省普查工作。在各方的共同努力下，湖南顺利完成了第四次中药资源普查工作。我们向支持普查工作的社会各界表示由衷的感谢，向奋战在普查一线的"伙计们"致以诚挚的敬意！

普查的大量数据是我们编著本书的优势，同时也为整理图片、撰写文稿带来了巨大的挑战，加之编者学术水平有限，书中难免存在资料取舍失当及错漏之处，敬请有关专家、学者批评指正。

编　者

2024 年 4 月

凡　例

（1）本书共 14 册，分为上、中、下篇。上篇综述了湖南自然社会概况、中药资源调查历史、第四次中药资源普查情况、中药资源分布；中篇论述了 34 种湖南道地、大宗中药资源；下篇共收录中药资源 4 196 种，其中药用菌类资源 36 种、药用植物资源 3 799 种、药用动物资源 315 种、药用矿物资源 46 种。另外，附录中收录药用资源 305 种。

（2）分类系统。菌类参考 Index Fungorum 最新的分类学研究成果。蕨类植物采用秦仁昌分类系统（1978）。裸子植物采用郑万钧分类系统（1978）。被子植物采用恩格勒系统（1964）。

（3）本书下篇主要介绍各中药资源，以中药资源名为条目名，下设药材名、形态特征、生境分布、资源情况、采收加工、药材性状、功能主治、用法用量及附注等，其中采收加工、药材性状、用法用量为非必要项，资料不详者项目从略。各项目编写原则简述如下。

1）条目名。该项记述中药资源物种及其科属的中文名、拉丁学名。其中蕨类植物、裸子植物、被子植物的名称主要参考《中国植物志》，藻类、动物、矿物的名称主要参考《中华本草》。

2）药材名。该项记述中药资源的药材名、药用部位与药材别名。凡《中华人民共和国药典》等法定标准收载者，原则上采用法定药材名；法定标准未收载者，主要参考《中华本草》《全国中草药名鉴》《中国中药资源志要》。药材别名记载湖南各地乡村中医、草医及民间习惯用名。

3）形态特征。该项简要描述中药资源的形态特征，突出鉴别特征。主要参考《中国植物志》，并结合普查实际所获取的信息进行描述。

4）生境分布。该项记述中药资源在湖南的生存环境与分布区域。生存环境主要源于凭证标本的生境，并参考相关志书的描述。分布区域源于凭证标本的采集地，以"地市级行政区划（县级行政区划）"的形式进行描述。在湖南五大中药资源分区中皆有分布且凭证标本超过 20 号者，记述为"湖南各地均有分布"。

5）资源情况。该项记述中药资源的蕴藏量情况，用丰富、较丰富、一般、较少、稀少来表示；并用"野生"或"栽培"记述药材的主要来源。

6）采收加工。该项记述药材的采收时间与加工方法。

7）药材性状。该项主要记述药材的性状特征、品质评价等内容。

8）功能主治。该项记述药材的性味、毒性、归经、功能和主治。

9）附注。该项记述中药资源最新的分类学地位与接受名的变动情况；记述《中华人民共和国药典》与地方标准收载的物种学名；描述物种的濒危等级、其他医药相关用途，以及本草、地方志书中的资源方面的记载情况等。

（4）附录。以名录形式收载中篇、下篇没有收载的湖南分布的中药资源。

目 录

Contents

裸子植物

柏科 Cupressaceae 柏木属 Cupressus

柏木 Cupressus funebris Endl.

| 药 材 名 | 柏树叶（药用部位：枝叶）、柏树果（药用部位：果实。别名：柏树子、香柏树子）、柏树根（药用部位：根）、柏树油（药用部位：树干渗出的树脂。别名：柏油、寸柏香）。

| 形态特征 | 乔木，高达 35 m，胸径 2 m；树皮淡褐灰色，裂成窄长的条片。鳞叶二型，长 1 ~ 1.5 mm，先端锐尖，中央叶的背部有条状腺点，两侧叶对折，背部有棱脊。雄球花椭圆形或卵圆形，长 2.5 ~ 3 mm，雄蕊通常 6 对，药隔先端常具短尖头，中央具纵脊，淡绿色，边缘带褐色；雌球花长 3 ~ 6 mm，近球形，直径约 3.5 mm。球果圆球形，直径 8 ~ 12 mm，成熟时暗褐色，种鳞 4 对，宽 5 ~ 7 mm，中央有尖头或无，能育种鳞有 5 ~ 6 种子；种子宽倒卵状菱形或近圆形，扁，成熟时淡褐色，有光泽，长约 2.5 mm，边缘具窄翅；初生叶扁

平刺形，长 5 ~ 17 mm，宽约 0.5 mm，起初对生，后 4 叶轮生。花期 3 ~ 5 月，种子翌年 5 ~ 6 月成熟。

| 生境分布 | 生于岗地、丘陵、低山、中山的林缘或山坡。湖南各地均有分布。

| 资源情况 | 野生资源稀少。药材来源于野生。

| 采收加工 | 柏树叶：全年均可采收，阴干。

柏树果：8 ~ 10 月果实长大而未裂开时采收，晒干。

柏树根：全年均可采挖，洗去泥土，切片，晒干。

柏树油：7 ~ 8 月砍伤树干，待树脂渗出凝结后收集。

| 药材性状 | 柏树果：本品呈圆球形，直径 8 ~ 12 mm，暗褐色。种鳞 4 对，先端为不规则的五角形或方形，能育种鳞有种子 5 ~ 6。种子宽倒卵状菱形或近圆形，略扁，淡褐色，有光泽，长约 2.5 mm，边缘具窄翅。气微，味涩。

| 功能主治 | 柏树叶：苦、涩，平。凉血止血，敛疮生肌。用于吐血，血痢，痔疮，癞疮，烫伤，刀伤，毒蛇咬伤。

柏树果：苦、甘，平。归心、肺经。祛风，和中，安神，止血。用于感冒发热，胃痛呕吐，烦躁，失眠，劳伤吐血。

柏树根：清热解毒。用于麻疹身热不退。

柏树油：甘、微涩，平。祛风，除湿，解毒，生肌。用于风热头痛，带下，淋浊，痈疽疮疡，赘疣，刀伤出血。

| 用法用量 | 柏树叶：内服煎汤，9 ~ 15 g；或研末。外用适量，捣敷；或研末调敷。

柏树果：内服煎汤，15 ~ 25 g；或研末。

柏树根：内服煎汤，6 ~ 15 g。

柏树油：内服煎汤，3 ~ 9 g。外用适量，研末撒。

| 附　　注 | 本种为我国特有树种。

柏科 Cupressaceae 福建柏属 Fokienia

福建柏
Fokienia hodginsii (Dunn) Henry et Thomas

| 药 材 名 |

福建柏（药用部位：心材）。

| 形态特征 |

乔木，高达 17 m；树皮紫褐色，平滑；生鳞叶的小枝扁平，排成 1 平面，二年生或三年生枝褐色，光滑，圆柱形。鳞叶 2 对交叉对生，呈节状，生于幼树或萌芽枝中央的叶呈楔状倒披针形，上面的叶蓝绿色，下面的叶中脉隆起，侧面的叶对折，近长椭圆形，多少斜展，背有棱脊，先端渐尖或微急尖；生于成龄树上的叶较小，两侧的叶先端稍内曲，急尖或微钝。雄球花近球形，长约 4 mm。球果近球形，成熟时褐色，直径 2 ~ 2.5 cm；种鳞顶部多角形，表面皱缩，稍凹陷，中间有 1 小尖头状突起；种子先端尖，具 3 ~ 4 棱，长约 4 mm，上部有 2 大小不等的翅，大翅近卵形，长约 5 mm，小翅窄小，长约 1.5 mm。花期 3 ~ 4 月，种子翌年 10 ~ 11 月成熟。

| 生境分布 |

生于海拔 1 800 m 以下的温暖湿润的山地森林中。分布于湘南等。

| **资源情况** | 野生资源少。药材来源于野生。 |

| **采收加工** | 全年均可采收，剥去树皮，切段或切片，晒干。 |

| **功能主治** | 苦、辛，寒。行气止痛，降逆止呕。用于脘腹疼痛，噎膈，反胃，呃逆，恶心呕吐。 |

| **用法用量** | 内服煎汤，6 ～ 15 g。 |

柏科 Cupressaceae 刺柏属 Juniperus

刺柏

Juniperus formosana Hayata

药 材 名

山刺柏（药用部位：根或根皮、枝叶。别名：刺柏、刺松）。

形态特征

乔木，高达 12 m；树皮褐色，纵裂成长条状的薄片，脱落。枝条斜展或直展，树冠塔形或圆柱形；小枝下垂，三棱形。3 叶轮生，叶片条状披针形或条状刺形，长 1.2 ～ 2 cm，稀长达 3.2 cm，宽 1.2 ～ 2 mm，先端渐尖，具锐尖头，上面稍凹，中脉微隆起，绿色，两侧各有一白色、很少紫色或淡绿色的气孔带，气孔带较绿色边带稍宽，气孔带与边带在叶的先端汇合，下面绿色，有光泽，具纵钝脊，横切面新月形。雄球花圆球形或椭圆形，长 4 ～ 6 mm，药隔先端渐尖，背有纵脊。球果近球形或宽卵圆形，长 6 ～ 10 mm，直径 6 ～ 9 mm，成熟时淡红褐色，被白粉或白粉脱落，间或顶部微张开；种子半月状圆形，具 3 ～ 4 棱脊，先端尖，近基部有 3 ～ 4 树脂槽。

生境分布

生于林中或成小片稀疏纯林。湖南各地均有分布。湖南偶见栽培。

| 资源情况 | 野生资源较少，栽培资源较少。药材来源于栽培。

| 采收加工 | 根或根皮，秋、冬季采挖根或剥取根皮，晒干。枝叶，全年均可采收，洗净，晒干。

| 功能主治 | 苦，寒。清热解毒，燥湿止痒。用于麻疹高热，湿疹，癣疮。

| 用法用量 | 内服煎汤，6 ~ 15 g。外用适量，煎汤洗。

柏科 Cupressaceae 侧柏属 Platycladus

侧柏 *Platycladus orientalis* (L.) Franco

药材名

侧柏叶（药用部位：枝梢、叶。别名：香树叶）、柏子仁（药用部位：成熟种仁。别名：柏实、柏子、柏仁）。

形态特征

乔木，高超过 20 m，胸径 1 m；树皮薄，浅灰褐色，纵裂成条片状。枝条向上伸展或斜展。叶鳞形，长 1 ~ 3 mm，先端微钝；小枝中央叶的露出部分呈倒卵状菱形或斜方形，背面中间有条状腺槽；小枝两侧的叶呈船形，先端微内曲，背部有钝脊，尖头的下方有腺点。雄球花黄色，卵圆形，长约 2 mm；雌球花近球形，直径约 2 mm，蓝绿色，被白粉。球果近卵圆形，长 1.5 ~ 2（~ 2.5）cm，成熟前近肉质，蓝绿色，被白粉，成熟后木质，开裂，红褐色；种子卵圆形或近椭圆形，先端微尖，灰褐色或紫褐色，长 6 ~ 8 mm，稍有棱脊，无翅或有极窄的翅。花期 3 ~ 4 月，球果 10 月成熟。

生境分布

生于海拔 800 m 以下的林缘、平地。湖南各地均有分布。

| **资源情况** | 野生资源丰富，栽培资源丰富。药材来源于栽培。 |

采收加工 　侧柏叶：夏、秋季采收，阴干。

柏子仁：秋、冬季采收成熟种子，晒干，除去种皮，收集种仁。

药材性状 　侧柏叶：本品多分枝，小枝扁平。叶细小，鳞片状，交互对生，贴伏于枝上，深绿色或黄绿色。质脆，易折断。气清香，味苦、涩、微辛。

柏子仁：本品呈长卵形或长椭圆形，长 4 ~ 7 mm，直径 1.5 ~ 3 mm。表面黄白色或淡黄棕色，外包膜质内种皮，先端略尖，有深褐色的小点，基部钝圆。质软，富油性。气微香，味淡。

功能主治 　侧柏叶：苦、涩，寒。归肺、肝、脾经。凉血止血，生发乌发。用于吐血，衄血，咯血，便血，崩漏下血，血热脱发，须发早白。

柏子仁：甘，平。归心肾、大肠经。养心安神，止汗，润肠。用于虚烦失眠，心悸怔忡，阴虚盗汗，肠燥便秘。

用法用量 　侧柏叶：内服煎汤，6 ~ 12 g。外用适量，煎汤洗；或捣敷；或研末调敷。

柏子仁：内服煎汤，3 ~ 9 g。

柏科 Cupressaceae 侧柏属 Platycladus

千头柏 *Platycladus orientalis* (L.) Franco 'Sieboldii'

| 药 材 名 | 侧柏叶（药用部位：枝梢、叶）。

| 形态特征 | 丛生灌木，无主干。枝密，上伸；树冠卵圆形或球形。叶绿色。

| 生境分布 | 生于庭院、公园。湖南各地均有分布。

| 资源情况 | 栽培资源丰富。药材来源于栽培。

| 采收加工 | 夏、秋季采收，阴干。

| 药材性状 | 本品多分枝，小枝扁平。叶细小，鳞片状，交互对生，贴伏于枝上，深绿色或黄绿色。质脆，易折断。气清香，味苦、涩、微辛。

| **功能主治** | 苦、涩，寒。归肺、肝、脾经。凉血止血，生发乌发。用于吐血，衄血，咯血，便血，崩漏下血，血热脱发，须发早白。 |

| **用法用量** | 内服煎汤，6 ~ 12 g。外用适量，煎汤洗；或捣敷；或研末调敷。 |

柏科 Cupressaceae 圆柏属 Sabina

圆柏 *Sabina chinensis* (L.) Ant.

| 药 材 名 |

圆柏（药用部位：枝、叶、树皮。别名：刺柏、柏树、桧柏）。

| 形态特征 |

乔木，高达 20 m，胸径达 3.5 m；树皮深灰色，纵裂成条片状。幼树的枝条通常排列成尖塔形的树冠，老树下部的大枝平展，呈广圆形。叶二型，分为刺叶和鳞叶；刺叶生于幼树之上，老龄树全为鳞叶，壮龄树兼有刺叶与鳞叶；生于一年生小枝上的 1 回分枝的鳞叶 3 叶轮生，直伸而紧密，近披针形，先端微渐尖，长 2.5 ~ 5 mm；刺叶 3 叶交互轮生，斜展，疏松，披针形，先端渐尖，长 6 ~ 12 mm，上面微凹，有 2 白粉带。雌雄异株，稀同株；雄球花黄色，椭圆形，长 2.5 ~ 3.5 mm，雄蕊 5 ~ 7 对，常有 3 ~ 4 花药。球果近圆球形，直径 6 ~ 8 mm，2 年成熟，成熟时暗褐色，被白粉或白粉脱落，有 1 ~ 4 种子；种子卵圆形，扁，先端钝，有棱脊及少数树脂槽。

| 生境分布 |

生于海拔 1 800 m 以下的岗地、丘陵、中山、低山的林缘、山坡。湖南各地均有分布。

| **资源情况** | 野生资源稀少。药材来源于野生。

| **采收加工** | 全年均可采收，鲜用或晒干。

| **功能主治** | 苦、辛，温；有小毒。祛风散寒，活血消肿，解毒利尿。用于风寒感冒，肺结核，尿路感染；外用于荨麻疹，风湿关节痛。

| **用法用量** | 内服煎汤，15 ~ 25 g。外用适量，煎汤洗；或烧烟熏。

杉科 Taxodiaceae 落羽杉属 Taxodium

池杉
Taxodium ascendens Brongn.

| 药 材 名 |

池杉（药用部位：树皮）。

| 形态特征 |

乔木，在原产地植株高达 25 m。树干基部膨大，通常有屈膝状的呼吸根（低湿地生长尤为显著）；树皮褐色，纵裂，成长条片脱落。枝条向上伸展，树冠较窄，呈尖塔形；当年生小枝绿色，细长，通常微向下弯垂，二年生小枝呈褐红色。叶钻形，微内曲，在枝上螺旋状伸展，上部微向外伸展或近直展，下部通常贴近小枝，基部下延，长 4 ~ 10 mm，基部宽约 1 mm，向上渐窄，先端有渐尖的锐尖头，下面有棱脊，上面中脉微隆起，每边有 2 ~ 4 气孔线。 球果圆球形或矩圆状球形，有短梗，向下斜垂，成熟时褐黄色，长 2 ~ 4 cm，直径 1.8 ~ 3 cm；种鳞木质，盾形，中部种鳞高 1.5 ~ 2 cm；种子不规则三角形，微扁，红褐色，长 1.3 ~ 1.8 cm，宽 0.5 ~ 1.1 cm，边缘有锐脊。花期 3 ~ 4 月，果期 10 月。

| 生境分布 |

栽培种。分布于湖南衡阳（衡山）、邵阳（新

宁）、郴州（资兴）、永州（东安）、怀化（溆浦）等。

| **资源情况** | 栽培资源一般。药材来源于栽培。

| **功能主治** | 利尿，止泻。

| **附　注** | 本种在 FOC 中被修订为杉科 Taxodiaceae 落羽杉属 *Taxodium* 池杉 *Taxodium distichum* var. *imbricarium* (Nutt.) Croom。

罗汉松科 Podocarpaceae 罗汉松属 *Podocarpus*

罗汉松
Podocarpus macrophyllus (Thunb.) D. Don

| 药 材 名 |

罗汉松实（药用部位：种子及花托。别名：土杉实）、罗汉松叶（药用部位：枝、叶。别名：江南柏叶、江西侧柏叶）、罗汉松根皮（药用部位：根皮）。

| 形态特征 |

乔木，高达 20 m，胸径达 60 cm；树皮灰色或灰褐色，浅纵裂，呈薄片状脱落。枝开展或斜展，较密。叶螺旋状着生，条状披针形，微弯，长 7 ~ 12 cm，宽 7 ~ 10 mm，先端尖，基部楔形，上面深绿色，有光泽，中脉显著隆起，下面带白色、灰绿色或淡绿色，中脉微隆起。雄球花穗状，腋生，常 3 ~ 5 簇生于极短的总花梗上，长 3 ~ 5 cm，基部有数枚三角状苞片；雌球花单生于叶腋，有花梗，基部有少数苞片。种子卵圆形，直径约 1 cm，先端圆，成熟时肉质；假种皮紫黑色，有白粉；种托肉质圆柱形，红色或紫红色，柄长 1 ~ 1.5 cm。花期 4 ~ 5 月，种子 8 ~ 9 月成熟。

| 生境分布 |

生于庭院、公园。分布于湖南邵阳（绥宁）等。

| 资源情况 | 野生资源稀少，栽培资源丰富。药材来源于栽培。

| 采收加工 | **罗汉松实：**秋季种子成熟时采摘，晒干。

罗汉松叶：全年或夏、秋季采收，洗净，鲜用或晒干。

罗汉松根皮：全年或秋季采挖，洗净，鲜用或晒干。

| 药材性状 | **罗汉松实：**本品种子椭圆形、类圆形或斜卵圆形，长 8 ~ 11 mm，直径 7 ~ 9 mm；外表面灰白色或棕褐色，多数被白霜，具凸起的网纹，基部着生于花托上。花托倒钟形，肉质。质硬，不易破碎；折断面种皮厚，中心粉白色。气微，味淡。

罗汉松叶：本品枝条直径 2 ~ 5 mm，表面淡黄色或褐色，粗糙，具似三角形的叶基脱落痕。叶条状披针形，长 7 ~ 12 cm，宽 4 ~ 7 mm；先端短尖或钝，上面灰绿色至暗褐色，下面黄绿色至淡棕色。质脆，易折断。气微，味淡。

| 功能主治 | **罗汉松实：**甘，微温。归胃、肝经。行气止痛，温中补血。用于胃脘疼痛，血虚面色萎黄。

罗汉松叶：淡，平。止血。用于吐血，咯血。

罗汉松根皮：甘、微苦，微温。活血祛瘀，祛风除湿，杀虫止痒。用于跌打损伤，风湿痹痛，癣疾。

| 用法用量 | **罗汉松实**：内服煎汤，10 ~ 20 g。

罗汉松叶：内服煎汤，10 ~ 30 g。

罗汉松根皮：内服煎汤，9 ~ 15 g。外用适量，捣敷；或煎汤熏洗。

罗汉松科 Podocarpaceae 罗汉松属 Podocarpus

短叶罗汉松 *Podocarpus macrophyllus* (Thunb.) D. Don var. *maki* Endl.

| 药 材 名 |

罗汉松实（药用部位：种子及花托。别名：土杉实）、罗汉松叶（药用部位：枝、叶。别名：江南柏叶、江西侧柏叶）、罗汉松根皮（药用部位：根皮）。

| 形态特征 |

小乔木或呈灌木状。枝条向上斜展。叶短而密生，长 2.5 ~ 7 cm，宽 3 ~ 7 mm，先端钝或圆。

| 生境分布 |

生于海拔 1 800 m 以下的岗地、丘陵的林缘、山坡。湖南各地均有分布。

| 资源情况 |

栽培资源一般。药材来源于栽培。

| 采收加工 |

罗汉松实： 秋季种子成熟时采摘，晒干。

罗汉松叶： 全年或夏、秋季采收，洗净，鲜用或晒干。

罗汉松根皮： 全年或秋季采挖，洗净，鲜用或晒干。

| 药材性状 | **罗汉松实**：本品种子椭圆形、类圆形或斜卵圆形，长 8 ~ 11 mm，直径 7 ~ 9 mm；外表面灰白色或棕褐色，多数被白霜，具凸起的网纹，基部着生于花托上。花托倒钟形，肉质。质硬，不易破碎；折断面种皮厚，中心粉白色。气微，味淡。

罗汉松叶：本品枝条直径 2 ~ 5 mm，表面淡黄色或褐色，粗糙，具似三角形的叶基脱落痕。叶条状披针形，长 2.5 ~ 7 cm，宽 4 ~ 7 mm；先端短尖或钝，上面灰绿色至暗褐色，下面黄绿色至淡棕色。质脆，易折断。气微，味淡。

| 功能主治 | **罗汉松实**：甘，微温。归胃、肝经。行气止痛，温中补血。用于胃脘疼痛，血虚面色萎黄。

罗汉松叶：淡，平。止血。用于吐血，咯血。

罗汉松根皮：甘、微苦，微温。活血祛瘀，祛风除湿，杀虫止痒。用于跌打损伤，风湿痹痛，癣疾。

| 用法用量 | **罗汉松实**：内服煎汤，10 ~ 20 g。

罗汉松叶：内服煎汤，10 ~ 30 g。

罗汉松根皮：内服煎汤，9 ~ 15 g。外用适量，捣敷；或煎汤熏洗。

| 附　　注 | 本种的拉丁学名在 FOC 中被修订为 *Podocarpus chinensis* Wall. ex J. Forbes。

罗汉松科 Podocarpaceae 罗汉松属 Podocarpus

竹柏
Podocarpus nagi (Thunb.) Zoll. et Mor. ex Zoll.

| 药 材 名 |

竹柏（药用部位：叶）、竹柏根（药用部位：根、树皮）。

| 形 态 特 征 |

常绿乔木，高达 20 m。树皮近光滑，红褐色或暗紫红色，呈小块薄片状脱落。枝开展，树干广圆锥形。叶交互对生或近对生，排成 2 列，厚革质，长卵形或椭圆状披针形，长 3.5 ~ 9 cm，宽 1.5 ~ 2.8 cm，无中脉，有多数并列的细脉，上面深绿色，有光泽，下面浅绿色，先端渐窄，基部楔形，向下渐窄成柄状。雌雄异株；雄球花穗状，常分枝，单生于叶腋，长 1.8 ~ 2.5 cm，花梗较粗短；雌球花单生于叶腋，稀成对腋生，基部有数枚苞片。种子球形，直径 1.2 ~ 1.5 cm；成熟时假种皮暗紫色，有白粉，梗长 7 ~ 13 cm，上有苞片脱落的痕迹；骨质外种皮黄褐色，先端圆，基部尖，密被细小的凹点；内种皮膜质。花期 3 ~ 4 月，种子 10 月成熟。

| 生 境 分 布 |

生于路旁、公园、庭院。湖南各地均有分布。

| **资源情况** | 野生资源较少，栽培资源丰富。药材来源于栽培。

| **采收加工** | **竹柏**：全年均可采收，洗净，鲜用或晒干。
　　　　　　　竹柏根：全年或秋季采挖根部，剥取树皮，除去泥土、杂质，切段，晒干。

| **功能主治** | **竹柏**：止血，接骨。用于外伤出血，骨折。
　　　　　　　竹柏根：淡、涩，平。祛风除湿。用于风湿痹痛。

| **用法用量** | **竹柏**：外用适量，鲜品捣敷；或干品研末调敷。
　　　　　　　竹柏根：外用适量，捣敷。

罗汉松科 Podocarpaceae　罗汉松属 Podocarpus

百日青 *Podocarpus neriifolius* D. Don

| 药 材 名 | 百日青（药用部位：根、根皮、枝、叶）。

| 形态特征 | 乔木，高达 25 m，胸径约 50 cm。树皮灰褐色，薄纤维质，呈片状纵裂。枝条开展或斜展。叶呈螺旋状着生，披针形，厚革质，常微弯，长 7 ~ 15 cm，宽 9 ~ 13 mm，上部渐窄，先端有渐尖的长尖头；萌生枝上的叶稍宽，有短尖头，基部渐窄，楔形，有短柄，上面中脉隆起，下面微隆起或近平。雄球花穗状，单生或 2 ~ 3 簇生，长 2.5 ~ 5 cm，总花梗较短，基部有多数螺旋状排列的苞片。种子卵圆形，长 8 ~ 16 mm，先端圆或钝，成熟时肉质；假种皮紫红色，种托肉质，橙红色，梗长 9 ~ 22 mm。花期 5 月，种子 10 ~ 11 月成熟。

| 生境分布 | 生于海拔 400 ~ 1 000 m 的山地，与阔叶树混生成林。分布于湖南

衡阳（衡山）等。

| **资源情况** | 野生资源稀少。药材来源于野生。

| **功能主治** | 根，用于水肿。根皮，用于癣疥，痢疾。枝、叶，用于骨质增生，关节肿痛。

三尖杉科 Cephalotaxaceae 三尖杉属 Cephalotaxus

三尖杉 *Cephalotaxus fortunei* Hook.

| **药 材 名** | 三尖杉（药用部位：枝叶）、三尖杉根（药用部位：根）、血榧（药用部位：种子。别名：榧子）。

| **形态特征** | 乔木，高达 20 m，胸径达 40 cm。树皮褐色或红褐色，裂成片状，脱落；枝条较细长，稍下垂；树冠广圆形。叶排成 2 列，披针状条形，通常微弯，长 4 ~ 13（多 5 ~ 10）cm，宽 3.5 ~ 4.5 mm，上部渐窄，先端有渐尖的长尖头，基部楔形或宽楔形，上面深绿色，中脉隆起，下面的气孔带白色，较绿色边带宽 3 ~ 5 倍，绿色中脉带明显或微明显。雄球花 8 ~ 10 聚生成头状，总花梗粗，通常基部及总花梗上部有 18 ~ 24 苞片，雄球花有 6 ~ 16 雄蕊，花药 3，花丝短；雌球花的胚珠 3 ~ 8 发育成种子，总花梗长 1.5 ~ 2 cm；种子椭圆状卵形或近圆球形，长约 2.5 cm，假种皮成熟时紫色或红紫色，先端有

小尖头。花期 4 月，种子 8 ～ 10 月成熟。

| 生境分布 | 生于针阔叶混交林中。湖南各地均有分布。

| 资源情况 | 野生资源较丰富。药材来源于野生。

| 采收加工 | **三尖杉**：全年或夏、秋季采收，晒干。
三尖杉根：全年均可采挖，除去泥土，晒干。
血榧：秋季种子成熟时采收，晒干。

| 药材性状 | **三尖杉**：本品小枝对生，基部有宿存的芽鳞。叶呈螺旋状排成 2 列，常水平展开，披针状条形，长 4 ～ 13 cm，宽 3 ～ 4 mm，先端尖，基部楔形，有短柄，上面深绿色，中脉隆起，下面中脉两侧有白色气孔带。气微，味微涩。

| 功能主治 | **三尖杉**：苦、涩，寒；有毒。抗肿瘤。用于恶性淋巴瘤，白血病，肺癌，胃癌，食管癌，直肠癌等。
三尖杉根：苦、涩，平。抗肿瘤，活血，止痛。用于直肠癌，跌打损伤。
血榧：涩、苦，平。归肺、大肠经。驱虫消积，润肺止咳。用于食积腹胀，疳积，虫积，肺燥咳嗽。

| 用法用量 | **三尖杉根**：内服煎汤，10 ～ 60 g。
血榧：内服煎汤，6 ～ 15 g；或炒熟服。

| 附　注 | 三尖杉枝叶提取的生物碱可制成注射剂。

三尖杉科 Cephalotaxaceae 三尖杉属 Cephalotaxus

篦子三尖杉

Cephalotaxus oliveri Mast.

| 药 材 名 |

篦子三尖杉（药用部位：枝叶、种子）。

| 形态特征 |

灌木，高达4m。树皮灰褐色。叶条形，质硬，平展成2列，排列紧密，通常中部以上向上方微弯，稀直伸，长1.5~3.2 [多为1.7~2（~5）] cm，宽3~4.5mm，基部截形或微呈心形，几无柄，先端凸尖或微凸尖，上面深绿色，微拱圆，中脉微明显或中下部明显，下面的气孔带白色，较绿色边带宽1~2倍。雄球花6~7聚生成头状花序，直径约9mm，总花梗长约4mm，基部及总花梗上部有10余苞片，雄球花基部有一广卵形的苞片，雄蕊6~10，花药3~4，花丝短；雌球花的胚珠通常1~2发育成种子；种子倒卵圆形、卵圆形或近球形，长约2.7cm，直径约1.8cm，先端中央有小凸尖，有长柄。花期3~4月，种子8~10月成熟。

| 生境分布 |

生于海拔300~1 800m的阔叶林或针叶林内。湖南各地均有分布。

| **资源情况** | 野生资源稀少。药材来源于野生。

| **采收加工** | 全年均可采收枝叶，秋季种子成熟时采收种子，晒干。

| **功能主治** | 苦、涩，寒。抗肿瘤。用于血液系统肿瘤，其他恶性肿瘤。

三尖杉科 Cephalotaxaceae 三尖杉属 Cephalotaxus

粗榧

Cephalotaxus sinensis (Rehd. et Wils.) Li

| 药 材 名 | 粗榧枝叶（药用部位：枝叶）、粗榧根（药用部位：根、树皮）。

| 形态特征 | 灌木或小乔木，高达 15 m。树皮灰色或灰褐色，裂成薄片状，脱落。叶条形，排成 2 列，长 2 ~ 5 cm，宽约 3 mm，上部渐窄，先端渐尖或微凸尖，基部近圆形，质地较厚，上面深绿色，中脉明显，下面有 2 白色气孔带，较绿色边带宽 2 ~ 4 倍。雄球花 6 ~ 7 聚生成头状，直径约 6 mm，总花梗长约 3 mm；雄球花卵圆形，基部有 1 苞片，雄蕊 4 ~ 11；雌球花头状，通常 2 ~ 5 胚珠发育成种子；种子 2 ~ 5，生于总花梗的上端，卵圆形、椭圆状卵圆形或近球形，长 1.8 ~ 2.5 cm，先端中央有尖头。花期 3 ~ 4 月，种子 10 ~ 11 月成熟。

| 生境分布 | 生于海拔 1 800 m 以下的岗地、丘陵、低山、中山的林缘、山坡。分布于湖南益阳（安化）、怀化（沅陵）等。

| 资源情况 | 野生资源一般。药材来源于野生。

| 采收加工 | **粗榧枝叶：** 全年或夏、秋季采收，晒干。
粗榧根： 全年均可采收，洗净，刮去粗皮，切片，晒干。

| 功能主治 | **粗榧枝叶：** 苦、涩，寒。抗肿瘤。用于白血病，恶性淋巴瘤。
粗榧根： 淡、涩，平。祛风除湿。用于风湿痹痛。

| 用法用量 | **粗榧枝叶：** 一般提取其生物碱制成注射剂使用。
粗榧根： 内服煎汤，15 ~ 30 g。

| 附　　注 | 粗榧枝叶中的生物碱可制成注射剂。

红豆杉科 Taxaceae 穗花杉属 *Amentotaxus*

穗花杉
Amentotaxus argotaenia (Hance) Pilger

| 药 材 名 |

穗花杉种子（药用部位：种子。别名：硬壳虫、杉枣）、穗花杉根（药用部位：根、树皮）、穗花杉叶（药用部位：叶）。

| 形态特征 |

灌木或小乔木，高达 7 m。树皮灰褐色或淡红褐色，开裂，呈片状脱落。小枝斜展或向上伸展，圆形或近方形，一年生枝绿色，二年生、三年生枝绿黄色、黄色或淡黄红色。叶基部扭转，列成 2 列，条状披针形，直或微弯，镰状，长 3 ~ 11 cm，宽 6 ~ 11 mm，先端尖或钝，基部渐窄，楔形或宽楔形，有极短的叶柄，边缘微向下弯曲；萌生枝的叶较长，通常镰状，稀伸直，先端有渐尖的长尖头，气孔带较绿色边带窄。雄球花穗 1 ~ 3（多为 2），长 5 ~ 6.5 cm，雄蕊有 2 ~ 5（多为 3）花药。种子椭圆形，成熟时假种皮鲜红色，长 2 ~ 2.5 cm，直径约 1.3 cm，先端有小尖头露出，基部宿存苞片，苞片的背部有纵脊，梗长约 1.3 cm，扁四棱形。花期 4月，种子 10 月成熟。

| 生境分布 |

生于海拔 300 ~ 1 100 m 的阴湿溪谷两旁或

林内。分布于湖南邵阳（绥宁）、永州（江华）、郴州（桂东）等。

| **资源情况** | 野生资源较少。药材来源于野生。

| **采收加工** | **穗花杉种子：**秋季种子成熟时采收，晒干。
穗花杉根：全年或秋季采收，洗净，鲜用或晒干。
穗花杉叶：夏、秋季采收，鲜用或晒干。

| **功能主治** | **穗花杉种子：**驱虫，消积。用于虫积腹痛，疳积。
穗花杉根：活血，止痛，生肌。用于跌打损伤，骨折。
穗花杉叶：清热解毒，祛湿止痒。用于毒蛇咬伤，湿疹。

| **用法用量** | **穗花杉种子：**内服煎汤，6 ~ 15 g。
穗花杉根：外用适量，捣敷；或研末撒。
穗花杉叶：外用适量，煎汤熏洗；或鲜品捣敷。

| **附　注** | 本种为我国特有树种。

红豆杉科 Taxaceae　红豆杉属 Taxus

间型红豆杉

Taxus ×media Rehder

药 材 名

红豆杉（药用部位：茎皮）。

形态特征

乔木，高达 30 m，胸径达 60 ～ 100 cm。树皮灰褐色、红褐色或暗褐色，裂成条片脱落。大枝开展，一年生枝呈绿色或淡黄绿色，秋季变成绿黄色或淡红褐色，二、三年生枝呈黄褐色、淡红褐色或灰褐色；冬芽黄褐色、淡褐色或红褐色，有光泽，芽鳞三角状卵形，背部无脊或有纵脊，脱落或少数宿存于小枝的基部。叶排列成两列，条形，微弯或较直，长 1 ～ 3 cm，多为 1.5 ～ 2.2 cm，宽 2 ～ 4 mm，多为 3 mm，上部微渐窄，先端常微急尖，稀急尖或渐尖，上面深绿色，有光泽，下面淡黄绿色，有 2 气孔带，中脉带上有密生均匀而微小的圆形角质乳头状突起点，常与气孔带同色，稀色较浅。雄球花淡黄色，雄蕊 8 ～ 14，花药 4 ～ 8，多为 5 ～ 6。种子生于杯状红色肉质的假种皮中，间或生于近膜质盘状的种托（即未发育成肉质假种皮的珠托）之上，常呈卵圆形，上部渐窄，稀倒卵状，长 5 ～ 7 mm，直径 3.5 ～ 5 mm，微扁或圆，上部常具 2 钝棱脊，稀上部三角状具 3 钝脊，先端有凸起的短钝尖头，种脐近圆形或宽椭圆形，稀三角状圆形。

| **生境分布** | 栽培于庭院、田间。分布于湖南岳阳（华容）、益阳（资阳）等。

| **资源情况** | 栽培资源一般。药材来源于栽培。

| **功能主治** | 抗白血病，抗肿瘤。

红豆杉科 Taxaceae　红豆杉属 Taxus

红豆杉
Taxus chinensis (Pilger) Rehd.

| 药 材 名 | 红豆杉叶（药用部位：叶）、血榧（药用部位：种子）。

| 形态特征 | 乔木，高达 30 m，胸径 60 ~ 100 cm。树皮灰褐色、红褐色或暗褐色，开裂，呈条片状脱落。叶排列成 2 列，条形，微弯或较直，长 1 ~ 3（多为 1.5 ~ 2.2）cm，宽 2 ~ 4（多为 3）mm，上部微渐窄，先端常微急尖，稀急尖或渐尖，上面深绿色，有光泽，下面淡黄绿色，中脉带上密生均匀而微小的圆形角质乳头状突起点。雄球花淡黄色，雄蕊 8 ~ 14，花药 4 ~ 8（多为 5 ~ 6）。种子生于杯状、红色肉质的假种皮中，间或生于近膜质、盘状的种托（未发育成肉质假种皮的珠托）之上，常呈卵圆形，上部渐窄，稀倒卵状，长 5 ~ 7 mm，直径 3.5 ~ 5 mm，微扁或圆，上部常具 2 钝棱脊，稀三角状，具 3 钝脊，先端有凸起的短钝尖头。

| 生境分布 | 生于路旁、公园、庭院。湖南各地均有分布。

| 资源情况 | 野生资源稀少，栽培资源一般。药材来源于栽培。

| 功能主治 | **红豆杉叶**：用于疥癣。

　　　　　　血榧：消积，驱虫。用于疳积，蛔虫病。

| 附　　注 | （1）本种的拉丁学名在 FOC 中被修订为 *Taxus wallichiana* Zucc. var. *chinensis* (Pilg.) Florin。

　　　　　　（2）本种为我国特有树种。

红豆杉科 | Taxaceae 红豆杉属 | Taxus

南方红豆杉

Taxus chinensis (Pilger) Rehd. var. *mairei* (Lemée et Lévl.) Cheng et L. K. Fu

| 药 材 名 |

南方红豆杉（药用部位：种子。别名：海罗杉、美丽红豆杉）。

| 形态特征 |

本种与红豆杉的区别主要在于本种叶常较宽、长，多呈弯镰状，通常长 2 ~ 3.5（~ 4.5）cm，宽 3 ~ 4（~ 5）mm，上部常渐窄，先端渐尖，下面中脉带上无突起点，或局部有成片或零星分布的角质乳头状突起点，或与气孔带相邻的中脉带两边有 1 至数条角质乳头状突起点，中脉带清晰可见，色泽与气孔带不同，呈淡黄绿色或绿色，绿色边带较宽，明显。种子通常较大，微扁，多呈倒卵圆形，上部较宽，稀呈柱状矩圆形，长 7 ~ 8 mm，直径 5 mm；种脐常呈椭圆形。

| 生境分布 |

生于海拔 1 000 ~ 1 200 m 的地方。湖南各地均有分布。湖南各地均有分布。

| 资源情况 |

野生资源稀少，栽培资源丰富。药材来源于栽培。

| **功能主治** | 驱虫。用于食积，蛔虫病。

| **用法用量** | 内服煎汤，15 ~ 30 g。

| **附　注** | 本种的拉丁学名在 FOC 中被修订为 *Taxus wallichiana* Zucc. var. *mairei* (Lemee et Lévl.) Cheng et L. K. Fu。

红豆杉科 Taxaceae 榧树属 *Torreya*

巴山榧树

Torreya fargesii Franch.

| 药 材 名 | 巴山榧（药用部位：种子）。

| 形态特征 | 乔木，高达 12 m。树皮深灰色，不规则纵裂。一年生枝呈绿色，二、三年生枝呈黄绿色或黄色，稀淡褐黄色。叶条形，稀条状披针形，通常直，稀微弯，长 1.3 ~ 3 cm，宽 2 ~ 3 mm，先端微凸尖或微渐尖，具刺状短尖头，基部微偏斜，宽楔形，上面亮绿色，无明显隆起的中脉，通常有 2 条较明显的凹槽，延伸不达中部以上，稀无凹槽，下面淡绿色，中脉不隆起，气孔带较中脉带为窄，干后呈淡褐色，绿色边带较宽，约为气孔带的 1 倍。雄球花卵圆形，基部的苞片背部具纵脊，雄蕊常具 4 花药，花丝短，药隔三角状，边具细缺齿。种子卵圆形、圆球形或宽椭圆形，肉质假种皮微被白粉，直径约 1.5 cm，先端具小凸尖，基部有宿存的苞片；骨质种皮内壁平滑；胚乳周围显著地

向内深皱，种子 9 ~ 10 月成熟。花期 4 ~ 5 月。

| **生境分布** | 生于针、阔叶林中。分布于湖南衡阳（衡山）、邵阳（新宁）、郴州（资兴）、永州（东安）、怀化（溆浦）、常德（石门）等。

| **资源情况** | 野生资源稀少。药材来源于野生。

| **功能主治** | 杀虫，消积，便秘，痔疮，燥咳，手足风湿，小儿蛔疳，疮毒，恶性肿瘤。

红豆杉科 | Taxaceae | 榧树属 | *Torreya*

榧树

Torreya grandis Fort. et Lindl.

| 药 材 名 | 榧子（药用部位：种子。别名：彼子、榧实、赤果等）、榧根皮（药用部位：根皮）、榧花（药用部位：球花）、榧枝叶（药用部位：枝叶）。

| 形态特征 | 乔木，高达 25 m，胸径 55 cm。树皮浅黄灰色、深灰色或灰褐色，不规则纵裂。一年生枝呈绿色，无毛，二、三年生枝呈黄绿色、淡褐黄色或暗绿黄色，稀淡褐色。叶条形，列成 2 列，通常直，长 1.1 ~ 2.5 cm，宽 2.5 ~ 3.5 mm，先端凸尖，上面光绿色，无隆起的中脉，下面淡绿色，气孔带常与中脉带等宽，绿色边带与气孔带等宽或稍宽。雄球花圆柱状，长约 8 mm，基部的苞片有明显的背脊，雄蕊多数，各有 4 花药，药隔先端宽圆有缺齿。种子椭圆形、卵圆形、倒卵圆形或长椭圆形，长 2 ~ 4.5 cm，直径 1.5 ~ 2.5 cm，成熟时假种皮淡紫褐色，有白粉，先端微凸，基部具宿存的苞片，

胚乳微皱；初生叶三角状鳞形。花期 4 月，果期翌年 10 月。

| 生境分布 | 生于海拔 1 400 m 以下的山地。分布于湖南衡阳、邵阳（新宁）、张家界（慈利）等。湖南有广泛栽培。

| 资源情况 | 野生资源稀少。药材来源于栽培。

| 采收加工 | 榧子：10 ~ 11 月间种子成熟时采摘果实，除去肉质外皮，取出种子，晒干。

榧根皮：秋、冬季采挖根部，剥取根皮，晒干。

榧花：春季球花将开放时采收，晒干。

榧枝叶：全年均可采收，鲜用。

| 药材性状 | 榧子：本品呈椭圆形、卵圆形、倒卵圆形或长椭圆形，长 2 ~ 4 cm，直径 1.5 ~ 2.5 cm，外表面黄棕色至深棕色，微具纵棱，一端钝圆，其一椭圆形种脐，色稍淡、较平滑，另一端略尖。种皮坚而脆，破开后可见种仁，卵圆形，外胚乳膜质，灰褐色，极皱缩，内胚乳肥大，黄白色，质坚实，富油性。气微，味微甜涩。炒熟后具香气。

| 功能主治 | 榧子：甘、涩，平。归大肠、胃、肺经。杀虫，消积，润燥。用于肠道寄生虫病，疳积，肺燥咳嗽，肠燥便秘，痔疮。

榧根皮：祛风除湿。用于风湿痹痛。

榧花：苦，平。利水，杀虫。用于水气肿满，蛔虫病。

榧枝叶：祛风除湿。用于风湿疮毒。

| 用法用量 | 榧子：内服煎汤，15 ~ 50 g，连壳生用，打碎入煎；或取 10 ~ 40 榧子，炒熟去壳，取种仁嚼服；或入丸、散剂。驱虫宜用较大剂量，顿服；治便秘、痔疮宜小量常服。

榧根皮：内服煎汤，9 ~ 15 g。

榧花：内服煎汤，6 ~ 9 g。

榧枝叶：外用适量，煎汤浸洗。

小叶买麻藤 *Gnetum parvifolium* (Warb.) W. C. Cheng

| 药 材 名 | 买麻藤（药用部位：茎叶。别名：瓟藤、含水藤、买子藤）。

| 形态特征 | 缠绕藤本，高 4 ~ 12 m，常较细弱。茎枝圆形，皮土棕色或灰褐色，皮孔常较明显。叶椭圆形、窄长椭圆形或长倒卵形，革质，长 4 ~ 10 cm，宽 2.5 ~ 4 cm，先端急尖或渐尖而钝，稀钝圆，基部宽楔形或微圆，小脉在叶背形成明显的细网，网眼间常呈极细的皱突状。雄球花序具 5 ~ 10 轮环状总苞，总苞内具 40 ~ 70 雄花，雄花基部有不显著的棕色短毛，假花被略呈四棱状盾形，基部细长，花丝完全合生，花药 2，合生，仅先端稍分离；花穗上端有 10 ~ 12 不育雌花，扁宽三角形；雌球花穗细长，总苞内有 5 ~ 8 雌花。成熟种子长椭圆形或窄矩圆状倒卵圆形，长 1.5 ~ 2 cm，直径约 1 cm，先端常有小尖头；假种皮红色；种脐近圆形，直径约 2 mm。

| 生境分布 | 生于海拔较低的干燥平地或湿润谷地的森林中的大树上。分布于湖南永州（江永）等。

| 资源情况 | 野生资源稀少。药材来源于野生。

| 采收加工 | 全年均可采收，鲜用或晒干。

| 药材性状 | 本品茎圆柱形，节部膨大，外皮灰褐色，断面皮部褐色，木部淡黄色。叶椭圆形或长倒卵形，长 4 ~ 10 cm，宽 2.5 ~ 4 cm。雄花序不分枝或 1 次分枝。气微，味微苦。

| 功能主治 | 苦，微温。祛风除湿，散瘀活血，化痰止咳。用于风湿痹痛，腰痛，鹤膝风，跌打损伤，消化性溃疡出血，慢性支气管炎。

| 用法用量 | 内服煎汤，6 ~ 9 g，鲜品 15 ~ 60 g；或捣汁。外用适量，研末调敷；或鲜品捣敷。

被子植物

杨梅科 Myricaceae **杨梅属** *Myrica*

杨梅
Myrica rubra (Lour.) Sieb. et Zucc.

| 药 材 名 | 杨梅（药用部位：果实。别名：机子、圣生梅、白蒂梅）、杨梅叶（药用部位：叶）、杨梅树皮（药用部位：树皮。别名：杨梅皮）、杨梅核仁（药用部位：种仁）、杨梅根（药用部位：根）。

| 形态特征 | 常绿乔木。高可达 12 m。树冠球形。单叶互生；叶片长椭圆形或倒披针形，革质，长 8 ~ 13 cm，上部狭窄，先端稍钝，基部狭楔形，全缘，或先端有少数钝锯齿，上面深绿色，有光泽，下面色稍淡，平滑无毛，有金黄色腺体。花雌雄异株。雄花序常数条丛生于叶腋，圆柱形，长约 3 cm，黄红色；雄花具 1 苞，卵形，先端尖锐，小苞 2 ~ 4，卵形，雄蕊 5 ~ 6。雌花序卵状长椭圆形，长约 1.5 cm，常单生于叶腋；雌花基部有苞及小苞，子房卵形，花柱极短，有 2 细长柱头。

核果球形，直径约 1.8 cm，外果皮暗红色，由多数囊状体密生而成，内果皮坚硬，直径约 9 mm，内含无胚乳的种子 1。花期 4 月，果期 6 ~ 7 月。

| 生境分布 | 生于海拔 125 ~ 1 500 m 的山坡或山谷林中。湖南各地均有分布。

| 资源情况 | 野生资源较丰富。栽培资源丰富。药材来源于野生和栽培。

| 采收加工 | **杨梅**：栽培 8 ~ 10 年结果，6 月果实成熟后分批采摘，鲜用或烘干。
杨梅叶：全年均可采收，通常在栽培整枝时采收，鲜用或晒干。
杨梅树皮：全年均可采收，多在栽培整修时趁鲜剥取，鲜用或晒干。
杨梅核仁：食用杨梅果实时，留下核仁，鲜用或晒干。
杨梅根：全年均可采收，鲜用或晒干。

| 功能主治 | **杨梅**：酸、甘，温。归脾、胃、肝经。生津除烦，和中消食，解酒，涩肠，止血。用于烦渴，呕吐，呃逆，胃痛，食欲不振，食积腹痛，饮酒过度，腹泻，痢疾，衄血，头痛，跌打损伤，骨折，烫火伤。
杨梅叶：苦、微辛，温。燥湿祛风，止痒。用于湿疹。
杨梅树皮：苦、辛、微涩，温。归肝、胃经。行气活血，止痛，止血，解毒消肿。用于脘腹疼痛，胁痛，牙痛，疝气，跌打损伤，骨折，吐血，衄血，痔血，崩漏，外伤出血，疮疡肿痛，痄腮，牙疳，烫火伤，臁疮，湿疹，疥癣，感冒，泄泻，痢疾。
杨梅核仁：辛、苦，微温。利水消肿，敛疮。用于脚气，牙疳。
杨梅根：辛，温。理气，止血，化瘀。用于胃痛，膈食呕吐，疝气，吐血，血崩，痔血，外伤出血，跌打损伤，牙痛，烫火伤，恶疮，疥癞。

| 用法用量 | **杨梅**：内服煎汤，15 ~ 30 g；或烧灰；或盐藏。外用适量，烧灰涂敷。
杨梅叶：外用适量，煎汤洗。
杨梅树皮：内服煎汤，9 ~ 15 g；或浸酒；或入丸、散剂。外用适量，煎汤熏洗；或煎汤含漱；或研末调敷；或研末吹鼻。
杨梅核仁：内服煎汤，6 ~ 9 g。外用适量，烧灰敷。
杨梅根：内服煎汤，鲜品 50 ~ 100 g；或研末。外用适量，煎汤含漱；或煎汤熏洗；或烧存性研末调敷。

胡桃科 Juglandaceae 山核桃属 *Carya*

湖南山核桃

Carya hunanensis Cheng et R. H. Chang ex Chang et Lu

| 药 材 名 | 湖南山核桃油（药材来源：种仁经压榨而得的脂肪油）。

| 形态特征 | 乔木，高 12 ~ 14 m，胸径 60 ~ 70 cm。树皮灰白色至灰褐色，浅纵裂。老枝灰黑色，有淡色皮孔；当年生小枝及裸露芽密生锈褐色腺体。奇数羽状复叶，长 20 ~ 30 cm；叶柄近无毛，叶轴密被柔毛；小叶 5 ~ 7，长椭圆形至长椭圆状披针形，先端渐尖，基部楔形，边缘有细锯齿，上面有稀疏毛，中脉常密生毛，下面被橙黄色腺体，上部叶较大，长 11 ~ 18 cm，宽 3.5 ~ 7 cm，下部叶较小，长 6 ~ 8 cm，宽 2 ~ 2.5 cm；侧生小叶柄极短，顶生小叶柄长约 5 mm，密生毛。雌花序顶生，直立，生 1 ~ 2 花，花序轴和总苞都密被腺体，子房具 4 纵棱。果实倒卵形，外果皮密被黄色腺体，厚 1 ~ 4 mm，4 纵棱由先端仅达果实中部；果核倒卵形，两侧略扁，两端尖，顶

部有长 1 ~ 2.5 mm 的喙，基部偏斜，长 3 ~ 3.7 cm，宽 2.3 ~ 2.8 cm，壳厚 2 ~ 4 mm。

| **生境分布** | 生于海拔 350 ~ 800 m 的平缓山谷、江河两侧土层深厚之地。分布于湖南怀化（中方、会同、靖州、洪江）、邵阳（武冈）、张家界（武陵源）、湘西州（永顺）等。

| **资源情况** | 野生资源较少。药材来源于野生。

| **采收加工** | 秋季果实成熟时采收果实，取种仁榨油。

| **功能主治** | 补益脑髓，润肤乌发，补气养血，强壮筋骨。

胡桃科 Juglandaceae 青钱柳属 Cyclocarya

青钱柳
Cyclocarya paliurus (Batal.) Iljinsk.

| 药 材 名 | 青钱柳叶（药用部位：叶。别名：金钱柳）。

| 形态特征 | 乔木，高达 10 ~ 30 m。树皮灰色。枝条黑褐色，具灰黄色皮孔。奇数羽状复叶长约 20 cm，具 7 ~ 9 小叶；叶轴密被短毛或毛已脱落而近无毛；叶柄长 3 ~ 5 cm；小叶纸质，长椭圆状卵形至阔披针形，长 5 ~ 14 cm，宽 2 ~ 6 cm，基部歪斜，先端渐尖或急尖，叶缘具锐锯齿，上面被腺体，下面网脉凸起，被灰色细小鳞片及盾状着生的黄色腺体。雄性柔荑花序长 7 ~ 18 cm，2 ~ 4 条成 1 束生于总梗上；雄花苞片小，不明显，小苞片 2，花被片 2 ~ 3，雄蕊 20 ~ 30。雌性柔荑花序单独顶生，小花 7 ~ 10，花被片 4，子房下位，花柱短，柱头 2 裂，裂片羽毛状。果序轴长 25 ~ 30 cm；坚果扁球形，直径约 7 mm，果实中部围有水平的革质圆盘状翅，先

端具宿存的花被片及花柱4。花期4～5月，果期7～9月。

| 生境分布 | 生于海拔500～2 100 m的山地森林中。栽培于山间平地、沟谷。湖南有广泛分布。

| 资源情况 | 野生资源一般。栽培资源丰富。药材来源于栽培。

| 采收加工 | 春、夏季采收，洗净，鲜用或干燥。

| 药材性状 | 本品小叶片多破碎，完整者宽披针形，长5～14 cm，宽2～6 cm，先端渐尖，基部偏斜，边缘有锯齿，上面灰绿色，下面黄绿色或褐色，有盾状腺体，纸质。气清香，味淡。以叶多、色绿、气清香者为佳。

| 功能主治 | 辛、微苦，平。祛风止痒。用于皮肤癣疾。

| 用法用量 | 外用适量，鲜品捣烂，取汁涂搽。

少叶黄杞
Engelhardia fenzelii Merr.

| **药 材 名** | 少叶黄杞（药用部位：树皮）。

| **形态特征** | 小乔木，高 3 ~ 10 m，有时高达 18 m，胸径达 30 cm。枝条灰白色。偶数羽状复叶长 8 ~ 16 cm，叶柄长 1.5 ~ 4 cm；小叶 1 ~ 2 对，对生、近对生或互生，具长 0.5 ~ 1 cm 的小叶柄，小叶片椭圆形至长椭圆形，长 5 ~ 13 cm，宽 2.5 ~ 5 cm，全缘，两面有光泽，侧脉 5 ~ 7 对。雌雄同株，稀异株；雌雄花序常生于枝顶，排成圆锥状或伞状花序束，先端 1 条为雌花序，下方数条为雄花序；或雌雄花序分开，雌花序单独顶生，雄花序数条形成花序束，均为柔荑状，花稀疏散生。雄花无梗，苞片 3 裂，花被 4，兜状，雄蕊 10 ~ 12，几无花丝。雌花梗长不到 1 mm，苞片 3 裂，花被 4，贴生于子房，子房直径约 1 mm，柱头 4 裂。果序长 7 ~ 12 cm，俯垂，

果序柄长 3 ～ 4 cm；果实球形，直径 3 ～ 4 mm；苞片托于果实，膜质，3 裂。花期 7 月，果期 9 ～ 10 月。

| **生境分布** | 生于海拔 400 ～ 1 000 m 的林中或山谷。分布于湖南永州（东安）、怀化（洪江）等。

| **资源情况** | 野生资源稀少。药材来源于野生。

| **采收加工** | 夏、秋季剥取，洗净，鲜用或晒干。

| **功能主治** | 理气化湿。

| **用法用量** | 内服煎汤，6 ～ 15 g。

| **附　　注** | FOC 将本种合并到黄杞 *Engelhardia roxburghiana* Wall. 中。

胡桃科 Juglandaceae 黄杞属 Engelhardia

黄杞
Engelhardia roxburghiana Wall.

| 药 材 名 |　黄杞皮（药用部位：树皮）、黄杞叶（药用部位：叶）。

| 形态特征 |　半常绿乔木，高可达 10 m。偶数羽状复叶长 12 ~ 25 cm，叶柄长
3 ~ 8 cm；小叶 3 ~ 5 对，近对生，小叶柄长 0.6 ~ 1.5 cm，叶片
革质，长 6 ~ 14 cm，宽 2 ~ 5 cm，长椭圆状披针形至长椭圆形，
全缘，两面具光泽，侧脉 10 ~ 13 对。雌雄同株，稀异株；雌花序
1 条及雄花序数条长而俯垂，常形成 1 顶生圆锥状花序束，先端为
雌花序，下方为雄花序，或雌雄花序分开，雌花序单独顶生；雄花
无梗或近无梗，花被片 4，兜状，雄蕊 10 ~ 12，几无花丝；雌花花
梗长约 1 mm，苞片 3 裂，花被片 4，贴生于子房，子房近球形，无
花柱，柱头 4 裂。果序长 15 ~ 25 cm；果实坚果状，球形，直径约
4 mm，外果皮膜质，内果皮骨质，3 裂的苞片托于果实基部；苞片

的中间裂片长约为两侧裂片长的 2 倍。花期 5 ~ 6 月，果期 8 ~ 9 月。

| **生境分布** | 生于海拔 200 ~ 1 500 m 的林中。湖南有广泛分布。

| **资源情况** | 野生资源一般。药材来源于野生。

| **采收加工** | 黄杞皮：夏、秋季剥取，洗净，鲜用或晒干。
黄杞叶：春、夏、秋季采收，洗净，鲜用或晒干。

| **药材性状** | 黄杞皮：本品呈单卷筒状或双卷筒状，长短不一，厚 3 ~ 4 mm。外表面灰棕色或灰褐色，粗糙，皮孔椭圆形；内表面紫褐色，平滑，有纵浅纹。质坚硬而脆，易折断，断面不平整，略呈层片状。气微，味微苦、涩。
黄杞叶：本品为偶数羽状复叶，具小叶 3 ~ 5 对，通常不完整。小叶片多卷曲，展平后呈长椭圆状披针形，或略呈镰状弯曲，长 6 ~ 13 cm，宽 2 ~ 5 cm，革质，全缘，上表面褐色或灰绿色，下表面浅灰绿色，主脉突出，侧脉羽状；小叶柄长约 0.5 cm。质脆，易破碎。气微，味微苦。

| **功能主治** | 黄杞皮：微苦、辛，平。行气，化湿，导滞。用于脾胃湿滞，脘腹胀闷，泄泻。
黄杞叶：微苦，凉。清热，止痛。用于感冒发热，疝气疼痛。

| **用法用量** | 黄杞皮：内服煎汤，6 ~ 15 g。
黄杞叶：内服煎汤，9 ~ 15 g。

胡桃科 Juglandaceae 胡桃属 Juglans

野核桃 *Juglans cathayensis* Dode

| 药 材 名 | 野核桃仁（药用部位：种仁）、野核桃油（药材来源：种仁经压榨而得的脂肪油）。

| 形态特征 | 乔木，有时呈灌木状，高达 12 ~ 25 m，胸径达 1 ~ 1.5 m。奇数羽状复叶长 40 ~ 50 cm，叶柄及叶轴被毛，具 9 ~ 17 小叶；小叶近对生，无柄，硬纸质，卵状矩圆形或长卵形，长 8 ~ 15 cm，宽 3 ~ 7.5 cm，边缘有细锯齿，两面均有星状毛，侧脉 11 ~ 17 对。雄性柔荑花序生于去年生枝先端叶痕腋内，花序轴有疏毛；雄花被腺毛，雄蕊约 13，花药黄色，有毛；雌性花序直立，花序轴密生棕褐色毛；雌花排列成穗状，密生棕褐色腺毛，子房卵形，长约 2 mm，花柱短，柱头 2 深裂。果序常具 6 ~ 10（~ 13）果实或因雌花不孕而仅有少数果实；果实卵形或卵圆状，外果皮密被腺毛，

先端尖，果核卵状或阔卵状，先端尖，内果皮坚硬，有 6 ～ 8 纵向棱脊，棱脊之间有不规则排列且尖锐的刺状突起和凹陷，仁小。花期 4 ～ 5 月，果期 8 ～ 10 月。

| 生境分布 | 生于海拔 800 ～ 2 100 m 的杂木林中。湖南各地均有分布。

| 资源情况 | 野生资源较丰富。药材来源于野生。

| 采收加工 | **野核桃仁**：10 月果实成熟时采收，堆积 6 ～ 7 天，待果皮霉烂后，除去果皮，洗净，晒至半干，再击碎果核，拣取种仁，晒干。
野核桃油：除去果壳，取仁榨油。

| 功能主治 | **野核桃仁**：甘，温。归肺、肾、大肠经。润肺化痰，温肾助阳，润肤，通便。用于燥咳无痰，虚喘，腰膝酸软，肠燥便秘，皮肤干裂。
野核桃油：润肠通便，杀虫，敛疮。用于肠燥便秘，虫积腹痛，疥癣，冻疮，狐臭。

| 用法用量 | **野核桃仁**：内服煎汤，30 ～ 50 g；或捣碎嚼，10 ～ 30 g；或捣烂冲酒。外用适量，捣烂涂搽。
野核桃油：内服，3 ～ 5 ml，温开水送服。外用适量，涂搽。

| 附　　注 | FOC 将本种合并到胡桃楸 *Juglans mandshurica* Maxim. 中。

胡桃科 Juglandaceae　胡桃属 *Juglans*

胡桃楸
Juglans mandshurica Maxim.

药 材 名

核桃楸果（药用部位：未成熟果实或成熟果实的果皮。别名：马核桃、马核果、楸马核果）、核桃楸果仁（药用部位：种仁）、核桃楸皮（药用部位：树皮。别名：楸树皮、楸皮、秦皮）。

形态特征

乔木，高达 20 m。奇数羽状复叶长达 80 cm，叶柄长 9 ~ 14 cm，小叶 15 ~ 23，长 6 ~ 17 cm，宽 2 ~ 7 cm；生于孕性枝上的复叶集生于枝端，长 40 ~ 50 cm，叶柄长 5 ~ 9 cm，基部膨大，叶柄及叶轴被短柔毛或星芒状毛，小叶 9 ~ 17，椭圆形至长椭圆形或卵状椭圆形至长椭圆状披针形，边缘具细锯齿，上面初被稀疏短柔毛；侧生小叶对生，无柄，先端渐尖，基部歪斜；顶生小叶基部楔形。雄性柔荑花序长 9 ~ 20 cm，花序轴被短柔毛；雄花具短花梗，苞片先端钝，小苞片 2，花被 3，雄蕊 12，稀 13 或 14；雌性穗状花序具 4 ~ 10 雌花；雌花长 5 ~ 6 mm，柱头鲜红色。果序长 10 ~ 15 cm，俯垂，通常具 5 ~ 7 果实；果实球状、卵状或椭圆状，先端尖，密被腺质短柔毛，长 3.5 ~ 7.5 cm，直径 3 ~ 5 cm。

花期 5 月，果期 8 ~ 9 月。

| 生境分布 | 生于土质肥厚、湿润、排水良好的沟谷两旁或山坡的阔叶林中。分布于湖南邵阳（绥宁）、怀化（新晃）。

| 资源情况 | 野生资源稀少。药材来源于野生。

| 采收加工 | **核桃楸果：**夏、秋季采收，鲜用或晒干。

核桃楸果仁：秋季果实成熟时采收，除去外果皮、内果皮（壳），取仁，干燥。

核桃楸皮：春、秋季采收，晒干。

| 药材性状 | **核桃楸果：**本品果实类卵圆形，鲜品直径 3 ~ 5 cm，长 3.5 ~ 7.5 cm，表面灰绿色，密被浅灰褐色茸毛；干品直径 3 ~ 3.5 cm，长 3.5 ~ 4 cm，表面褐色，密被浅褐色茸毛，并具 8 纵棱，间有不规则深纵纹；一端稍大，有凸起的花柱基，花柱基长 1.5 ~ 2 cm，另一端有凹陷的果柄痕。果皮稍坚硬，不易碎裂，断面褐色，略呈颗粒状。种子折皱成脑状，黄白色，外被黄棕色种皮。气清香，味涩。

核桃楸皮：本品呈卷筒状或扭曲成绳状，长短不一，直径约 2 cm，厚 2 ~ 4 mm。外表面平滑，有细纵纹，灰棕色，有少数凸起的圆形皮孔及三角状叶痕；内表面暗棕色。质坚韧，不易纵裂，断面纤维性。气微，味微苦、涩。

| 功能主治 | **核桃楸果：**辛、微苦，平；有毒。归胃经。行气止痛。用于脘腹疼痛，牛皮癣。

核桃楸果仁：甘，温。敛肺平喘，温补肾阳，润肠通便。用于肺虚咳喘，肾虚腰痛，遗精阳痿，大便秘结。

核桃楸皮：苦、辛，微寒。清热燥湿，泻肝明目。用于湿热下痢，带下黄稠，目赤肿痛，睑腺炎，迎风流泪，骨结核。

| 用法用量 | **核桃楸果：**内服浸酒，6 ~ 9 g。外用适量，鲜品捣搽。

核桃楸果仁：内服煎汤，3 ~ 9 g；或入丸、散剂。

核桃楸皮：内服煎汤，3 ~ 9 g。外用煎汤洗眼，9 ~ 15 g。

胡桃科 Juglandaceae 化香树属 Platycarya

化香树 *Platycarya strobilacea* Sieb. et Zucc.

| 药 材 名 | 化香树果（药用部位：果序。别名：化香树球、化香果）、化香树叶（药用部位：叶。别名：山柳叶、小化香叶）。

| 形态特征 | 落叶小乔木，高 2 ～ 6 m。叶长 15 ～ 30 cm，叶总柄显著短于叶轴，具 7 ～ 23 小叶；小叶纸质，对生，偶互生，卵状披针形至长椭圆状披针形，长 4 ～ 11 cm，宽 1.5 ～ 3.5 cm，顶生小叶具小叶柄，圆形或阔楔形。两性花序和雄花序在小枝先端排成伞房状花序束；两性花序 1，生于中央先端，长 5 ～ 10 cm，雌花序位于下部，长 1 ～ 3 cm，雄花序位于上部，有时无雄花序而仅有雌花序；雄花序通常 3 ～ 8，位于两性花序下方，长 4 ～ 10 cm；雄花苞片先端渐尖且向外弯曲，雄蕊 6 ～ 8；雌花苞片先端长渐尖，硬而不向外弯曲，花被 2，先端与子房分离，背部具翅状纵向隆起。果序球果状，卵状

椭圆形至长椭圆状圆柱形，长 2.5 ~ 5 cm，直径 2 ~ 3 cm；果实小坚果状，背腹压扁状，两侧具狭翅，长 4 ~ 6 mm，宽 3 ~ 6 mm；种子卵形。花期 5 ~ 6 月，果期 7 ~ 8 月。

| **生境分布** | 生于海拔 600 ~ 2 100 m 的向阳山坡及杂木林中。湖南各地均有分布。

| **资源情况** | 野生资源丰富。药材来源于野生。

| **采收加工** | 化香树果：秋季果实近成熟时采收，晒干。
化香树叶：夏、秋季采收，鲜用或晒干。

| **药材性状** | 化香树叶：本品为奇数羽状复叶，多不完整，叶柄及叶轴较粗，淡黄棕色。小叶片多皱缩、破碎，完整者宽披针形，不等边，略呈镰状弯曲，长 4 ~ 11 cm，宽 1 ~ 3 cm，上表面灰绿色，下表面黄绿色，边缘有重锯齿，薄革质。气微清香，味淡。以叶多、色绿、气清香者为佳。

| **功能主治** | 化香树果：辛，温。活血行气，止痛，杀虫止痒。用于内伤胸胀，腹痛，跌打损伤，筋骨疼痛，痈肿，湿疮，疥癣。
化香树叶：辛，温；有毒。解毒疗疮，杀虫止痒。用于疮痈肿毒，骨痈流脓，顽癣，阴囊湿疹，癞头疮。

| **用法用量** | 化香树果：内服煎汤，10 ~ 20 g。外用煎汤洗；或研末调敷。
化香树叶：外用适量，捣敷；或浸水洗。

胡桃科 Juglandaceae 枫杨属 Pterocarya

湖北枫杨
Pterocarya hupehensis Skan

| 药 材 名 |

湖北枫杨（药用部位：根皮、茎皮、叶）。

| 形态特征 |

乔木，高 10 ~ 20 m。奇数羽状复叶，长
20 ~ 25 cm，叶柄无毛，长 5 ~ 7 cm；小叶
5 ~ 11，纸质，侧脉 12 ~ 14 对，叶缘具单
锯齿，上面暗绿色，被细小的疣状突起及稀
疏的腺体，沿中脉具稀疏的星芒状短毛，下
面浅绿色，在侧脉腋内具 1 束星芒状短毛，
侧生小叶对生或近对生，具长 1 ~ 2 mm 的
小叶柄，长椭圆形至卵状椭圆形，下部渐狭，
中间以上的各对小叶较大，长 8 ~ 12 cm，
宽 3.5 ~ 5 cm，下端的小叶较小，顶生 1 小
叶长椭圆形。雄花序 3 ~ 5，长 8 ~ 10 cm，
具短而粗的花序梗；雄花无梗，仅 2 或 3 花
被片发育，雄蕊 10 ~ 13；雌花序顶生，
下垂，长 20 ~ 40 cm；雌花的苞片无毛或
具疏毛，小苞片及花被片均无毛而仅有腺
体。果序长达 30 ~ 45 cm，果序轴近无毛
或有稀疏短柔毛；果翅阔，椭圆状卵形，长
10 ~ 15 mm，宽 12 ~ 15 mm。

| 生境分布 |

生于河溪岸边、湿润的森林中。分布于湖南

郴州（苏仙）、永州（道县）等。

| **资源情况** | 野生资源一般。药材来源于野生。

| **功能主治** | 辛，大热；有毒。清热解毒，杀虫止痒，利尿消肿。用于血吸虫病，癫痫，疮癣。

胡桃科 Juglandaceae 枫杨属 *Pterocarya*

枫杨 *Pterocarya stenoptera* C. DC.

| 药 材 名 |

枫柳皮（药用部位：树皮。别名：枫杨皮）、麻柳树根（药用部位：根或根皮）、麻柳叶（药用部位：叶）、麻柳果（药用部位：果实）。

| 形态特征 |

大乔木，高达 30 m，胸径达 1 m。叶多为偶数羽状复叶，稀为奇数羽状复叶，长 8 ~ 16 cm，稀长 25 cm，叶柄长 2 ~ 5 cm，叶轴具翅，翅不甚发达；小叶 10 ~ 16，无小叶柄，对生，稀近对生，长椭圆形至长椭圆状披针形，边缘有细锯齿，上面有细小的浅色疣状突起，沿中脉及侧脉被极短的星芒状毛。雄性柔荑花序长 6 ~ 10 cm，花序轴常有稀疏的星芒状毛，雄蕊 5 ~ 12；雌性柔荑花序顶生，长 10 ~ 15 cm，花序轴密被星芒状毛及单毛，下端不生花的部分长达 3 cm，具长达 5 mm 的不孕性苞片 2。果序长 20 ~ 45 cm，果序轴常被宿存的毛；果实长椭圆形，长 6 ~ 7 mm，基部常有宿存的星芒状毛；果翅狭，条形或阔条形，长 12 ~ 20 mm，宽 3 ~ 6 mm，具近平行的脉。花期 4 ~ 5 月，果熟期 8 ~ 9 月。

| 生境分布 | 生于海拔 1 500 m 以下的溪涧河滩、阴湿山坡地的林中。栽培于河滩边、湿地。湖南各地均有分布。

| 资源情况 | 野生资源丰富。栽培资源丰富。药材来源于野生和栽培。

| 采收加工 | 枫柳皮：夏、秋季剥取，鲜用或晒干。

麻柳树根：全年均可采挖根，或在伐木时采挖根，除去泥土，洗净，晒干；或趁鲜剥取根皮，晒干。

麻柳叶：春、夏、秋季均可采收，除去杂质，鲜用或晒干。

麻柳果：夏、秋季果实近成熟时采收，鲜用或晒干。

| 药材性状 | 麻柳叶：本品小叶多皱缩，展平后呈长椭圆形至长椭圆状披针形，长 5 ~ 12 cm，宽 2.5 ~ 3.5 cm，全体绿褐色，上面略粗糙，中脉、侧脉及下面有极稀疏毛。无小叶柄。质脆。气微，味淡。

麻柳果：本品类卵形，鲜品黄绿色，干品棕褐色，长约 6 mm，先端宿存花柱二分叉。果翅 2，着生于果实先端背面，翅长圆形至长圆状披针形，平行或先端稍外展，具纵纹。质坚，不易破碎，断面白色。气微清香，味淡。

| 功能主治 | 枫柳皮：辛、苦，温；有小毒。归肝、大肠经。祛风止痛，杀虫，敛疮。用于风湿麻木，寒湿骨痛，头颅伤痛，齿痛，疥癣，水肿，痔疮，烫伤，溃疡日久不敛。

麻柳树根：辛、苦，热；有毒。祛风止痛，杀虫止痒，解毒敛疮。用于风湿痹痛，牙痛，疥癣，疮疡肿毒，溃疡日久不敛，烫火伤，咳嗽。

麻柳叶：辛、苦，温；有毒。归肺、肝经。祛风止痛，杀虫止痒，解毒敛疮。用于风湿痹痛，牙痛，膝关节痛，疥癣，湿疹，滴虫性阴道炎，烫伤，溃疡不敛，血吸虫病，咳嗽气喘。

麻柳果：苦，温。归肺经。温肺止咳，解毒敛疮。用于风寒咳嗽，疮疡肿毒，天疱疮。

| 用法用量 | 枫柳皮：外用适量，煎汤含漱或熏洗；或浸酒搽。

麻柳树根：内服煎汤，3 ~ 6 g；或浸酒。外用适量，研末调敷；或捣敷。

麻柳叶：内服煎汤，6 ~ 15 g。外用适量，煎汤洗；或浸酒搽；或捣敷。

麻柳果：内服煎汤，9 ~ 25 g。外用适量，煎汤洗。

杨柳科 Salicaceae 杨属 Populus

响叶杨

Populus adenopoda Maxim.

| 药 材 名 |

响叶杨（药用部位：根皮、茎皮、叶。别名：白杨树、绵杨）。

| 形态特征 |

乔木，高 15 ~ 30 m。树皮灰白色，光滑，老时深灰色，纵裂；树冠卵形。小枝较细，暗赤褐色，被柔毛；老枝灰褐色，无毛。芽圆锥形，有黏质，无毛。叶卵圆形或卵形，长 5 ~ 15 cm，宽 4 ~ 7 cm，先端长渐尖，基部截形或心形，稀近圆形或楔形，边缘有内曲的圆锯齿，齿端有腺点，上面无毛或沿脉有柔毛，深绿色，光亮，下面灰绿色，幼时被密柔毛；叶柄侧扁，被绒毛或柔毛，长 2 ~ 8 cm，先端有 2 显著腺点。雄花序长 6 ~ 10 cm，苞片条裂，有长缘毛，花盘齿裂。果序长 12 ~ 20（~ 30）cm；花序轴有毛；蒴果卵状长椭圆形，长 4 ~ 6 mm，稀 2 ~ 3 mm，先端锐尖，无毛，有短柄，2 瓣裂；种子倒卵状椭圆形，长 2.5 mm，暗褐色。花期 3 ~ 4 月，果期 4 ~ 5 月。

| 生境分布 |

生于海拔 300 ~ 2 000 m 的阳坡灌丛、杂木林中或沿河两旁，有时成小片纯林或与其他

树种混交成林。湖南有广泛分布。

| **资源情况** | 野生资源一般。药材来源于野生。

| **采收加工** | 根皮、茎皮，多在冬、春季采收，趁鲜剥取，鲜用或晒干。叶，夏季采收，鲜用或晒干。

| **功能主治** | 苦，平。归肝、脾经。祛风止痛，活血通络。用于风湿痹痛，四肢不遂，龋齿疼痛，跌打肿痛。

| **用法用量** | 内服煎汤，9 ~ 15 g；或浸酒。外用适量，煎汤洗；或鲜品捣敷。

杨柳科 Salicaceae 杨属 Populus

加杨
Populus×canadensis Moench

| 药 材 名 | 杨树花（药用部位：雄花序）。

| 形态特征 | 大乔木，高 30 m。干直，树皮粗厚；芽大，先端反曲，初为绿色，后变为褐绿色，富黏质。叶三角形或三角状卵形，长 7 ~ 10 cm，长枝和萌枝叶较大，长 10 ~ 20 cm，一般长大于宽，先端渐尖，基部截形或宽楔形，无或有 1 ~ 2 腺体，边缘半透明，有圆锯齿，近基部较疏，具短缘毛，上面暗绿色，下面淡绿色；叶柄侧扁而长，带红色（苗期特别明显）。雄花序长 7 ~ 15 cm，花序轴光滑，每花有雄蕊 15 ~ 25（~ 40），苞片淡绿褐色，不整齐，丝状深裂，花盘淡黄绿色，全缘，花丝细长，白色，超出花盘；雌花序有花 45 ~ 50，柱头 4 裂。果序长达 27 cm；蒴果卵圆形，长约 8 mm，先端锐尖，2 ~ 3 瓣裂，雄株多，雌株少。花期 4 月，果期 5 ~ 6 月。

| **生境分布** | 栽培于海拔 1 500 m 以下的温暖、湿润地区。湖南有广泛分布。

| **资源情况** | 栽培资源丰富。药材来源于栽培。

| **采收加工** | 春季现蕾开花时分批摘取，鲜用或晒干。

| **药材性状** | 本品短细。表面黄绿色或黄棕色。芽鳞片常分离成梭形，单个鳞片长卵形，长可达 2.5 cm，光滑无毛。花盘黄棕色或深黄棕色；雄蕊 15 ~ 25，棕色或黑棕色，有的脱落。苞片宽卵圆形或扇形，边缘条片状或丝状分裂，无毛。体轻。气微，味淡。以花序粗长、身干、完整者为佳。

| **功能主治** | 苦，寒。归大肠经。清热解毒，化湿止痢。用于细菌性痢疾，肠炎。

| **用法用量** | 内服煎汤，9 ~ 15 g。外用适量，热熨。

杨柳科 Salicaceae 杨属 Populus

毛白杨 *Populus tomentosa* Carr.

| 药 材 名 | 毛白杨（药用部位：树皮、嫩枝。别名：白杨、笨白杨、大叶杨）、杨树花（药用部位：雄花序）。

| 形态特征 | 乔木，高达 30 m。树皮幼时暗灰色，壮时灰绿色，渐变为灰白色，老时基部黑灰色，纵裂，粗糙，皮孔菱形，散生，或 2 ~ 4 连生。长枝叶阔卵形或三角状卵形，长 10 ~ 15 cm，宽 8 ~ 13 cm，上面暗绿色，光滑，下面密生毡毛，后渐脱落；叶柄长 3 ~ 7 cm，先端通常有 2 ~ 3（~ 4）腺点；短枝叶通常较小，长 7 ~ 11（~ 18）cm，宽 6.5 ~ 10.5（~ 15）cm，卵形或三角状卵形，上面暗绿色，有金属光泽，下面光滑；叶柄稍短于叶片，先端无腺点。雄花序长 10 ~ 14（~ 20）cm；雄花苞片约具 10 尖头，密生长毛，雄蕊

6 ~ 12，花药红色；雌花序长 4 ~ 7 cm；雌花苞片褐色，尖裂，沿边缘有长毛，子房长椭圆形，柱头 2 裂，粉红色。果序长达 14 cm；蒴果圆锥形或长卵形，2 瓣裂。花期 3 月，果期 4 月。

| 生境分布 | 栽培于低海拔地区的路边。分布于湖南岳阳（岳阳）等。

| 资源情况 | 栽培资源较少。药材来源于栽培。

| 采收加工 | 毛白杨：秋、冬季或在伐木时采剥树皮，刮去粗皮，鲜用或晒干。
杨树花：春季现蕾开花时分批摘取，鲜用或晒干。

| 药材性状 | 毛白杨：本品树皮呈板片状或卷筒状，厚 2 ~ 4 mm。外表面鲜时呈暗绿色，干后呈棕黑色，常残存银灰色的栓皮，皮孔明显，菱形，长 2 ~ 14.5 mm，宽 3 ~ 13 mm；内表面灰棕色，有细纵纹理。质坚韧，不易折断，断面显纤维性及颗粒性。气微，味淡。
杨树花：本品长条状圆柱形，长 6 ~ 10 cm，直径 0.4 ~ 1 cm，多破碎，表面红棕色或深棕色。芽鳞多紧抱而成杯状，单个鳞片宽卵形，长 0.3 ~ 1.3 cm，边缘有细毛，表面略光滑。花序轴上具多数带雄蕊的花盘，花盘扁，半圆形或类圆形，深棕褐色；每雄花有雄蕊 6 ~ 12，有的脱落，花丝短，花药 2 室，棕色。苞片卵圆形或宽卵圆形，边缘深尖裂，具长白柔毛。体轻。气微，味微苦、涩。

| 功能主治 | 毛白杨：苦、甘，寒。清热利湿，止咳化痰。用于肝炎，痢疾，淋浊，咳嗽痰喘。
杨树花：苦，寒。归大肠经。清热解毒，化湿止痢。用于细菌性痢疾，肠炎。

| 用法用量 | 毛白杨：内服煎汤，10 ~ 15 g。外用适量，捣敷。
杨树花：内服煎汤，9 ~ 15 g。外用适量，热熨。

杨柳科 Salicaceae 柳属 Salix

垂柳
Salix babylonica L.

| 药 材 名 |

柳枝（药用部位：嫩枝条。别名：杨柳条、柳条）、柳白皮（药用部位：茎皮、根皮。别名：柳皮）、柳根（药用部位：根、根须。别名：杨柳须、水柳须、红龙须）、柳屑（药用部位：茎枝蛀孔中的蛀屑。别名：柳蚛屑、柳蛀粪）、柳絮（药用部位：带毛种子。别名：柳实、柳子）、柳叶（药用部位：叶）、柳花（药用部位：花序。别名：杨花、柳椹、柳蕊）。

| 形态特征 |

乔木，高 12 ~ 18 m。树皮灰黑色，不规则开裂。枝细，下垂，无毛；芽线形。叶狭披针形或线状披针形，长 9 ~ 16 cm，宽 0.5 ~ 1.5 cm，上面绿色，下面颜色较浅，边缘具锯齿；叶柄长（3 ~）5 ~ 10 mm，有短柔毛；托叶仅生萌发枝上，斜披针形或卵圆形，边缘有齿。花序先叶或与叶同时开放；雄花序长 1.5 ~ 2（~ 3）cm，有短梗，轴有毛，雄蕊 2，花丝与苞片近等长或较苞片长，基部多少有长毛，花药红黄色，苞片披针形，外面有毛，腺体 2；雌花序长 2 ~ 3（~ 5）cm，有梗，基部有 3 ~ 4 小叶，轴有毛，子房椭圆形，无毛或下部稍有毛，

无柄或近无柄，花柱短，柱头 2 ~ 4 深裂，苞片披针形，长 1.8 ~ 2 (~ 2.5) mm，外面有毛，腺体 1。蒴果长 3 ~ 4 mm，绿黄褐色。花期 3 ~ 4 月，果期 4 ~ 5 月。

| 生境分布 | 生于海拔 100 ~ 800 m 的堤边、河畔、池塘边。栽培于河岸、公园、池塘边。湖南各地均有分布。

| 资源情况 | 野生资源丰富。栽培资源丰富。药材来源于野生和栽培。

| 采收加工 | **柳枝**：春季采收，鲜用或晒干。

柳白皮：多在冬、春季趁鲜剥取，除去粗皮，鲜用或晒干。

柳根：春、夏、秋季采收，洗净，鲜用或晒干。

柳屑：夏、秋季采收，除去杂质，晒干。

柳絮：春季果实将成熟时采收，干燥。

柳叶：春、夏季采收，鲜用或晒干。

柳花：春季花初开时采收，鲜用或晒干。

| 药材性状 | **柳枝**：本品圆柱形，直径 5 ~ 10 mm。表面微有纵皱纹，黄色，节间长 0.5 ~ 5 cm，上有交叉排列的芽或残留的三角形瘢痕。质脆，易断，断面不平坦，皮部薄而呈浅棕色，木部宽而呈黄白色，中央有黄白色髓。气微，味微苦、涩。

柳白皮：本品茎皮呈槽状、扭曲的卷筒状或片状，厚 0.5 ~ 1.5 mm；外表面淡黄色或灰褐色，有残留的棕黄色木栓，粗糙，具纵向皱纹及结节状长圆形疤痕，内表面灰黄色，有纵皱纹，易纵向撕裂；体轻，不易折断，断面裂片状；气微，味微苦、涩。根皮表面深褐色，粗糙，有纵沟纹，栓皮剥落后露出浅棕色木部；质脆，易折断，断面纤维性；气微，味涩。

柳根：本品根上须根条众多且细长。须根呈不规则尾巴状，多弯曲，有分枝，表面紫棕色至深褐色，较粗糙，有纵沟及根毛，外皮剥落后露出浅棕色内皮和木部。质脆，易折断，断面纤维性。气微，味涩。

柳絮：本品细小，倒披针形，长 1 ~ 2 mm，黄褐色或淡灰黑色。表面有纵沟，先端簇生白色丝状绒毛，绒毛长 2 ~ 4 mm，呈团状包围在种子外部。

柳叶：本品狭披针形，长 9 ~ 16 cm，宽 0.5 ~ 1.5 cm，先端长渐尖，基部楔形，两面无毛，边缘有锯齿，全体灰绿色或淡绿棕色。叶柄长 0.5 ~ 1 cm。质柔软。气微，味微苦、涩。

| 功能主治 | **柳枝**：苦，寒。归胃、肝经。祛风利湿，解毒消肿。用于风湿痹痛，小便淋浊，黄疸，风疹瘙痒，疔疮，丹毒，龋齿，龈肿。

柳白皮：苦，寒。祛风利湿，消肿止痛。用于风湿痹痛，风肿瘙痒，黄疸，淋浊，乳痈，疔疮，牙痛，烫火伤。

柳根：苦，寒。利水通淋，祛风除湿，泻火解毒。用于淋证，白浊，水肿，黄疸，痢疾，带下，风湿痹痛，黄水疮，牙痛，烫伤，乳痈。

柳屑：苦，寒。祛风，除湿，止痒。用于风疹，筋骨疼痛，湿气腿肿。

柳絮：苦，凉。凉血止血，解毒消痈。用于吐血，创伤出血，痈疽，恶疮。

柳叶：苦，寒。归肺、肾、心经。清热，解毒，利尿，平肝，止痛，透疹。用于慢性支气管炎，尿道炎，膀胱炎，膀胱结石，白浊，高血压，痈疽肿毒，烫火伤，关节肿痛，牙痛，痧疹，皮肤瘙痒。

柳花：苦，寒。祛风利湿，止血散瘀。用于风水，黄疸，咯血，吐血，便血，血淋，经闭，疮疥，齿痛。

| **用法用量** | **柳枝：**内服煎汤，15 ~ 30 g。外用适量，煎汤含漱或熏洗。

柳白皮：内服煎汤，15 ~ 30 g。外用适量，煎汤洗；或酒煮或炒热温熨。

柳根：内服煎汤，15 ~ 30 g。外用适量，煎汤熏洗；或酒煮温熨。

柳屑：外用适量，煎汤洗浴；或炒热熨。

柳絮：内服研末；或浸汁。外用适量，敷贴；或研末调搽；或烧灰撒。

柳叶：内服煎汤，15 ~ 30 g，鲜品 30 ~ 60 g。外用适量，煎汤洗；或捣敷；或研末调敷；或熬膏涂。

柳花：内服煎汤，6 ~ 12 g；或研末，3 ~ 6 g；或捣汁。外用适量，烧存性，研末撒。

杨柳科 Salicaceae 柳属 Salix

腺柳
Salix chaenomeloides Kimura

药材名

腺柳（药用部位：茎枝、叶。别名：河柳）。

形态特征

小乔木。枝暗褐色或红褐色，有光泽。叶椭圆形、卵圆形至椭圆状披针形，长 4 ~ 8 cm，宽 1.8 ~ 3.5（~ 4）cm，先端急尖，基部楔形，光滑，上面绿色，下面苍白色或灰白色，边缘有腺锯齿；叶柄幼时被短绒毛，后渐变光滑，长 5 ~ 12 mm，先端具腺点；托叶半圆形或肾形，边缘有腺锯齿，早落，萌枝上的托叶发达。雄花序长 4 ~ 5 cm，花序梗和轴有柔毛，苞片卵形，长约 1 mm，雄蕊一般 5，花丝长为苞片的 2 倍，基部有毛，花药黄色，球形；雌花序长 4 ~ 5.5 cm，花序梗长 2 cm，轴被绒毛，子房狭卵形，具长柄，无毛，花柱缺，柱头头状或微裂，苞片椭圆状倒卵形，与子房柄等长或较子房柄稍短，腺体 2，基部联结成假花盘状，背腺小。蒴果卵状椭圆形，长 3 ~ 7 mm。花期 4 月，果期 5 月。

生境分布

生于海拔 1 000 m 以下的丘陵岗地、低山。湖南各地均有分布。

| **资源情况** | 野生资源较丰富。药材来源于野生。

| **功能主治** | 祛风解表。

银叶柳

Salix chienii Cheng

药材名

银叶柳（药用部位：根、枝叶。别名：白水杨柳）。

形态特征

灌木或小乔木，高达 12 m。树干通常弯曲，树皮暗褐灰色，纵浅裂。小枝初有绒毛，后近无毛；芽有柔毛。叶长椭圆形、披针形或倒披针形，长 2 ~ 3.5（~ 5.5）cm，宽 5 ~ 11（~ 13）mm，幼叶两面有绢状柔毛，下面苍白色，侧脉 8 ~ 12 对，具细腺齿；叶柄长约 1 mm。花序与叶同时开放或先于叶开放；雄花序圆柱状，长 1.5 ~ 2 cm，花序梗长 3 ~ 6 mm，基部具 3 ~ 7 小叶，轴有长毛，雄蕊 2，花丝基部合生，有毛，苞片倒卵形，有长毛，腺体 2，背生和腹生；雌花序长 1.2 ~ 1.8 cm，花序梗长 2 ~ 5 mm，基部具 3 ~ 5 小叶，轴有毛，子房卵形，无柄，无毛，花柱短而明显，柱头 2 裂，苞片卵形，有缘毛，腺体 1，腹生。果序长 2 ~ 4 cm；蒴果卵状长圆形，长 3 mm。花期 4 月，果期 5 月。

生境分布

生于海拔 500 ~ 600 m 的丘陵岗地。分布于湖南永州（冷水滩）。

| **资源情况** | 野生资源稀少。药材来源于野生。

| **采收加工** | 夏、秋季采收根，春、夏季采收枝叶，鲜用或晒干。

| **功能主治** | 辛、苦，寒。清热解毒，祛风止痒，止痛。用于感冒发热，咽喉肿痛，皮肤瘙痒，膀胱炎，尿道炎，跌打伤痛。

| **用法用量** | 内服煎汤，9 ~ 15 g。外用适量，煎汤洗。

杨柳科 Salicaceae 柳属 Salix

川鄂柳
Salix fargesii Burk.

| 药 材 名 | 川鄂柳（药用部位：根、叶。别名：巫山柳）。

| 形态特征 | 乔木或灌木。当年生小枝通常仅基部有丝状毛；芽先端有疏毛。叶椭圆形或狭卵形，长达 11 cm，宽达 6 cm，先端急尖至圆形，基部圆形至楔形，边缘有细腺锯齿，上面暗绿色，无毛或多少有柔毛，下面淡绿色，特别是脉上被白色长柔毛，侧脉 16 ~ 20 对；叶柄长达 1.5 cm，初有丝状毛，后无毛，通常有数枚腺体。花序长 6 ~ 8 cm，花序梗长 1 ~ 3 cm，有正常叶，轴有疏丝状毛；苞片窄倒卵形，先端圆，长约 1 mm，密被长柔毛，缘毛较苞片长；雄蕊 2，无毛；腹腺长方形，长约 0.5 mm，背腺甚小，宽卵形；子房有长毛和短柄，花柱长约 1 mm，上部 2 裂，柱头 2 裂；腹腺 1，宽卵形，长约 0.5 mm。果序长 12 cm；蒴果长圆状卵形，有毛和短柄。

| **生境分布** | 生于海拔 1 400 ～ 1 600 m 的地区。分布于湖南邵阳（绥宁）等。

| **资源情况** | 野生资源稀少。药材来源于野生。

| **功能主治** | 祛风除湿。

杨柳科 Salicaceae 柳属 Salix

旱柳
Salix matsudana Koidz.

| **药 材 名** | 旱柳（药用部位：嫩叶、枝、树皮）。

| **形态特征** | 乔木，高达 18 m，胸径达 80 cm。枝细长，直立或斜展，幼枝被毛；芽微被柔毛。叶披针形，长 5 ~ 10 cm，宽 1 ~ 1.5 cm，上面绿色，有光泽，下面苍白色或带白色，边缘有细腺锯齿，幼叶有丝状柔毛；叶柄短，长 5 ~ 8 mm，上面有长柔毛；托叶披针形或缺，边缘有细腺锯齿。花序与叶同时开放；雄花序圆柱形，长 1.5 ~ 2.5（~ 3）cm，直径 6 ~ 8 mm，有花序梗，轴有长毛，雄蕊 2，花丝基部有长毛，花药卵形，黄色，苞片卵形，黄绿色，基部有短柔毛，腺体 2；雌花序较雄花序短，长 2 cm，直径 4 mm，3 ~ 5 小叶生于短花序梗上，轴有长毛，子房长椭圆形，近无柄，无花柱或花柱短，柱头卵形，近圆裂，苞片同雄花，腺体 2，背生和腹生。果序长

2（～2.5）cm。花期4月，果期4～5月。

| **生境分布** | 生于丘陵岗地、低山、中山。湖南各地均有分布。

| **资源情况** | 野生资源较丰富。药材来源于野生。

| **采收加工** | 春季采收嫩叶、枝，鲜用或晒干。

| **药材性状** | 本品嫩叶多纵向卷曲，完整叶展平后呈披针形，上表面黄绿色，下表面灰绿色，幼叶有丝状柔毛，薄纸质；叶柄短，亦有柔毛。气微，味微苦、涩。嫩枝圆柱形，浅褐黄色，表面略具纵棱，有光泽，节上有芽或芽脱落后而留下的三角形瘢痕。质轻，易折断，横断面皮部极薄，木部黄白色，疏松，中央有白色髓。气微，味微苦。

| **功能主治** | 苦，寒。清热除湿，祛风止痛。用于黄疸，急性膀胱炎，小便不利，关节炎，疮毒，牙痛。

| **用法用量** | 内服煎汤，9～15 g。外用适量，捣敷。

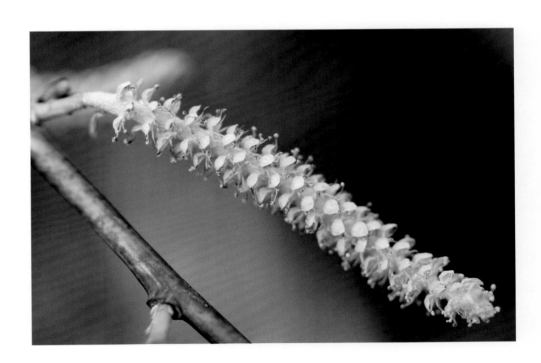

杨柳科 Salicaceae 柳属 Salix

皂柳
Salix wallichiana Anderss.

药材名

皂柳根（药用部位：根）。

形态特征

灌木或乔木。芽卵形，有棱，无毛。叶披针形或狭椭圆形，长4～8（～10）cm，宽1～2.5（～3）cm，先端急尖至渐尖，基部楔形至圆形，上面初有丝毛后无毛，下面有平伏短柔毛或无毛，全缘；萌枝上的叶有细锯齿；落叶灰褐色；叶柄长1 cm；托叶小，边缘有牙齿。花序先于叶或与叶近同时开放，无花序梗（萌枝上或先端长势减弱的枝上有花序梗及2～3小叶）；雄花序长1.5～2.5（～3）cm，直径1～1.3（～1.5）cm，雄蕊2，花药大，黄色，花丝纤细，离生，苞片长圆形或倒卵形，先端急尖，两面有毛，腺体1；雌花序圆柱形，长2.5～4 cm，直径1～1.2 cm，果序可伸长至12 cm，直径1.5 cm，子房狭圆锥形，密被短柔毛，花柱短，柱头2～4裂，苞片长圆形，有长毛，腺体同雄花。蒴果长达9 mm，开裂后果瓣向外反卷。花期4月中下旬至5月初，果期5月。

生境分布

生于山谷溪流旁、林缘或山坡中。湖南各地

均有分布。

| **资源情况** | 野生资源一般。药材来源于野生。

| **采收加工** | 全年均可采挖，洗净，晒干。

| **功能主治** | 辛、苦、涩，凉。祛风除湿，解热止痛。用于风湿关节痛，头痛。

| **用法用量** | 内服煎汤，15 ~ 30 g。外用适量，煎汤熏洗；或捣敷。

███ 杨柳科 ███ Salicaceae ███ 柳属 ███ *Salix*

紫柳
Salix wilsonii Seemen

| 药 材 名 | 紫柳（药用部位：根皮）。

| 形态特征 | 乔木，高达 13 m。一年生枝暗褐色，嫩枝有毛。叶椭圆形至长圆形，稀椭圆状披针形，长 4 ~ 5（~ 6）cm，宽 2 ~ 3 cm，先端急尖至渐尖，基部楔形至圆形，边缘具圆锯齿或圆齿；叶柄长 7 ~ 10 mm，有短柔毛；托叶不发达，卵形，早落，萌枝上的托叶发达，肾形，长 1 cm 以上，有腺齿。花与叶同时开放；花序梗长 1 ~ 2 cm，有 3 ~ 5 小叶；雄花序长 2.5 ~ 6 cm，直径 6 ~ 7 mm，花疏，花序轴密生白柔毛，雄蕊 3 ~ 5（~ 6），苞片椭圆形，中、下部有柔毛和缘毛，长约 1 mm，有背腺和腹腺，常分裂；雌花序长 2 ~ 4 cm（果期达 6 ~ 8 cm），花疏，直径约 5 mm，花序轴有白柔毛，子房狭卵形或卵形，无毛，具长梗，花柱无，柱头短，2 裂，苞片同

雄花，腹腺宽厚，抱梗，两侧常有 2 小裂片，背腺小。蒴果卵状长圆形。花期 3 月底至 4 月上旬，果期 5 月。

| 生境分布 | 生于海拔 1 000 ～ 1 300 m 的山区的水边、堤岸、山沟。分布于湖南永州（冷水滩）、怀化（鹤城）、湘西州（吉首、泸溪）等。

| 资源情况 | 野生资源较少。药材来源于野生。

| 功能主治 | 祛风除湿，活血化瘀。

桦木科 Betulaceae 桤木属 Alnus

桤木
Alnus cremastogyne Burk.

药材名

桤木皮（药用部位：树皮）、桤木枝梢（药用部位：嫩枝叶。别名：桤木梢）。

形态特征

乔木，高 30 ～ 40 m。树皮灰色，平滑。枝条灰色或灰褐色，无毛；小枝褐色，无毛或幼时被淡褐色短柔毛；芽具柄，有 2 芽鳞。叶倒卵形、倒卵状矩圆形、倒披针形或矩圆形，长 4 ～ 14 cm，宽 2.5 ～ 8 cm，先端骤尖或锐尖，基部楔形或微圆，边缘具不明显且稀疏的钝齿，上面疏生腺点，幼时疏被长柔毛，下面密生腺点，几无毛，很少于幼时密被淡黄色短柔毛，脉腋间有时具簇生髯毛，侧脉 8 ～ 10 对；叶柄长 1 ～ 2 cm，无毛，很少幼时具淡黄色短柔毛。雄花序单生，长 3 ～ 4 cm。果序单生于叶腋，矩圆形，长 1 ～ 3.5 cm，直径 5 ～ 20 mm；果序梗细瘦，柔软，下垂，长 4 ～ 8 cm，无毛，很少幼时被短柔毛；果苞木质，长 4 ～ 5 mm，先端具浅裂片 5。小坚果卵形，长约 3 mm，膜质翅宽仅为果实的 1/2。

生境分布

生于海拔 500 ～ 1 000 m 的山坡或岸边林中，

常成群落生长。湖南各地均有分布。

| **资源情况** | 野生资源丰富。药材来源于野生。

| **采收加工** | 桤木皮：全年均可采剥，鲜用或晒干。

桤木枝梢：春、夏季采集，鲜用或晒干。

| **功能主治** | 桤木皮：苦、涩，凉。凉血止血，清热解毒。用于吐血，衄血，崩漏，肠炎，痢疾，风火赤眼，黄水疮。

桤木枝梢：苦、涩，凉。清热凉血，解毒。用于腹泻，痢疾，吐血，衄血，黄水疮，毒蛇咬伤。

| **用法用量** | 桤木皮：内服煎汤，10 ~ 15 g。外用适量，鲜品捣敷；或煎汤洗。

桤木枝梢：内服煎汤，9 ~ 15 g。外用适量，鲜品捣敷。

桦木科 Betulaceae 桤木属 Alnus

江南桤木
Alnus trabeculosa Hand.-Mazz.

| 药 材 名 |

江南桤木（药用部位：茎、叶）。

| 形态特征 |

乔木，高约 10 m。树皮灰色或灰褐色，平滑。枝条暗灰褐色，无毛；小枝黄褐色或褐色，无毛或被黄褐色短柔毛；芽具柄，具光滑芽鳞 2。短枝和长枝上的叶大多数为倒卵状矩圆形、倒披针状矩圆形或矩圆形，有时长枝上的叶为披针形或椭圆形，长 6 ~ 16 cm，宽 2.5 ~ 7 cm，先端锐尖、渐尖至尾状，基部近圆形或近心形，很少楔形，边缘具不规则疏细齿，上面无毛，下面具腺点，脉腋间具簇生髯毛，侧脉 6 ~ 13 对；叶柄细瘦，长 2 ~ 3 cm，疏被短柔毛或无毛，无或多少具腺点。果序矩圆形，长 1 ~ 2.5 cm，直径 1 ~ 1.5 cm，2 ~ 4 呈总状排列；果序梗长 1 ~ 2 cm；果苞木质，长 5 ~ 7 mm，基部楔形，先端圆楔形，具浅裂片 5；小坚果宽卵形，长 3 ~ 4 mm，宽 2 ~ 2.5 mm；果翅厚纸质，极狭，宽为果实的 1/4。

| 生境分布 |

生于海拔 200 ~ 1 000 m 的山谷、沟边、河岸及村落附近。湖南有广泛分布。

| **资源情况** | 野生资源一般。药材来源于野生。

| **采收加工** | 全年均可采收，鲜用或阴干。

| **功能主治** | 苦，寒。清热解毒。用于湿疹，荨麻疹。

| **用法用量** | 外用适量，煎汤洗。

桦木科 Betulaceae 桦木属 Betula

西桦

Betula alnoides Buch.-Ham. ex D. Don

| 药 材 名 | 西桦（药用部位：叶、树皮）。

| 形态特征 | 乔木，高达 16 m。树皮红褐色；枝条暗紫褐色，有条棱，无毛。小枝密被白色长柔毛和树脂腺体。叶厚纸质，披针形或卵状披针形，长 4 ~ 12 cm，宽 2.5 ~ 5.5 cm，先端渐尖至尾状渐尖，基部楔形、宽楔形或圆形，少有微心形，边缘具内弯的刺毛状的不规则重锯齿，上面无毛，下面的脉上疏被长柔毛，脉腋间具密髯毛，其余无毛，密生腺点；侧脉 10 ~ 13 对；叶柄长 1.5 ~ 3（~ 4）cm，密被长柔毛及腺点。果序长圆柱形，（2 ~ ）3 ~ 5 排成总状，长 5 ~ 10 cm，直径 4 ~ 6 mm；总梗长 5 ~ 10 mm，果序柄长 2 ~ 3 mm，均密被黄色长柔毛；果苞甚小，长约 3 mm，背面密被短柔毛，边缘具纤毛，

基部楔形，上部具 3 裂片，侧裂不甚发育，呈耳突状，中裂片矩圆形，先端钝。小坚果倒卵形，长 1.5 ～ 2 mm，背面疏被短柔毛，膜质翅大部分露于果苞之外，宽为果的 2 倍。

| **生境分布** | 生于海拔 700 ～ 2 100 m 的山坡杂林中。分布于湖南邵阳（绥宁）等。

| **资源情况** | 野生资源稀少。药材来源于野生。

| **采收加工** | 叶，春、夏、秋季采摘。树皮，全年均可采剥，鲜用或晒干。

| **功能主治** | 解毒，敛疮。用于疮毒溃后久不收口。

| **用法用量** | 外用适量，鲜品捣敷。

桦木科 Betulaceae 桦木属 Betula

华南桦

Betula austrosinensis Chun ex P. C. Li

| 药 材 名 | 华南桦（药用部位：树皮）。

| 形态特征 | 乔木，高 25 m。树皮褐色，块状开裂。枝褐色，无毛；小枝黄褐色，初被柔毛，瞬即无毛。叶厚纸质，长卵形、椭圆形、矩圆形或矩圆状披针形，长 5 ~ 14 cm，宽 2 ~ 7 cm，先端渐尖至尾尖，基部圆形或近心形，边缘具细密重锯齿，上面无毛或幼时疏被毛，下面密生腺点，沿脉密被长柔毛，脉腋间具细髯毛，侧脉 12 ~ 14 对；叶柄长 1 ~ 2 cm，粗壮，幼时密被长柔毛，后变无毛。果序单生，直立，圆柱状，长 2.5 ~ 6 cm，直径 1.1 ~ 2.5 mm；果序梗短粗，长 2 ~ 3（~ 5）mm，被短柔毛；果苞长 8 ~ 13 mm，背面密被短柔毛，边缘具短纤毛，脱落后以纤维与果序轴相连，中裂片矩圆状披针形，先端具 1 束长纤毛，钝或渐尖，侧裂片矩圆形，微开展，长为中裂

片的 1/2；小坚果狭椭圆形或矩圆状倒卵形，长 4 ~ 5 mm，宽 2 mm，膜质翅宽为果实的 1/2。

| **生境分布** | 生于海拔 1 000 ~ 1 800 m 的山顶或山坡杂木林中。分布于湖南娄底（新化）等。

| **资源情况** | 野生资源稀少。药材来源于野生。

| **采收加工** | 夏、秋季采收，除去杂质，鲜用或晒干。

| **功能主治** | 利水通淋，清热解毒。用于淋证，水肿，疮毒。

| **用法用量** | 内服煎汤，10 ~ 15 g。外用适量，捣敷。

桦木科 Betulaceae 桦木属 Betula

香桦

Betula insignis Franch.

| 药 材 名 | 香桦（药用部位：根）。

| 形态特征 | 乔木，高 10 ～ 25 m。树皮灰黑色，纵裂，有芳香味。枝条暗褐色
或暗灰色，无毛；小枝褐色，初时密被黄色短柔毛，瞬变无毛，无
或多少具树脂腺体。叶厚纸质，较大，椭圆形或卵状披针形，长
8 ～ 13 cm，宽 3 ～ 6 cm，先端渐尖至尾状渐尖，基部圆形或几心
形，有时两侧不等，边缘具不规则的细而密的尖锯齿，上面深绿色，
幼时疏被毛，以后渐无毛，下面密被腺点，沿脉密被白色长柔毛，
脉腋间无或疏生髯毛，侧脉 12 ～ 15 对；叶柄长 8 ～ 20 mm，初时
疏被长柔毛，后渐无毛。果序单生，矩圆形，直立或下垂，长 2.5 ～
4 cm，直径 1.5 ～ 2 cm；果序柄几不明显；果苞长 7 ～ 12 mm，背

面密被短柔毛，基部楔形，上部具 3 披针形裂片，侧裂片直立，长及中裂片的 1/2 或与之近等长。小坚果狭矩圆形，长约 4 mm，宽约 1.5 mm，无毛，膜质翅极狭。

| 生境分布 | 生于海拔 1 400 ~ 1 800 m 的山坡林中。分布于湖南常德（石门）、张家界（桑植）等。

| 资源情况 | 野生资源稀少。药材来源于野生。

| 功能主治 | 用于狂犬咬伤，泄泻。

桦木科 Betulaceae 桦木属 Betula

亮叶桦

Betula luminifera H. Winkl.

| 药 材 名 |

亮叶桦根（药用部位：根）、亮叶桦皮（药用部位：树皮。别名：桦树皮、桦杆树皮）、亮叶桦叶（药用部位：叶。别名：光叶桦叶）。

| 形态特征 |

乔木，高 20 m，直径 80 cm。树皮红褐色或暗黄灰色。枝条红褐色；小枝黄褐色。叶矩圆形、宽矩圆形、矩圆状披针形，长4.5 ~ 10 cm，宽 2.5 ~ 6 cm，先端骤尖或细尾状，基部圆形、近心形或宽楔形，边缘具重锯齿，叶上面幼时被短柔毛，下面生树脂腺点，脉生长柔毛，脉腋间有时具髯毛，侧脉 12 ~ 14 对；叶柄长 1 ~ 2 cm，密被短柔毛及腺点。雄花序 2 ~ 5 簇生于小枝先端或单生于小枝上部叶腋；花序梗密生树脂腺体；苞鳞背面无毛，边缘具短纤毛。果序单生，间或 1 短枝上有单生于叶腋的果序 2，长圆柱形，长 3 ~ 9 cm，直径 6 ~ 10 mm；果序梗长 1 ~ 2 cm，下垂，密被短柔毛及树脂腺体；果苞长 2 ~ 3 mm，背面疏被短柔毛，边缘具短纤毛，侧裂片长仅为中裂片的 1/4 ~ 1/3；小坚果倒卵形，长 2 mm，背面疏被短柔毛，膜质翅宽为果实的 1 ~ 2 倍。

| 生境分布 | 生于海拔 500 ~ 1 200 m 的向阳山坡及杂木林内。湖南各地均有分布。

| 资源情况 | 野生资源丰富。药材来源于野生。

| 采收加工 | 亮叶桦根：全年均可采挖，洗净，切片，晒干。
亮叶桦皮：夏、秋季剥取，晒干或鲜用。
亮叶桦叶：春、夏季采收，鲜用或晒干。

| 功能主治 | 亮叶桦根：甘、微辛，凉。清热利尿。用于小便不利，水肿。
亮叶桦皮：甘、辛，微温。祛湿散寒，消滞和中，解毒。用于感冒，风湿痹痛，食积饱胀，小便短赤，乳痈，疮毒，风疹。
亮叶桦叶：甘、辛，凉。清热利尿，解毒。用于水肿，疔毒。

| 用法用量 | 亮叶桦根：内服煎汤，10 ~ 15 g。
亮叶桦皮：内服煎汤，10 ~ 30 g。外用适量，捣敷。
亮叶桦叶：内服煎汤，10 ~ 15 g。外用适量，鲜品捣敷。

桦木科 Betulaceae 鹅耳枥属 *Carpinus*

华千金榆

Carpinus cordata Bl. var. *chinensis* Franch.

| 药 材 名 | 华鹅耳枥（药用部位：根或根皮）。

| 形态特征 | 乔木，高约 15 m。树皮灰色；小枝棕色或橘黄色，具沟槽，密被短柔毛及稀疏长柔毛。叶厚纸质，卵形或矩圆状卵形，稀倒卵形，长8 ~ 15 cm，宽 4 ~ 5 cm，先端渐尖，具刺尖，基部斜心形，边缘具不规则的刺毛状重锯齿，上面疏被长柔毛或无毛，下面沿脉疏被短柔毛，侧脉 15 ~ 20 对；叶柄长 1.5 ~ 2 cm，无毛或疏被长柔毛。果序长 5 ~ 12 cm，直径约 4 cm；果序柄长约 3 cm，无毛或疏被短柔毛；果序轴密被短柔毛及稀疏的长柔毛；果苞宽卵状矩圆形，长15 ~ 25 mm，宽 10 ~ 13 mm，无毛，外侧的基部无裂片，内侧的基部具一矩圆形内折的裂片，全部遮盖着小坚果，中裂片外侧内折，

其边缘的上部具疏齿，内侧的边缘具明显的锯齿，先端锐尖。小坚果矩圆形，长 4 ~ 6 mm，直径约 2 mm，无毛，具不明显的细肋。

| **生境分布** | 生于海拔 500 ~ 1 800 m 的较湿润、肥沃的阴山坡或山谷杂木林中。分布于湖南常德（石门）、张家界、怀化（沅陵）等。

| **资源情况** | 野生资源稀少。药材来源于野生。

| **采收加工** | 全年均可采挖，取根或剥取根皮，洗净，切片，鲜用或晒干。

| **功能主治** | 淡，平。活血消肿，利湿通淋。用于跌打损伤，痈肿疮毒，淋证。

| **用法用量** | 内服煎汤，20 ~ 30 g。外用适量，捣敷。

桦木科 Betulaceae 鹅耳枥属 *Carpinus*

云贵鹅耳枥

Carpinus pubescens Burk.

| 药 材 名 | 云贵鹅耳枥（药用部位：树皮。别名：毛鹅耳枥）。

| 形态特征 | 乔木，高 5 ～ 10 m。树皮棕灰色；小枝暗褐色，被短柔毛或渐变无毛。叶厚纸质，长椭圆形、矩圆状披针形、卵状披针形或少有椭圆形，长 5 ～ 8 cm，宽 2 ～ 3.5 cm，先端渐尖、长渐尖，稀锐尖，基部圆楔形、近圆形或微心形，有时稍不对称，边缘具规则的密细重锯齿，上面光滑，下面沿脉疏被长柔毛及脉腋间具簇生的髯毛，余则无毛，侧脉 12 ～ 14 对；叶柄长 4 ～ 15 mm，疏被短柔毛或无毛。果序长 5 ～ 7 cm，直径 1 ～ 2.5 cm；果序柄长 2 ～ 3 cm，果序柄、果序轴均疏被长柔毛至几无毛；果苞厚纸质或纸质，半卵形，较少半宽卵形，长 10 ～ 25 mm，两面沿脉疏被长柔毛，外侧的基部无裂片，内

侧的基部边缘微内折或具耳突，中裂片内侧边缘直或微内弯，外侧边缘具锯齿或不甚明显的细齿，先端锐尖或钝。小坚果宽卵圆形，长 3 ～ 4 mm，密被短柔毛，上部被长柔毛，极少下部几无毛，疏生或无树脂腺体。

| **生境分布** | 生于海拔 450 ～ 1 500 m 的山谷或山坡林中，也生于山顶或山坡的灌木林中。分布于湖南湘西州（永顺）等。

| **资源情况** | 野生资源稀少。药材来源于野生。

| **功能主治** | 用于痢疾。

雷公鹅耳枥
Carpinus viminea Wall.

| 药 材 名 | 雷公鹅耳枥（药用部位：根、树皮）。

| 形态特征 | 乔木，高 10 ~ 20 m。树皮深灰色。小枝棕褐色，密生白色皮孔，无毛。叶厚纸质，椭圆形、矩圆形或卵状披针形，长 6 ~ 11 cm，宽 3 ~ 5 cm，先端渐尖、尾状渐尖至长尾状，基部圆楔形、圆形兼微心形，边缘具规则或不规则的重锯齿，侧脉 12 ~ 15 对；叶柄较细长，长（10 ~）15 ~ 30 mm，多数无毛。果序长 5 ~ 15 cm，直径 2.5 ~ 3 cm，下垂；果序轴长 1.5 ~ 4 cm，无毛；果苞长 1.5 ~ 2.5（~ 3）cm，内外侧基部均具裂片，近无毛，中裂片半卵状披针形至矩圆形，长 1 ~ 2 cm，内侧基部裂片卵形，长约 3 mm，外侧基部裂片与内侧基部裂片近相等或较之小而呈齿裂状。小坚果宽卵圆

形，长 3 ～ 4 mm，无毛，有时上部疏生小树脂腺体和细柔毛，具少数细肋。花期 4 ～ 6 月，果期 7 ～ 9 月。

| 生境分布 | 生于海拔 700 ～ 1 800 m 的山坡杂木林中。分布于湖南永州（双牌、新田）、怀化（洪江）、湘西州（古丈、永顺）等。

| 资源情况 | 野生资源较少。药材来源于野生。

| 功能主治 | 散瘀消肿。用于跌打损伤。

桦木科 Betulaceae 榛属 *Corylus*

华榛

Corylus chinensis Franch.

| 药 材 名 | 华榛（药用部位：种仁）。

| 形态特征 | 乔木，高达 20 m。树皮灰褐色，纵裂。枝条灰褐色，无毛；小枝褐色，密被长柔毛和刺状腺体，基部常密被淡黄色长柔毛。叶椭圆形、宽椭圆形或宽卵形，长 8～18 cm，宽 6～12 cm，先端骤尖至短尾状，基部心形，两侧显著不对称，边缘具不规则钝锯齿，上面无毛，下面沿脉疏被淡黄色长柔毛，有时具刺状腺体，侧脉 7～11对；叶柄长 1～2.5 cm，密被淡黄色长柔毛及刺状腺体。2～8 雄花序排成总状，长 2～5 cm；苞鳞三角形，锐尖，先端具易脱落的刺状腺体 1。2～6 果实簇生成头状，长 2～6 cm，直径 1～2.5 cm；果苞管状，于上部缢缩，较果实长 2 倍，外面具纵肋，疏被长柔毛

及刺状腺体，很少无毛并无腺体，上部深裂成 3 ~ 5 镰状披针形裂片，裂片通常又分叉。坚果球形，长 1 ~ 2 cm，无毛。

| **生境分布** | 生于海拔 500 ~ 800 m 的湿润山坡林中。分布于湖南湘西州（保靖）等。

| **资源情况** | 野生资源稀少。药材来源于野生。

| **功能主治** | 调中，开胃，明目。

桦木科 Betulaceae 榛属 Corylus

川榛

Corylus heterophylla Fisch. var. *sutchuenensis* Franch.

| 药 材 名 | 川榛（药用部位：种仁）。

| 形态特征 | 灌木或小乔木，高 1 ~ 7 m。树皮灰色。枝条暗灰色；小枝黄褐色，密被短柔毛，兼疏生长柔毛，无或稍具刺状腺体。叶椭圆形、宽卵形或近圆形，长 4 ~ 13 cm，宽 2.5 ~ 10 cm，先端尾状，基部心形，有时两侧不等，边缘具不规则重锯齿，中部以上浅裂，上面无毛，下面幼时疏被短柔毛，后仅沿脉疏被短柔毛，其余无毛，侧脉 3 ~ 5 对；叶柄纤细，长 1 ~ 2 cm，疏被短毛或近无毛。雄花序单生，长约 4 cm，花药红色。果实单生或 2 ~ 6 簇生成头状；果苞钟状，外面具细条棱，密被短柔毛，兼疏生长柔毛，密生刺状腺体，很少无腺体，较果实长但不超过 1 倍，很少较果实短，上部浅裂，裂片三

角形，边缘具疏齿；果序梗长约 1.5 cm，密被短柔毛；坚果近球形，长 7 ~ 15 mm，无毛或仅先端疏被长柔毛。

| **生境分布** | 生于海拔 700 ~ 1 400 m 的山地林间。分布于湖南张家界（慈利）等。

| **资源情况** | 野生资源较少。药材来源于野生。

| **功能主治** | 甘，平。调中，开胃，明目。用于食欲不振，视物昏花。

壳斗科 Fagaceae 栗属 *Castanea*

锥栗 *Castanea henryi* (Skan) Rehd. et Wils.

| 药 材 名 |

锥栗叶（药用部位：叶、壳斗）、锥栗种子（药用部位：种子）。

| 形态特征 |

大乔木，高达 30 m，胸径 1.5 m。冬芽长约 5 mm；小枝暗紫褐色。托叶长 8 ~ 14 mm；叶长圆形或披针形，长 10 ~ 23 cm，宽 3 ~ 7 cm，顶部长渐尖至尾状长尖，新生叶基部狭楔尖，两侧对称，成长叶基部圆形或宽楔形，一侧偏斜，叶缘裂齿有长 2 ~ 4 mm 的线状长尖，叶背无毛，但嫩叶有黄色鳞腺且在叶脉两侧有疏长毛；开花时叶柄长 1 ~ 1.5 cm，结果时叶柄延长至 2.5 cm。雄花序长 5 ~ 16 cm，花簇有花 1 ~ 3（~ 5）；每壳斗有雌花 1（偶有 2 或 3），仅 1 花（稀 2 或 3）发育结实，花柱无毛，稀下部有疏毛。成熟壳斗近圆球形，连刺直径 2.5 ~ 4.5 cm，刺或密或稍疏生，长 4 ~ 10 mm；坚果长 12 ~ 15 mm，宽 10 ~ 15 mm，顶部有伏毛。花期 5 ~ 7 月，果期 9 ~ 10 月。

| 生境分布 |

生于海拔 100 ~ 1 800 m 的丘陵与山地，常见于落叶混交林或常绿混交林中。湖南各地均有分布。

| **资源情况** | 野生资源较丰富。药材来源于野生。

| **功能主治** | 锥栗叶：苦、涩，平。用于湿热泄泻。
锥栗种子：甘，平。用于肾虚，痿弱，消瘦。

壳斗科 Fagaceae 栗属 Castanea

栗 *Castanea mollissima* Bl.

| 药 材 名 | 栗子（药用部位：种仁。别名：板栗、栗果、槷子）、栗花（药用部位：花序或花。别名：板栗花）、栗壳（药用部位：外果皮）、栗毛球（药用部位：总苞。别名：栗毛壳、栗刺壳、风栗壳）、栗树皮（药用部位：树皮。别名：栗树白皮）、栗树根（药用部位：根或根皮）、栗叶（药用部位：叶）、栗荴（药用部位：内果皮。别名：栗子内薄皮、栗蓬内膈断薄衣）。

| 形态特征 | 乔木，高达 20 m，胸径 80 cm。冬芽长约 5 mm；小枝灰褐色。托叶长圆形，长 10 ～ 15 mm，被疏长毛及鳞腺。叶椭圆形至长圆形，长 11 ～ 17 cm，顶部短至渐尖，基部近截平或圆形，或两侧稍向内弯而呈耳垂状，常一侧偏斜而不对称，新生叶的基部常狭楔尖且两侧对称，叶背被星芒状伏贴绒毛或因毛脱落变为几无毛；叶柄长

1 ~ 2 cm。雄花序长 10 ~ 20 cm，花序轴被毛，花 3 ~ 5 聚生成簇；雌花 1 ~ 3
（~ 5），发育结实，花柱下部被毛。成熟壳斗的锐刺有长有短，有疏有密，
密时全遮蔽壳斗外壁，疏时则外壁可见，壳斗连刺直径 4.5 ~ 6.5 cm；坚果高
1.5 ~ 3 cm，宽 1.8 ~ 3.5 cm。花期 4 ~ 6 月，果期 8 ~ 10 月。

| **生境分布** | 生于海拔 100 ~ 2 100 m 的山地、丘陵岗地、缓坡及河滩等。栽培于海拔
1 200 m 以下的山区、屋旁。湖南各地均有分布。

| **资源情况** | 野生资源丰富。栽培资源丰富。药材来源于野生和栽培。

| **采收加工** | **栗子：** 总苞由青色转黄色、微裂时采收种子，除去种皮，收集种仁，放冷凉
处散热，搭棚遮阴，棚四周夹墙，地面铺河砂，堆栗高 30 cm，覆盖湿砂，经

常洒水保湿，10 月下旬至 11 月入窖贮藏或晒干。

栗花：春季采集，鲜用或阴干。

栗壳：剥取种仁时收集，晒干。

栗毛球：剥取果实时收集，晒干。

栗树皮：全年均可剥取，鲜用或晒干。

栗树根：全年均可采收，鲜用或晒干。

栗叶：夏、秋季采集，多鲜用。

栗荴：剥取种仁时收集，阴干。

| **药材性状** | **栗子：**本品呈半球形或扁圆形，先端短尖，直径 2 ~ 3 cm。外表面黄白色，光滑，有时具浅纵沟纹。质实，稍重，碎断后内部富粉质。气微，味微甜。

栗花：本品雄花序穗状，平直，长 9 ~ 20 cm；花被片 6，圆形或倒卵圆形，淡黄褐色；雄蕊 8 ~ 10，花丝长约为花被的 3 倍。雌花无梗，生于雄花序下部，每 1 ~ 3（~ 5）聚生于有刺的总苞内；花被 6 裂；子房下位，花柱 5 ~ 9。气微，味微涩。

栗壳：本品破碎成大小不等的不规则块片，厚约 1 mm。外表面褐色，平滑无毛；内表面淡褐色，平坦。质坚韧，易折断，断面凹凸不平。气微，味微苦、涩。

栗毛球：本品呈球形，直径 3 ~ 5 cm，外面有被毛的尖锐刺。气微，味微苦、涩。

栗树皮：本品外表面暗灰色，不规则纵深裂；内表面黄白色或类白色。气微，味微苦、涩。

栗叶：本品叶片薄革质，长圆状披针形或长圆形，长 8 ~ 15 cm，宽 5.5 ~ 7 cm，先端尖尾状，基部楔形或两侧不相等，边缘具疏锯齿，齿端呈内弯的刺毛状，上面深绿色，有光泽，羽状侧脉 10 ~ 17 对，中脉有毛，下面淡绿色，有白色绒毛。叶柄短，有长毛和短绒毛。气微，味微涩。

栗荴：本品破碎成大小不等的块片，厚 1 ~ 1.5 mm。外表面棕色，粗糙；内表面常与膜质的种皮粘连，淡棕色，平滑。质脆，易碎。气微，味微涩。

| 功能主治 | 栗子：甘、微咸，平。归脾、肾经。益气健脾，补肾强筋，活血消肿，止血。用于脾虚泄泻，反胃呕吐，脚膝酸软，筋骨折伤肿痛，瘰疬，吐血，衄血，便血。

栗花：微苦、涩，平。清热燥湿，止血，散结。用于泄泻，痢疾，带下，便血，瘰疬，瘿瘤。

栗壳：甘、涩，平。降逆生津，化痰止咳，清热散结，止血。用于呕哕，消渴，咳嗽痰多，百日咳，腮腺炎，瘰疬，衄血，便血。

栗毛球：甘、涩，平。清热散结，化痰，止血。用于丹毒，瘰疬痰核，百日咳，中风不语，便血，鼻衄。

栗树皮：微苦、涩，平。解毒消肿，收敛止血。用于癞疮，丹毒，口疮，漆疮，便血，鼻衄，创伤出血，跌仆伤痛。

栗树根：微苦，平。行气止痛，活血调经。用于疝气偏坠，牙痛，风湿关节痛，月经不调。

栗叶：微甘，平。清肺止咳，解毒消肿。用于百日咳，肺结核，咽喉肿痛，肿毒，漆疮。

栗荴：甘、涩，平。散结下气，养颜。用于骨鲠，瘰疬，反胃，面有皱纹。

| 用法用量 | 栗子：内服适量，生食或煮食；或炒存性，研末服，30 ~ 60 g。外用适量，捣敷。

栗花：内服煎汤，9 ~ 15 g；或研末。

栗壳：内服煎汤，30 ~ 60 g；或煅炭研末，3 ~ 6 g。外用适量，研末调敷。

栗毛球：内服煎汤，9 ~ 30 g。外用适量，煎汤洗；或研末调敷。

栗树皮：内服煎汤，5 ~ 10 g。外用适量，煎汤洗；或烧灰调敷。

栗树根：内服煎汤，15 ~ 30 g；或浸酒。

栗叶：内服煎汤，9 ~ 15 g。外用适量，煎汤洗；或烧存性，研末敷。

栗荴：内服煎汤，3 ~ 5 g。外用适量，研末吹喉或外敷。

壳斗科 Fagaceae 栗属 *Castanea*

茅栗
Castanea seguinii Dode

| 药 材 名 |

茅栗根（药用部位：根）、茅栗仁（药用部位：种仁。别名：榴栗、捌栗、野栗子）、茅栗叶（药用部位：叶）。

| 形态特征 |

小乔木或灌木，通常高 2 ~ 5 m，稀达 12 m。冬芽长 2 ~ 3 mm；小枝暗褐色。托叶细长，长 7 ~ 15 mm，开花时仍未脱落。叶倒卵状椭圆形，或兼有长圆形叶，长 6 ~ 14 cm，宽 4 ~ 5 cm，先端渐尖，基部楔形（嫩叶）至圆形或耳垂状（成长叶），基部对称至一侧偏斜，叶背有黄色或灰白色鳞腺，幼嫩时沿叶背脉两侧有疏单毛；叶柄长 5 ~ 15 mm。雄花序长 5 ~ 12 cm，雄花簇有花 3 ~ 5；雌花单生或生于混合花序的花序轴下部，每壳斗有雌花 3 ~ 5，通常 1 ~ 3 雌花发育结实，花柱 6 或 9，无毛。壳斗外壁密生锐刺，成熟壳斗连刺直径 3 ~ 5 cm，宽略大于高，刺长 6 ~ 10 mm；坚果长 15 ~ 20 mm，宽 20 ~ 25 mm，无毛或顶部有疏伏毛。花期 5 ~ 7 月，果期 9 ~ 11 月。

| **生境分布** | 生于海拔 400 ~ 2 000 m 的丘陵山地，常见于山坡灌丛中。湖南各地均有分布。

| **资源情况** | 野生资源丰富。药材来源于野生。

| **采收加工** | 茅栗根：全年均可采挖，晒干。
茅栗仁：秋季当总苞由青色转黄色、微裂时采收种子，除去种皮，收集种仁，晒干。
茅栗叶：夏、秋季采摘，鲜用或晒干。

| **药材性状** | 茅栗仁：本品扁球形，直径 0.8 ~ 1.3 cm，黄白色，粉质。气微，味微甜。

| **功能主治** | 茅栗根：苦，寒。清热解毒，消食。用于肺炎，肺结核，消化不良。
茅栗仁：甘，平。安神。用于失眠。
茅栗叶：消食健胃。用于消化不良。

| **用法用量** | 茅栗根：内服煎汤，15 ~ 30 g。外用适量，煎汤洗。
茅栗仁：炖服，15 ~ 30 g。
茅栗叶：内服煎汤，15 ~ 30 g。

米槠

Castanopsis carlesii (Hemsl.) Hayata

药 材 名

米槠（药用部位：种仁）。

形态特征

乔木，高达 20 m，胸径 80 cm。芽小；新枝及花序轴有稀少红褐色片状蜡鳞，二年生枝及三年生枝黑褐色，皮孔甚多，细小。叶披针形，长 6 ~ 12 cm，宽 1.5 ~ 3 cm，或长 4 ~ 6 cm，宽 1 ~ 2 cm，或卵形，长 6 ~ 9 cm，宽 3 ~ 4.5 cm，顶部渐尖或渐狭长尖，基部有时一侧稍偏斜，叶全缘或兼有少数浅齿，侧脉 8 ~ 13 对，稀较少，嫩叶背面有红褐色或棕黄色细片状蜡鳞层，成长叶银灰色或灰白色；叶柄长不及 10 mm，基部增粗，呈枕状。雄圆锥花序近顶生；雌花花柱 2 或 3，长约 0.5 mm。果序轴横切面直径 2 ~ 3 mm；壳斗近圆球形或阔卵形，长 10 ~ 15 mm，被棕黄色或锈褐色毡毛状微柔毛及蜡鳞；坚果近圆球形或阔圆锥形，先端短狭尖，果脐位于坚果底部。花期 3 ~ 6 月，果实翌年 9 ~ 11 月成熟。

生境分布

生于海拔 1 000 m 以下的山地、丘陵常绿或落叶阔叶混交林中。湖南各地均有分布。

| **资源情况** | 野生资源丰富。药材来源于野生。

| **功能主治** | 用于痢疾。

壳斗科 Fagaceae 锥属 Castanopsis

锥

Castanopsis chinensis Hance

| 药 材 名 | 栲栗（药用部位：种子。别名：锥栗）、栲栗果壳（药用部位：壳斗）、栲栗叶（药用部位：叶）。

| 形态特征 | 乔木，高 10 ~ 20 m，胸径 20 ~ 60 cm。树皮纵裂，片状脱落。枝、叶均无毛。叶厚纸质或近革质，披针形，长 7 ~ 18 cm，宽 2 ~ 5 cm，顶部长尖，基部近圆形或短尖，叶缘至少在中部以上有锐裂齿，侧脉每边 9 ~ 12，直达齿端，在叶面稍凸起；叶柄长 1.5 ~ 2 cm。雄穗状花序或圆锥花序，花序轴无毛，花被裂片内面被短柔毛；雌花序生于当年生枝的顶部，每壳斗有雌花 1，花柱 3 或 4，有时 2，长达 1.5 mm。果序长 8 ~ 15 cm；壳斗圆球形，连刺直径 2.5 ~ 3.5 mm，整齐开裂 3 ~ 5 瓣，刺长 0.6 ~ 1.2 mm，在中下部连成刺束，内壁密被褐色长绒毛；坚果圆锥形，高 1.2 ~ 1.6 cm，直径 1 ~ 1.3 cm，

无毛或顶部疏被伏毛，果脐在坚果底部。花期 5 ~ 7 月，果实翌年 9 ~ 11 月成熟。

| **生境分布** | 生于海拔 1 500 m 以下的山地、岗地或平地杂木林中。湖南各地均有分布。

| **资源情况** | 野生资源丰富。药材来源于野生。

| **采收加工** | 栲栗：夏、秋季采集，剥去果壳，取种子，晒干。
栲栗果壳：夏、秋季采集，剥取种子时收集，晒干。
栲栗叶：春、夏、秋季均可采摘，鲜用或晒干。

| **功能主治** | 栲栗：甘，平。补肾，健胃。用于肾虚，痿弱，消瘦乏力。
栲栗果壳：苦、涩，平。除湿热。用于湿热泄泻。
栲栗叶：苦、涩，平。清热燥湿，涩肠止泻。用于湿热泄泻。

| **用法用量** | 栲栗：内服适量，炒食；或与瘦猪肉同煮。
栲栗果壳：内服煎汤，15 ~ 30 g。
栲栗叶：内服煎汤，15 ~ 30 g。

壳斗科 Fagaceae 锥属 *Castanopsis*

甜槠

Castanopsis eyrei (Champ.) Tutch.

药材名

甜槠子（药用部位：种仁）、甜槠皮（药用部位：根皮）。

形态特征

乔木，高达 20 m。大树的树皮纵深裂，厚达 1 cm，块状剥落。小枝有甚多皮孔。叶卵形、披针形或长椭圆形，长 5 ~ 13 cm，宽 1.5 ~ 5.5 cm，基部偏斜，当年生叶两面同色，二年生叶叶背淡银灰色。雄花序穗状或为圆锥花序，花序轴无毛，花被片内面被疏柔毛；雌花花柱 2 或 3。果序轴横切面直径 2 ~ 5 mm；壳斗有 1 坚果，阔卵形，先端狭尖或钝，连刺直径 20 ~ 30 mm，2 ~ 4 瓣开裂，壳壁厚约 1 mm，刺长 6 ~ 10 mm，壳斗顶部的刺密集而较短，通常完全遮蔽壳斗外壁，刺及壳壁被灰白色或灰黄色微柔毛，若壳斗近圆球形，则刺较疏少，近轴面无刺；坚果阔圆锥形，顶部锥尖，宽 10 ~ 14 mm，无毛，果脐位于坚果的底部。花期 4 ~ 6 月，果熟期翌年 9 ~ 11 月。

生境分布

生于海拔 300 ~ 1 700 m 的丘陵岗地、山地疏林或密林中。湖南各地均有分布。

| **资源情况** | 野生资源一般。药材来源于野生。

| **功能主治** | **甜槠子**：健胃燥湿。
　　　　　　　甜槠皮：止泻。用于痢疾。

壳斗科 Fagaceae 锥属 *Castanopsis*

罗浮锥 *Castanopsis fabri* Hance

| 药 材 名 |

罗浮锥（药用部位：根、茎皮）。

| 形态特征 |

乔木，高 8 ~ 20 m，胸径达 45 cm。树皮灰褐色，粗糙，新生嫩枝有时被稀疏短柔毛，芽大，两侧压扁状，芽鳞顶部边缘常被红色或褐锈色绒毛且有明显的膜质边缘。二年生叶革质，卵形、狭长椭圆形或披针形，长 8 ~ 18 cm，宽 2.5 ~ 5 cm，萌生枝的叶长达 22 cm，宽 9 cm，顶部长尖或少有短尖，基部近圆或少有楔尖，常一侧略偏斜，叶缘有裂齿，稀兼有全缘叶，中脉在叶面明显凹陷，侧脉每边 9 ~ 15，网脉纤细，无毛或嫩叶叶背中脉两侧被甚稀疏的长伏毛，且被红棕色或棕黄色较疏散的蜡鳞，二年生叶的叶背带灰白色；叶柄长稀达 1.5 cm。雄花序单穗腋生或多穗排成圆锥花序，花序轴通常被稀疏短毛，雄蕊 12 ~ 10；每壳斗有雌花 2 ~ 3，花柱 3，有时 2，长约 1 mm。果序长 8 ~ 17 cm；壳斗有坚果 2，稀 1 或 3，圆球形、阔椭圆形或阔卵形，连刺直径 20 ~ 30 mm，不规则瓣裂，壳壁厚约 1 mm，刺长 5 ~ 10 mm，很少较短，基部合生或合生至上部，有如鹿角状分枝，刺或疏或密，干后棕色或棕黄色，少有暗灰褐色，被疏短毛至几无毛；坚果圆锥形，常一侧或二侧平坦，无毛，横径 8 ~ 12 mm，果脐在坚果底部。花期 4 ~ 5 月，果期翌年 9 ~ 11 月。

| 生境分布 | 生于约 2 000 m 以下的疏或密林中，有时成小片纯林。分布于湖南怀化（会同、通道）、邵阳（新宁、城步）、永州（江永）、郴州（桂东、宜章）等。

| 资源情况 | 野生资源稀少。药材来源于野生。

| 功能主治 | 收敛止泻，解毒。用于消炎。

壳斗科 Fagaceae 锥属 Castanopsis

栲

Castanopsis fargesii Franch.

| 药 材 名 | 栲（药用部位：总苞）、丝栗子（药用部位：种仁）。

| 形态特征 | 乔木，高 10 ~ 30 m，胸径 20 ~ 80 cm。树皮浅纵裂。芽鳞、嫩枝顶部及嫩叶叶柄均被与叶背相同但较早脱落的红锈色细片状蜡鳞，枝无毛。叶长椭圆形或披针形，稀卵形，长 7 ~ 15 cm，宽 2 ~ 5 cm。雄花穗状或为圆锥花序，花单朵密生于花序轴上，雄蕊10；雌花单朵散生于长达 30 cm 的花序轴上，花柱长约 0.5 mm。果序轴横切面直径 1.5 ~ 3 mm；壳斗圆球形或宽卵形，连刺直径25 ~ 30 mm，稀更大，不规则瓣裂，壳壁厚约 1 mm，刺长 8 ~ 10 mm，基部合生或很少合生至中部成刺束，若彼此分离，则刺粗而短且外壁明显可见，壳壁及刺被微柔毛，每壳斗具 1 坚果；坚果

圆锥形，高 1 ~ 1.5 cm，直径 8 ~ 12 mm，无毛，果脐位于坚果底部。花期 4 ~ 6 月，也有 8 ~ 10 月开花者，果实翌年同期成熟。

| **生境分布** | 生于海拔 200 ~ 2 100 m 的丘陵岗地、低山。湖南各地均有分布。

| **资源情况** | 野生资源丰富。药材来源于野生。

| **功能主治** | **栲：** 清热，消肿止痛。
丝栗子： 用于痢疾。

壳斗科 Fagaceae 锥属 *Castanopsis*

黧蒴锥

Castanopsis fissa (Champ. ex Benth.) Rehd. et Wils.

| 药 材 名 |　厚栗果（药用部位：果实）、厚栗叶（药用部位：叶）。

| 形态特征 |　乔木，高约 10 m，稀达 20 m，胸径达 60 cm。芽鳞、新枝顶部及嫩叶背面均被红锈色蜡鳞及棕黄色微柔毛，嫩枝红紫色，纵沟棱明显。叶厚纸质，长椭圆形或倒卵状椭圆形，长 15 ~ 25 cm，宽 5 ~ 9 cm，先端尖或圆，基部楔尖，沿叶柄下延，叶缘具钝裂齿，中脉在叶面凸起，侧脉 20 ~ 28 对，稀较少，成长叶黄色或灰色；叶柄长 1 ~ 2.5 cm。雄花多为圆锥花序。果序长 8 ~ 18 cm；壳斗被暗红褐色粉末状蜡鳞；小苞片鳞片状；成熟壳斗圆球形或宽椭圆形，顶部稍狭尖，通常全包坚果，壳壁厚 0.5 ~ 1 mm，不规则 2 ~ 3（~ 4）瓣裂，裂瓣常卷曲；坚果圆球形或椭圆形，高 13 ~ 18 mm，直径

11 ~ 16 mm，顶部四周有棕红色细伏毛，果脐位于坚果底部，宽 4 ~ 7 mm。花期 4 ~ 6 月，果期 10 ~ 12 月。

| **生境分布** | 生于海拔 1 600 m 以下的山地疏林中，阳坡较常见，为森林砍伐后萌生林的先锋树种之一。分布于湖南永州（江永）等。

| **资源情况** | 野生资源稀少。药材来源于野生。

| **功能主治** | **厚栗果：**用于咽喉肿痛。
厚栗叶：外用于跌打损伤，疮疖。

壳斗科 Fagaceae 锥属 Castanopsis

毛锥 *Castanopsis fordii* Hance

| 药 材 名 |

南岭栲（药用部位：种仁）。

| 形态特征 |

乔木，通常高 8 ~ 15 m，大树高达 30 m。叶革质，长椭圆形或长圆形，长 9 ~ 18 cm，宽 3 ~ 6 cm，先端急尖或甚短尖，稀圆形，基部心形或浅耳垂状，全缘，中脉在叶面明显凹陷，侧脉每边 14 ~ 18，稀较少，在叶面呈裂缝状凹陷，网状叶脉明显或纤细，叶背红棕色、棕灰色或灰白色；叶柄粗而短，长 2 ~ 5 mm。雄穗状花序常多穗排成圆锥花序，花密集，花被裂片内面被短柔毛，雄蕊 12；雌花的花被裂片密被毛，花柱 3，长不及 1 mm。果序长 6 ~ 12 cm，果序轴与其着生的枝近等粗，横切面直径达 12 mm；壳斗密聚于果序轴上，每壳斗有坚果 1；坚果扁圆锥形，高 12 ~ 15 mm，直径 15 ~ 20 mm，密被伏毛，果脐约占坚果面积的 1/3。花期 3 ~ 4 月，果熟期翌年 9 ~ 10 月。

| 生境分布 |

生于海拔 1 200 m 以下的山地灌木或乔木林中，在河溪两岸有时成小面积纯林。分布于湖南郴州（汝城、宜章）、永州（江华、江永）、怀化（通道）等。

| **资源情况** | 野生资源较少。药材来源于野生。

| **功能主治** | 用于痢疾。

红锥
Castanopsis hystrix Miq.

| 药 材 名 | 红锥（药用部位：种仁）。

| 形态特征 | 乔木，高达 25 m，胸径 1.5 m。当年生枝紫褐色，纤细，与叶柄及花序轴相同，均被或疏或密的微柔毛及黄棕色细片状蜡鳞，二年生枝暗褐黑色，无或几无毛及蜡鳞，密生几与小枝同色的皮孔。叶纸质或薄革质，披针形，有时兼有倒卵状椭圆形，长 4 ~ 9 cm，宽 1.5 ~ 4 cm，稀较小或更大，顶部短至长尖，基部甚短尖至近圆，一侧略短且稍偏斜，全缘或有少数浅裂齿，中脉在叶面凹陷，侧脉每边 9 ~ 15，甚纤细，支脉通常不显，嫩叶背面至少沿中脉被脱落性的短柔毛兼有颇松散而厚或较紧实而薄的红棕色或棕黄色细片状蜡鳞层；叶柄长很少达 1 cm。雄花序为圆锥花序或穗状花序；雌穗

状花序单穗位于雄花序之上部叶腋间，花柱 2 ~ 3，斜展，长 1 ~ 1.5 mm，通常被甚稀少的微柔毛，柱头位于花柱的先端，增宽而平展，干后中央微凹陷。果序长达 15 cm；壳斗有坚果 1，连刺直径 25 ~ 40 mm，稀较小或更大，整齐的 4 瓣开裂，刺长 6 ~ 10 mm，数条在基部合生成刺束，间有单生，将壳壁完全遮蔽，被稀疏微柔毛。坚果宽圆锥形，高 10 ~ 15 mm，横径 8 ~ 13 mm，无毛，果脐位于坚果底部。花期 4 ~ 6 月，果期翌年 8 ~ 11 月。

| **生境分布** | 生于海拔 30 ~ 1 600 m 的缓坡及山地常绿阔叶林中，稍干燥及湿润地方。分布于湖南湘西州（保靖）、邵阳（新宁、洞口）、怀化（通道）、永州（江华）、郴州（宜章）等。

| **资源情况** | 野生资源稀少。药材来源于野生。

| **采收加工** | 冬季采收果实，干燥，取出种仁。

| **功能主治** | 甘，温。归脾、胃经。滋养强壮，健胃消食。用于食欲缺乏，脾虚泄泻。

| **用法用量** | 内服煎汤，10 ~ 15 g。

壳斗科 Fagaceae 锥属 Castanopsis

秀丽锥 *Castanopsis jucunda* Hance

| 药 材 名 | 秀丽锥（药用部位：种仁）。

| 形态特征 | 乔木，高达 26 m，胸径 80 cm。树皮灰黑色，块状脱落。枝、叶无毛。叶卵形、卵状椭圆形或长椭圆形，长 10 ~ 18 cm，宽 4 ~ 8 cm，叶缘中部以上具锯齿或波状齿，上面中脉凹下，侧脉 8 ~ 11 对。雄花序穗状或为圆锥花序，花序轴无毛，花被裂片内面被短卷毛，雄蕊通常 10；雌花序单穗腋生，各花部无毛，花柱 2 或 3，长不超过 1 mm。果序长达 15 cm，果序轴较其着生的小枝纤细；壳斗近圆球形，连刺直径 25 ~ 30 mm，基部无柄，3 ~ 5 瓣裂，刺长 6 ~ 10 mm，多条在基部合生成束，有时又横向连生成不连续的刺环，刺及壳斗外壁被灰棕色片状蜡鳞及微柔毛，幼嫩时最明显；坚果阔圆锥形，

高 11 ～ 15 mm，直径 10 ～ 13 mm，果脐位于坚果底部。花期 4 ～ 5 月，果熟期翌年 9 ～ 10 月。

| **生境分布** | 生于海拔 1 000 m 以下的山坡疏林或密林中。分布于湖南永州（东安）等。

| **资源情况** | 野生资源较少。药材来源于野生。

| **功能主治** | 用于痢疾。

壳斗科 Fagaceae 锥属 Castanopsis

苦槠

Castanopsis sclerophylla (Lindl.) Schott.

| 药 材 名 | 槠子（药用部位：种仁。别名：苦槠子）、槠子皮叶（药用部位：树皮、叶）。

| 形态特征 | 乔木，高可达 15 m，胸径 30 ~ 50 cm。树皮浅纵裂，片状剥落。小枝灰色，散生皮孔，当年生枝红褐色。叶长椭圆形、卵状椭圆形或倒卵状椭圆形，长 7 ~ 15 cm，宽 3 ~ 6 cm，叶缘中部以上具锯齿，稀全缘，老叶叶背银灰色；叶柄长 1.5 ~ 2.5 cm。花序轴无毛，雄穗状花序单穗腋生，雄蕊 10 ~ 12；雌花序长达 15 cm。果序长 8 ~ 15 cm；壳斗有坚果 1，偶有坚果 2 ~ 3，圆球形或半圆球形，全包或包着坚果的大部分，直径 12 ~ 15 mm，壳壁厚不及 1 mm，不规则瓣状爆裂；小苞片鳞片状，大部分退化并横向连生成脊肋状圆环，或仅基部连生，呈环带状凸起；坚果近圆球形，直径

10 ~ 14 mm，果脐位于坚果的底部，宽 7 ~ 9 mm；子叶平凸，有涩味。花期 4 ~ 5 月，果熟期 10 ~ 11 月。

| **生境分布** | 生于海拔 200 ~ 1 000 m 的疏林或密林中。湖南各地均有分布。

| **资源情况** | 野生资源丰富。药材来源于野生。

| **采收加工** | **槠子**：秋季果实成熟时采收种子，晒干后剥取种仁。
槠子皮叶：全年均可采收，鲜用或晒干。

| **功能主治** | **槠子**：甘、苦、涩，平。涩肠止泻，生津止渴。用于泄泻，痢疾，津伤口渴，伤酒。
槠子皮叶：止血，敛疮。用于产妇血崩，臁疮。

| **用法用量** | **槠子**：内服煎汤，10 ~ 15 g。
槠子皮叶：内服煎汤，9 ~ 15 g。外用适量，嫩叶贴敷。

钩锥 *Castanopsis tibetana* Hance

| 药 材 名 | 钩栗（药用部位：果实。别名：钩栲）。

| 形态特征 | 乔木，高达 30 m，胸径达 1.5 m。树皮灰褐色，粗糙。小枝干后呈黑色或黑褐色。叶卵状椭圆形、长椭圆形或倒卵状椭圆形，长15 ~ 30 cm，宽 5 ~ 10 cm，近顶部或中上部具锯齿，叶面中脉凹陷，侧脉 15 ~ 18 对，叶背红褐色或银灰色。雄穗状花序或圆锥花序，花序轴无毛，雄蕊通常 10，花被裂片内面被疏短毛；雌花序长5 ~ 25 cm，花柱 3，长约 1 mm。果序轴横切面直径 4 ~ 6 mm；壳斗有坚果 1，圆球形，连刺直径 60 ~ 80 mm 或稍大，4 瓣开裂，很少 5 瓣开裂，壳壁厚 3 ~ 4 mm，刺长 15 ~ 25 mm，通常在基部合生成刺束，将壳壁完全遮蔽，刺几无毛或被稀疏微柔毛；坚果扁圆

锥形，高 1.5 ~ 1.8 cm，直径 2 ~ 2.8 cm，被毛，果脐约占坚果面积的 1/4。花期 4 ~ 5 月，果熟期翌年 8 ~ 10 月。

| **生境分布** | 生于海拔 1 500 m 以下的山地杂木林中较湿润处或平地路旁。湖南有广泛分布。

| **资源情况** | 野生资源一般。药材来源于野生。

| **采收加工** | 秋季果实成熟时采收，去壳，晒干。

| **功能主治** | 甘，平。厚肠，止痢。用于痢疾。

| **用法用量** | 内服研末，15 ~ 30 g，沸水冲。

壳斗科 Fagaceae 青冈属 *Cyclobalanopsis*

黄毛青冈

Cyclobalanopsis delavayi (Franch.) Schott.

| 药 材 名 |

黄栎（药用部位：树皮）。

| 形态特征 |

常绿乔木，高达 20 m，胸径达 1 m。小枝密被黄褐色绒毛。叶片革质，长椭圆形或卵状长椭圆形，长 8 ~ 12 cm，先端渐尖或短渐尖，叶缘中部以上具锯齿，中脉在叶面凹陷，在叶背凸起，侧脉 10 ~ 14 对，叶面无毛，叶背密被黄色星状绒毛；叶柄长 1 ~ 2.5 cm，密被灰黄色绒毛。雄花序簇生或分枝，长 2 ~ 4 cm，被黄色绒毛；雌花序腋生，长约 4 cm，着生 2 ~ 3 花，被黄色绒毛，花柱 3 ~ 5 裂。壳斗浅碗形，约包着一半坚果，直径 1 ~ 1.5 cm，高 5 ~ 8 mm，内壁被黄色绒毛；小苞片合生成 6 ~ 7 同心环带，环带边缘具浅齿，密被黄色绒毛；坚果椭圆形或卵形，直径 1 ~ 1.5 cm，高约 1.8 cm，初被绒毛，后毛渐脱落，果脐凸起，直径 6 ~ 8 mm。花期 4 ~ 5 月，果期翌年 9 ~ 10 月。

| 生境分布 |

生于海拔 1 000 ~ 1 900 m 的常绿阔叶林或松栎混交林中，在沟谷地带生长最好。分布于湖南邵阳（绥宁）、怀化（麻阳、洪江）、湘西州（保靖）等。

| **资源情况** | 野生资源较少。药材来源于野生。

| **采收加工** | 全年均可采收。晒干。

| **功能主治** | 微苦、涩，微温。平喘。用于哮喘。

| **用法用量** | 内服煎汤，15 ～ 30 g；或研末，3 ～ 6 g。

| **附　　注** | 本种的拉丁学名已修订，接受名为 *Quercus delavayi* Franch.。

壳斗科 Fagaceae 青冈属 *Cyclobalanopsis*

青冈

Cyclobalanopsis glauca (Thunb.) Oerst.

| 药 材 名 | 槠子（药用部位：种仁。别名：苦槠子）、槠子皮叶（药用部位：树皮、叶）。

| 形态特征 | 常绿乔木，高达 20 m，胸径可达 1 m。小枝无毛。叶片革质，倒卵状椭圆形或长椭圆形，长 6 ～ 13 cm，宽 2 ～ 5.5 cm，先端渐尖或短尾状，基部圆形或宽楔形，叶缘中部以上有疏锯齿，侧脉 9 ～ 13 对，叶背支脉明显，叶面无毛，叶背有整齐、平伏的白色单毛，老时毛渐脱落，常有白色鳞秕；叶柄长 1 ～ 3 cm。雄花序长 5 ～ 6 cm，花序轴被苍色绒毛。果序长 1.5 ～ 3 cm，着生 2 ～ 3 果实；壳斗碗形，包着 1/3 ～ 1/2 坚果，直径 0.9 ～ 1.4 cm，高 0.6 ～ 0.8 cm，被薄毛；小苞片合生成 5 ～ 6 同心环带，环带全缘或有细缺刻，排列紧密；坚果卵形、长卵形或椭圆形，直径 0.9 ～ 1.4 cm，高 1 ～

1.6 cm，无毛或被薄毛，果脐平坦或微凸起。花期 4 ~ 5 月，果期 10 月。

| 生境分布 | 生于海拔 60 ~ 1 100 m 的山坡或沟谷。湖南各地均有分布。

| 资源情况 | 野生资源丰富。药材来源于野生。

| 采收加工 | 槠子：秋季果实成熟时采收种子，晒干后剥取种仁。
槠子皮叶：全年均可采收，鲜用或晒干。

| 功能主治 | 槠子：甘、苦、涩，平。涩肠止泻，生津止渴。用于泄泻，痢疾，津伤口渴，伤酒。
槠子皮叶：止血，敛疮。用于产妇血崩，臁疮。

| 用法用量 | 槠子：内服煎汤，10 ~ 15 g。
槠子皮叶：内服煎汤，10 ~ 15 g。外用适量，嫩叶贴敷。

| 附　注 | 本种的拉丁学名已修订，接受名为 *Quercus glauca* Thunb.。

细叶青冈

Cyclobalanopsis gracilis (Rehd. et Wils.) Cheng et T. Hong

| 药 材 名 |

细叶青冈仁（药用部位：种仁）、细叶青冈皮（药用部位：树皮）、细叶青冈叶（药用部位：嫩叶）。

| 形 态 特 征 |

常绿乔木，高达 15 m。树皮灰褐色。小枝幼时被绒毛，后毛渐脱落。叶片长卵形至卵状披针形，长 4.5 ~ 9 cm，宽 1.5 ~ 3 cm，先端渐尖至尾尖，基部楔形或近圆形，叶缘 1/3 以上有细尖锯齿，侧脉 7 ~ 13 对，纤细，不甚明显，尤其近叶缘处更不明显，叶背支脉极不明显，叶面亮绿色，叶背灰白色，有伏贴单毛；叶柄长 1 ~ 1.5 cm。雄花序长 5 ~ 7 cm，花序轴被疏毛；雌花序长 1 ~ 1.5 cm，先端着生 2 ~ 3 花，花序轴及苞片被绒毛。壳斗碗形，包着 1/3 ~ 1/2 坚果，直径 1 ~ 1.3 cm，高 6 ~ 8 mm，外壁被伏贴灰黄色绒毛；小苞片合生成 6 ~ 9 同心环带，环带边缘通常有裂齿，尤以下部 2 环更明显；坚果椭圆形，直径约 1 cm，高 1.5 ~ 2 cm，有短柱座，先端被毛，果脐微凸起。花期 3 ~ 4 月，果期 10 ~ 11 月。

| 生境分布 | 生于海拔 400 ~ 1 600 m 的山地杂木林中。分布于湖南衡阳（衡阳、衡东）、永州（东安）、怀化（洪江）、湘西州（花垣、古丈）等。

| 资源情况 | 野生资源丰富。药材来源于野生。

| 功能主治 | 细叶青冈仁：止渴，止痢，破恶血，令人健行。
细叶青冈皮：用于腰痛，产后出血。
细叶青冈叶：用于臁疮。

| 附　注 | 本种的拉丁学名已修订为 *Quercus shennongii* C. C. Huang & S. H. Fu。

壳斗科 Fagaceae 青冈属 Cyclobalanopsis

雷公青冈

Cyclobalanopsis hui (Chun) Chun ex Y. C. Hsu et H. W. Jen

药材名

雷公青冈（药用部位：种仁）。

形态特征

常绿乔木，高 10 ~ 15（~ 20）m。幼时密被黄色卷曲绒毛，后渐无毛，有细小皮孔。叶片薄革质，长椭圆形、倒披针形或椭圆状披针形，长 7 ~ 13 cm，宽 1.5 ~ 3（~ 4）cm，先端圆钝，稀渐尖，基部楔形，略偏斜，全缘或先端有数对不明显浅锯齿，叶缘反曲，中脉、侧脉在叶面平坦，在叶背凸起，侧脉 6 ~ 10 对，叶背初被黄色绒毛，后毛渐脱落；叶柄长 1 ~ 1.4 cm，幼时被卷毛。雄花序 2 ~ 4 簇生，长 5 ~ 9 cm，被黄棕色绒毛；雌花序长 1 ~ 2 cm，花 2 ~ 5，聚生于花序轴先端，花柱 5 ~ 6，长约 8 mm。果序长约 1 cm，果实 1 ~ 2；壳斗浅碗形至深盘形，包着坚果基部，直径 1.5 ~ 3 cm，高 4 ~ 10 mm，内外壁均密被黄褐色绒毛；小苞片合生成 4 ~ 6 同心环带，环带边缘呈小齿状；坚果扁球形，柱座凸起，果脐凹陷。花期 4 ~ 5 月，果期 10 ~ 12 月。

生境分布

生于海拔 250 ~ 700 m 的山地杂木林或湿润

密林中。分布于湖南郴州（宜章、汝城）等。

| **资源情况** | 野生资源稀少。药材来源于野生。

| **功能主治** | 用于头痛，胃痛。

| **附　　注** | 本种的拉丁学名已修订，接受名为 *Quercus hui* Chun。

壳斗科 Fagaceae **青冈属** Cyclobalanopsis

小叶青冈
Cyclobalanopsis myrsinifolia (Blume) Oerst.

| **药 材 名** |

楮子（药用部位：种仁。别名：苦楮子）、
楮子皮叶（药用部位：树皮、叶）。

| **形态特征** |

常绿乔木，高 20 m，胸径达 1 m。小枝无
毛，被凸起的淡褐色长圆形皮孔。叶卵状
披针形或椭圆状披针形，长 6 ~ 11 cm，宽
1.8 ~ 4 cm，先端长渐尖或短尾状，基部楔
形或近圆形，叶缘中部以上有细锯齿，侧脉
9 ~ 14 对，常不达叶缘，叶背支脉不明显，
叶面绿色，叶背粉白色，干后为暗灰色，
无毛；叶柄长 1 ~ 2.5 cm，无毛。雄花序长
4 ~ 6 cm；雌花序长 1.5 ~ 3 cm。壳斗杯
形，包着 1/3 ~ 1/2 坚果，直径 1 ~ 1.8 cm，
高 5 ~ 8 mm，壁薄而脆，内壁无毛，外壁
被灰白色细柔毛；小苞片合生成 6 ~ 9 同心
环带，环带全缘；坚果卵形或椭圆形，直径
1 ~ 1.5 cm，高 1.4 ~ 2.5 cm，无毛，先端圆，
柱座明显，有 5 ~ 6 环纹，果脐平坦，直径
约 6 mm。花期 6 月，果期 10 月。

| **生境分布** |

生于海拔 200 ~ 1 000 m 的山谷、阴坡杂木
林中。湖南各地均有分布。

| 资源情况 | 野生资源较丰富。药材来源于野生。

| 采收加工 | **槠子**：秋季果实成熟时采收种子，晒干后剥取种仁。

槠子皮叶：全年均可采收，鲜用或晒干。

| 功能主治 | **槠子**：甘、苦、涩，平。涩肠止泻，生津止渴。用于泄泻，痢疾，津伤口渴，伤酒。

槠子皮叶：止血，敛疮。用于产妇血崩，臁疮。

| 用法用量 | **槠子**：内服煎汤，10 ~ 15 g。

槠子皮叶：内服煎汤，10 ~ 15 g。外用适量，嫩叶贴敷。

| 附　　注 | 本种的拉丁学名已修订，接受名为 *Quercus myrsinifolia* Blume。

壳斗科 Fagaceae 青冈属 Cyclobalanopsis

云山青冈

Cyclobalanopsis sessilifolia (Blume) Schott.

| 药 材 名 |

云山青冈（药用部位：树皮）。

| 形态特征 |

乔木，高达 25 m。幼枝被毛，后毛脱落。叶长椭圆形或椭圆状长椭圆形，长 7 ~ 14 cm，宽 1.5 ~ 4 cm，先端短尖，基部楔形，全缘或近顶部具 2 ~ 4 细齿，两面近同色，无毛，侧脉 10 ~ 14 对；叶柄长 0.5 ~ 1 cm。花序轴被绒毛。壳斗杯状，高 0.5 ~ 1 cm，直径 1 ~ 1.5 cm，被灰褐色短绒毛，具 5 ~ 7 环带，下部 2 ~ 3 环带具齿；果实倒卵形或倒卵状椭圆形，高 1.7 ~ 2.4 cm，直径 0.8 ~ 1.5 cm，果脐微凸。

| 生境分布 |

生于海拔 1 000 ~ 1 700 m 的山地杂木林中。分布于湖南湘西州（永顺）、永州（双牌）等。

| 资源情况 |

野生资源较少。药材来源于野生。

| 功能主治 |

收敛固涩。

| **附   注** | 本种的拉丁学名已修订，接受名为 *Quercus sessilifolia* Blume。

壳斗科 Fagaceae 水青冈属 Fagus

米心水青冈 *Fagus engleriana* Seem.

| 药 材 名 | 米心水青冈（药用部位：根、茎皮。别名：凤梨子）。

| 形态特征 | 高达 25 m 的乔木，冬芽长达 25 mm，小枝的皮孔近圆形。叶菱状卵形，长 5 ~ 9 cm，宽 2.5 ~ 4.5 cm，稀较小或更大，顶部短尖，基部宽楔形或近圆，常一侧略短，叶缘波浪状，侧脉每边 9 ~ 14，在叶缘附近急向上弯并与上一侧脉联结，新生嫩叶的中脉被有光泽的长伏毛，结果期的叶几无毛或仅叶背沿中脉两侧有稀疏长毛；叶柄长 5 ~ 15 mm。果柄长 2 ~ 7 cm，无毛；壳斗裂瓣长 15 ~ 18 mm，位于壳壁下部的小苞片狭倒披针形，叶状，绿色，有中脉及支脉，无毛；位于上部的为线状而弯钩，被毛；每壳斗有坚果 2、稀 3，坚果脊棱的顶部有狭而稍下延的薄翅。花期 4 ~ 5 月，

果期 8 ~ 10 月。

| **生境分布** | 生于海拔 1 500 ~ 2 000 m 的山地林中，常见于北坡的常绿落叶阔叶混交林中。分布于湖南常德（石门）、张家界（桑植）、邵阳（新宁）等。

| **资源情况** | 野生资源稀少。药材来源于野生。

| **功能主治** | 收敛止泻，解毒消炎。

壳斗科 Fagaceae 水青冈属 Fagus

水青冈
Fagus longipetiolata Seem.

药材名

水青冈（药用部位：壳斗）。

形态特征

乔木，高达 25 m。冬芽长达 20 mm；小枝皮孔狭长圆形或近圆形。叶长 9 ~ 15 cm，宽 4 ~ 6 cm，稀较小，先端短尖至短渐尖，基部宽楔形或近圆形，有时一侧较短且偏斜，叶缘波浪状，有短尖齿，侧脉 9 ~ 15 对，直达齿端，开花时沿叶背中脉、侧脉被长伏毛，其余处被微柔毛，结果时因毛脱落而无毛或几无毛；叶柄长 1 ~ 3.5 cm。果序梗长 1 ~ 10 cm；壳斗（3 ~）4 瓣裂，裂瓣长 20 ~ 35 mm，为稍增厚的木质；小苞片线状，向上弯钩，位于壳斗顶部的长达 7 mm，下部的较短，与壳壁同被灰棕色微柔毛，壳壁的毛较长且密，通常有坚果 2；坚果比壳斗裂瓣稍短或与之等长，脊棱顶部有狭而略延伸的薄翅。花期 4 ~ 5 月，果期9 ~ 10 月。

生境分布

生于海拔 300 ~ 1 900 m 的阴湿山地杂木林中。分布于湖南邵阳（武冈）、永州（双牌）、湘西州（永顺）、怀化（溆浦）等。

| **资源情况** | 野生资源较少。药材来源于野生。

| **功能主治** | 健胃，消食，理气。

壳斗科 Fagaceae 柯属 *Lithocarpus*

烟斗柯

Lithocarpus corneus (Lour.) Rehd.

| **药 材 名** | 烟斗柯（药用部位：种子）。

| **形态特征** | 乔木，高通常在 15 m 以内，胸径 15 ~ 40 cm。小枝淡黄灰色，无毛或被短柔毛，散生微凸起的皮孔；托叶披针形或线形，较迟脱落。叶常聚生于枝顶部，纸质或革质，椭圆形、倒卵状长椭圆形或卵形，长 4 ~ 20 cm，宽 1.5 ~ 7 cm，顶部渐尖或短突尖，基部楔形至近圆形，对称或 1 侧略短，叶缘有裂齿或浅波浪状，很少兼有全缘，两面同色，叶背被雨点状、无色、半透明、甚细小（在 4 倍扩大镜下可见）的鳞腺，侧脉每边 9 ~ 20，直达齿端，支脉纤细，彼此近平行；叶柄长 0.5 ~ 4 cm。雌花通常着生于雄花序轴的下段，若全为雌花则花序长不过 10 cm；每 3 花 1 簇，也常有单花散生，花柱

斜展，长约 2 mm。壳斗碗状或半圆形，高 22 ～ 45 mm，宽 25 ～ 55 mm，少有较少，则果序较长且有成熟壳斗多达 16，包着坚果约一半至大部分，小苞片三角形或斜四边菱形，中央及两侧边缘脊肋状增厚且略隆起，形成规则的网纹，很少几全与壳壁愈合而仅留痕迹，壳壁中部以下增厚，木质。坚果半圆形或宽陀螺形，顶部圆形，平坦或中央略凹陷，稀无毛，果壁近角质，比壳壁厚，稀等厚，果脐占坚果面积的 1/2 至大部分，其上部的边缘檐状，子叶饱满，4 ～ 8 浅裂。花期几全年，盛花期 5 ～ 7 月，果期翌年约同期。

| **生境分布** | 生于海拔约 1 000 m 以下的山地常绿阔叶林中，阳坡或较干燥地方也常见，为次生林常见树种。分布于湖南怀化（通道）、永州（道县、江华、江永）等。

| **资源情况** | 野生资源稀少。药材来源于野生。

| **功能主治** | 止痢。

壳斗科 Fagaceae 柯属 Lithocarpus

柯
Lithocarpus glaber (Thunb.) Nakai

药材名

柯树皮（药用部位：树皮。别名：木奴）。

形态特征

乔木，高 15 m，胸径 40 cm。一年生枝、嫩叶叶柄、叶背、花序轴均密被灰黄色短绒毛，二年生枝的毛较疏且短，常变为污黑色。叶革质或坚纸质，倒卵形、倒卵状椭圆形或长椭圆形，长 6 ~ 14 cm，宽 2.5 ~ 5.5 cm，先端短尾尖，基部楔形，全缘或近先端具 2 ~ 4 浅齿，老叶下面无毛或几无毛，被蜡鳞层，侧脉 8 ~ 10 对；叶柄长 1 ~ 2 cm。雄穗状花序多排成圆锥花序或单穗腋生，长达 15 cm；雌花序常着生少数雄花，雌花多为每 3 花成一簇，少部分为 5 花成一簇，花柱长 1 ~ 1.5 mm。壳斗碟状或浅碗状，无柄，高 0.5 ~ 1 cm，直径 1 ~ 1.5 cm，小苞片三角形，被灰色微柔毛；坚果椭圆形，高 1.2 ~ 2.5 cm，直径 0.8 ~ 1.5 cm，被白霜，果脐凹下，深达 2 mm。花期 7 ~ 11 月，果实翌年同期成熟。

生境分布

生于海拔 1 500 m 以下的坡地杂木林中。湖南各地均有分布。

| **资源情况** | 野生资源丰富。药材来源于野生。 |

| **采收加工** | 全年均可采收，刮去栓皮，鲜用或晒干。 |

| **功能主治** | 辛，平；有小毒。行气，利水。用于大腹水病。 |

| **用法用量** | 内服煎汤，15 ~ 30 g。 |

壳斗科 Fagaceae 柯属 Lithocarpus

灰柯

Lithocarpus henryi (Seem.) Rehd. et Wils.

| 药 材 名 |

灰柯（药用部位：种仁）、绵柯（药用部位：果实。别名：青皮刚）。

| 形态特征 |

乔木，高达 20 m。芽鳞无毛；当年生嫩枝紫褐色，二年生枝有灰白色薄蜡层。叶革质或硬纸质，狭长椭圆形，长 12 ~ 22 cm，宽 3 ~ 6 cm，基部常一侧稍短且偏斜，全缘，侧脉 11 ~ 15 对，叶背干后灰色，有较厚的蜡鳞层；叶柄长 1.5 ~ 3.5 cm。雄穗状花序单穗腋生；雌花序长达 20 cm，花序轴被灰黄色毡毛状微柔毛，顶部常着生少数雄花，雌花每 3 花成一簇，花柱长约 1 mm。壳斗浅碗状，高 6 ~ 14 mm，宽 15 ~ 24 mm，包着不及 1/2 的坚果，壳壁先端边缘甚薄，向下逐渐增厚，基部近木质；小苞片三角形，伏贴，位于壳斗先端边缘的常彼此分离，覆瓦状排列；坚果高 12 ~ 20 mm，宽 15 ~ 24 mm，先端圆，略凹陷或尖，常有淡薄白粉，果脐深 0.5 ~ 1 mm。花期 8 ~ 10 月，果实翌年同期成熟。

| 生境分布 |

生于海拔 800 ~ 1 800 m 的山地杂木林中。

分布于湖南长沙（浏阳）、邵阳（洞口）、湘西州（永顺、保靖）、常德（石门）等。

| **资源情况** | 野生资源稀少。药材来源于野生。

| **功能主治** | **灰柯：** 止泻痢。

绵柯： 祛风除湿。

壳斗科 Fagaceae 柯属 *Lithocarpus*

木姜叶柯

Lithocarpus litseifolius (Hance) Chun

| 药 材 名 | 木姜叶柯茎（药用部位：茎）、木姜叶柯根（药用部位：根）、木姜叶柯叶（药用部位：叶）。

| 形态特征 | 乔木，高达 20 m。枝、叶无毛。叶纸质至近革质，椭圆形、倒卵状椭圆形或卵形，长 8 ~ 18 cm，宽 3 ~ 8 cm，顶部渐尖或短突尖，基部楔形至宽楔形，全缘，中脉在叶面凸起，侧脉每边 8 ~ 11，两面同色或叶背带苍灰色，有紧实的鳞秕层，中脉及侧脉干后红褐色或棕黄色；叶柄长 1.5 ~ 2.5 cm。雄花序长达 25 cm；雌花序长达 35 cm，有时雌雄同序，2 ~ 6 聚生于枝顶，花序轴常被稀疏短毛，雌花 3 ~ 5 花成一簇。果序长达 30 cm；壳斗浅碟状或短漏斗状，宽 8 ~ 14 mm，顶部边缘常平展，薄，无毛，向下明显增厚，为硬木质；小苞片三角形，覆瓦状排列，或基部的小苞片连生成圆环；

坚果宽圆锥形或近圆球形，高 8 ~ 15 mm，宽 12 ~ 20 mm，栗褐色或红褐色，无毛，常有淡薄白粉，果脐深 4 mm，口径宽 11 mm。花期 5 ~ 9 月，果期翌年 6 ~ 10 月。

| **生境分布** |　生于海拔 650 ~ 1 000 m 以下的山地密林中。湖南有广泛分布。

| **资源情况** |　野生资源一般。药材来源于野生。

| **功能主治** |　**木姜叶柯茎：**祛风除湿，止痛。用于风湿痹痛，骨折。

　　　　　　　木姜叶柯根：补肾助阳。用于虚损。

　　　　　　　木姜叶柯叶：清热解毒，利湿。用于外感发热，湿热痢疾，皮肤瘙痒，痈疽恶疮。

壳斗科 Fagaceae 柯属 *Lithocarpus*

圆锥柯
Lithocarpus paniculatus Hand.-Mazz.

| 药 材 名 | 圆锥柯总苞（药用部位：总苞。别名：锥帽）。

| 形态特征 | 乔木，高达 15 m。当年生枝、花序轴及嫩叶背面沿中脉均被毛。叶硬纸质，长椭圆形或倒卵状长椭圆形，长 6 ~ 15 cm，宽 2.5 ~ 5 cm，先端短突尖或尾状，基部楔形，全缘，侧脉每边 10 ~ 14，支脉不明显；叶柄长 6 ~ 10 mm。雄花序为穗状圆锥花序；雌花序长达 20 cm，顶部常着生雄花，雌花每 3 或 5 花成一簇，花柱长约 1.5 mm。果序轴直径 4 ~ 7 mm；成熟壳斗包着大部分坚果，壳斗扁圆形或近圆球形，高 8 ~ 18 mm，宽 18 ~ 25 mm，壳壁薄壳质；小苞片三角形，钻状部分斜展或伏贴于壳壁，覆瓦状排列；坚果宽圆锥形，顶部锥尖或圆，宽 16 ~ 23 mm。花期 7 ~ 9 月，果实翌年同期成熟。

| 生境分布 | 生于海拔 600 ~ 1 200 m 的山地常绿阔叶林中。分布于湖南邵阳（洞口、城步、武冈）、郴州（宜章）、株洲（炎陵）等。

| 资源情况 | 野生资源较少。药材来源于野生。

| 采收加工 | 秋季总苞变为黄褐色时采收，晒干，去掉种子。

| 功能主治 | 辛、涩、微苦，平。清热，消肿，止泻。

| 用法用量 | 内服研末，50 ~ 100 g。

壳斗科 Fagaceae 栎属 *Quercus*

麻栎
Quercus acutissima Carruth.

| 药 材 名 | 橡实（药用部位：果实。别名：柞子）、橡木皮（药用部位：树皮。别名：栎木皮）、麻栎叶（药用部位：叶）。

| 形态特征 | 落叶乔木，高达 30 m，胸径达 1 m。树皮深灰褐色，纵深裂。幼枝被灰黄色柔毛，后毛渐脱落。叶片形态多样，通常为长椭圆状披针形，长 8 ~ 19 cm，宽 2 ~ 6 cm，先端长渐尖，基部圆形或宽楔形，叶缘有刺芒状锯齿，幼时被柔毛，老时无毛或叶背脉上有柔毛，侧脉每边 13 ~ 18；叶柄长 1 ~ 3 cm，幼时被柔毛，后毛渐脱落。雄花序常数个集生于当年生枝下部叶腋，有花 1 ~ 3，花柱 30。壳斗杯形，约包着一半坚果，连小苞片直径 2 ~ 4 cm，高约 1.5 cm；小苞片钻形或扁条形，向外反曲，被灰白色绒毛；坚果卵形或椭圆形，直径 1.5 ~ 2 cm，高 1.7 ~ 2.2 cm，先端圆形，果脐凸起。花期 3 ~ 4

月，果期翌年 9 ~ 10 月。

| **生境分布** | 生于海拔 60 ~ 2 200 m 的山地阳坡，成小片纯林或混交林。栽培于海拔 1 200 m 以下的山地阳坡。湖南各地均有分布。

| **资源情况** | 野生资源较丰富。栽培资源较丰富。药材来源于野生和栽培。

| **采收加工** | **橡实**：秋季果实成熟后采收，连壳斗摘下，晒干后除去壳斗，再晒至足干，贮放于通风干燥处。

橡木皮：随时可采，洗净，晒干，切片。

麻栎叶：夏季采摘。

| **药材性状** | **橡实**：本品卵状球形至长卵形，长约 2 cm，直径 1.5 ~ 2 cm；表面淡褐色，果脐凸起。种仁白色。气微，味淡、微涩。

橡木皮：本品表面灰黑色，粗糙，具不规则纵裂，软木质；内面类白色。气微，味稍苦、涩。

| **功能主治** | **橡实**：苦、涩，微温。归脾、大肠、肾经。收敛固脱，止血，解毒。用于泄泻，痢疾，便血，痔血，脱肛，小儿疝气，疮痈久溃不敛，乳腺炎，睾丸炎，面黯。

橡木皮：苦、涩，平。解毒利湿，涩肠止泻。用于泄泻，痢疾，疮疡，瘰疬。

麻栎叶：苦、涩，微温。收敛，止痢。用于久泻，痢疾。

| **用法用量** | **橡实**：内服煎汤，3 ~ 10 g；或入丸、散剂，1.5 ~ 3 g。外用适量，炒焦，研末调涂。

橡木皮：内服煎汤，3 ~ 10 g。外用适量，煎汤或加盐浸洗。

麻栎叶：内服煎汤，3 ~ 10 g。

壳斗科 Fagaceae 栎属 *Quercus*

槲栎
Quercus aliena Blume

药材名

槲皮（药用部位：树皮。别名：槲木皮）。

形态特征

落叶乔木，高达 30 m。树皮暗灰色，纵深裂。小枝灰褐色，近无毛，具淡褐色圆形皮孔；芽卵形，芽鳞具缘毛。叶片长椭圆状倒卵形至倒卵形，长 10 ～ 20（～ 30）cm，宽 5 ～ 14（～ 16）cm，先端微钝或短渐尖，基部楔形或圆形，叶缘具波状钝齿，叶背被灰棕色细绒毛，侧脉每边 10 ～ 15，叶面中脉、侧脉不凹陷；叶柄长 1 ～ 1.3 cm，无毛。雄花序长 4 ～ 8 cm，雄花单生或数朵簇生于花序轴，微有毛，花被 6 裂，雄蕊通常 10；雌花序生于新枝叶腋，单生或 2 ～ 3 簇生。壳斗杯形，约包着一半坚果，直径 1.2 ～ 2 cm，高 1 ～ 1.5 cm；小苞片卵状披针形，长约 2 mm，排列紧密，被灰白色短柔毛；坚果椭圆形至卵形，直径 1.3 ～ 1.8 cm，高 1.7 ～ 2.5 cm，果脐微凸起。花期（3 ～）4 ～ 5 月，果期 9 ～ 10 月。

生境分布

生于海拔 1 600 m 以下的向阳山坡，常与其他树种组成混交林或成小片纯林。湖南各地均有分布。

| **资源情况** | 野生资源丰富。药材来源于野生。

| **采收加工** | 全年均可采收，晒干后贮放于通风干燥处。

| **药材性状** | 本品表面暗灰色，粗糙，具不规则纵深裂；内面类白色。气微，味稍苦、涩。

| **功能主治** | 苦、涩，平。解毒消肿，涩肠，止血。用于疮痈肿痛，溃破不敛，瘰疬，痔疮，痢疾，肠风下血。

| **用法用量** | 内服煎汤，5～10 g；或熬膏；或烧灰研末。外用适量，煎汤洗；或熬膏敷。

壳斗科 Fagaceae 栎属 *Quercus*

锐齿槲栎

Quercus aliena Bl. var. *acutiserrata* Maxim. ex Wenz.

药 材 名

锐齿槲栎果（药用部位：果实）、锐齿槲栎根（药用部位：根）、锐齿槲栎总苞（药用部位：带虫瘿的总苞）。

形态特征

落叶乔木，高达 30 m。树皮暗灰色，纵深裂。小枝灰褐色，近无毛，具淡褐色圆形皮孔；芽卵形，芽鳞具缘毛。叶片长椭圆状倒卵形至倒卵形，形状变异较大，长 10 ~ 20（~ 30）cm，宽 5 ~ 14（~ 16）cm，先端微钝或短渐尖，基部楔形或圆形，叶缘具粗大锯齿，齿端尖锐，内弯，叶背密被灰色细绒毛；叶柄长 1 ~ 1.3 cm，无毛。雄花序长 4 ~ 8 cm，雄花单生或数朵簇生于花序轴，微有毛，花被 6 裂，雄蕊通常 10；雌花序生于新枝叶腋，单生或 2 ~ 3 簇生。壳斗杯形，约包着一半坚果，直径 1.2 ~ 2 cm，高 1 ~ 1.5 cm；小苞片卵状披针形，长约 2 mm，排列紧密，被灰白色短柔毛；坚果椭圆形至卵形，直径 1.3 ~ 1.8 cm，高 1.7 ~ 2.5 cm，果脐微凸起。花期 3 ~ 4 月，果期 10 ~ 11 月。

| 生境分布 | 生于海拔 800 ～ 1 000 m 的山地杂木林中。分布于湖南衡阳（衡阳、耒阳）、邵阳（隆回）、常德（澧县）、怀化（靖州）、永州（道县）、株洲（渌口）等。

| 资源情况 | 野生资源一般。药材来源于野生。

| 功能主治 | 锐齿槲栎果：止泻，止痛。
锐齿槲栎根：用于肠炎，痢疾。
锐齿槲栎总苞：健脾消积，理气，清火，明目。

小叶栎
Quercus chenii Nakai

| 药 材 名 |

小叶栎（药用部位：枝、壳斗）。

| 形态特征 |

落叶乔木，高达 30 m。树皮黑褐色，纵裂。小枝较细，直径约 1.5 mm。叶片宽披针形至卵状披针形，长 7 ~ 12 cm，宽 2 ~ 3.5 cm，先端渐尖，基部圆形或宽楔形，略偏斜，叶缘具刺芒状锯齿，幼时被黄色柔毛，以后两面无毛，或仅背面脉腋有柔毛，侧脉每边 12 ~ 16；叶柄长 0.5 ~ 1.5 cm。雄花序长 4 cm，花序轴被柔毛。壳斗杯形，约包着 1/3 坚果，直径约 1.5 cm，高约 0.8 cm；壳斗上部的小苞片线形，长约 5 mm，直伸或反曲，中部以下的小苞片长三角形，长约 3 mm，紧贴壳斗壁，被细柔毛；坚果椭圆形，直径 1.3 ~ 1.5 cm，高 1.5 ~ 2.5 cm，先端有微毛，果脐微凸起，直径约 5 mm。花期 3 ~ 4 月，果期翌年 9 ~ 10 月。

| 生境分布 |

生于海拔 600 m 以下的丘陵地区，成小片纯林或与其他落叶阔叶树组成混交林。湖南各地均有分布。

| **资源情况** | 野生资源较丰富。药材来源于野生。

| **采收加工** | 枝，全年均可采收。壳斗，秋季果实成熟时采收。

| **功能主治** | 甘、苦、涩，平。涩肠止泻，生津止渴。用于泄泻，痢疾，津伤口渴，伤酒。

| **用法用量** | 内服煎汤，5 ~ 10 g。

壳斗科 Fagaceae 栎属 Quercus

槲树

Quercus dentata Thunb.

| 药 材 名 | 槲叶（药用部位：叶。别名：槲若）、槲皮（药用部位：树皮。别名：槲木皮）、槲实仁（药用部位：种子）。

| 形态特征 | 落叶乔木，高达 25 m。树皮暗灰褐色，纵深裂。小枝粗壮，有沟槽，密被灰黄色星状绒毛。叶片倒卵形或长倒卵形，长 10 ~ 30 cm，宽 6 ~ 20 cm，先端短钝尖，叶面深绿色，基部耳形，叶缘具波状裂片或粗锯齿，叶背密被灰褐色星状绒毛，侧脉每边 4 ~ 10；托叶线状披针形，长 1.5 cm；叶柄长 2 ~ 5 mm，密被棕色绒毛。雄花序生于新枝叶腋，长 4 ~ 10 cm，花序轴密被淡褐色绒毛，花数朵簇生于花序轴上，花被 7 ~ 8 裂，雄蕊通常 8 ~ 10；雌花序生于新枝上部叶腋，长 1 ~ 3 cm。壳斗杯形，包着1/3 ~ 1/2 坚果，连小苞片直径 2 ~ 5 cm，高 0.2 ~ 2 cm；小苞片革质，窄披针形，长约 1 cm，

反曲或直立，红棕色，外面被褐色丝状毛，内面无毛；坚果卵形至宽卵形，直径 1.2 ~ 1.5 cm，高 1.5 ~ 2.3 cm，无毛，有宿存花柱。花期 4 ~ 5 月，果期 9 ~ 10 月。

| 生境分布 |　生于海拔 50 ~ 2 000 m 的杂木林或松林中。湖南各地均有分布。

| 资源情况 |　野生资源丰富。药材来源于野生。

| 采收加工 |　**槲叶**：全年均可采收，鲜用或晒干。

槲皮：全年均可采收，晒干后贮放于通风干燥处。

槲实仁：秋季果实成熟后采收果实，连壳斗摘下，晒干，除去壳斗及种壳，取出种子，晒干，置通风干燥处。

| 药材性状 |　**槲叶**：本品革质或近革质，暗褐色，倒卵形或长倒卵形，先端渐钝，基部耳形或窄楔形，边缘有 4 ~ 10 对波状裂片或粗齿，幼叶上面疏被柔毛，下面密被星状绒毛，老叶下面被绒毛，侧脉 4 ~ 10 对。

槲皮：本品表面暗灰色，粗糙，具不规则纵深裂；内面类白色。气微，味稍苦、涩。

槲实仁：本品黄褐色，卵形或宽卵形。

| 功能主治 |　**槲叶**：甘、苦，平。止血，通淋。用于吐血，衄血，便血，血痢，小便淋沥。

槲皮：苦、涩，平。解毒消肿，涩肠，止血。用于疮痈肿痛，溃破不敛，瘰疬，痔疮，痢疾，肠风下血。

槲实仁：苦、涩，平。归脾、胃、大肠经。涩肠止泻。用于腹泻，痢疾。

| 用法用量 |　**槲叶**：内服煎汤，10 ~ 15 g；或捣汁；或研末。外用适量，煎汤洗；或烧灰，研末敷。

槲皮：内服煎汤，5 ~ 10 g；或熬膏；或烧灰研末。外用适量，煎汤洗；或熬膏敷。

槲实仁：内服煎汤，9 ~ 15 g；或研末，0.5 ~ 1 g。

壳斗科 Fagaceae 栎属 Quercus

匙叶栎
Quercus dolicholepis A. Camus

| 药材名 | 匙叶栎（药用部位：果壳）。

| 形态特征 | 常绿乔木，高达 16 m。小枝幼时被灰黄色星状柔毛，后毛渐脱落。叶革质，叶片倒卵状匙形或倒卵状长椭圆形，长 2 ~ 8 cm，宽 1.5 ~ 4 cm，先端圆形或钝尖，基部宽楔形、圆形或心形，全缘或上部有锯齿，幼叶两面有黄色单毛或束毛，老时叶背有毛或毛脱落，侧脉每边 7 ~ 8；叶柄长 4 ~ 5 mm，有绒毛。雄花序长 3 ~ 8 cm，花序轴被苍黄色绒毛。壳斗杯形，包着 2/3 ~ 3/4 坚果，连小苞片直径约 2 cm，高约 1 cm；小苞片线状披针形，长约 5 mm，赭褐色，被灰白色柔毛，先端向外反曲；坚果卵形至近球形，直径 1.3 ~ 1.5 cm，高 1.2 ~ 1.7 cm，先端有绒毛，果脐微凸起。花期 3 ~ 5 月，果期翌年 10 月。

| 生境分布 | 生于海拔 500 ～ 1 900 m 的山地林中。分布于湖南衡阳（雁峰）、张家界（武陵源）等。

| 资源情况 | 野生资源较少。药材来源于野生。

| 功能主治 | 清热利湿。用于腹泻。

壳斗科 Fagaceae 栎属 Quercus

白栎 *Quercus fabri* Hance

| 药 材 名 | 白栎蓓（药用部位：带虫瘿的果实、总苞）。

| 形态特征 | 落叶乔木或呈灌木状，高达 20 m。树皮灰褐色，纵深裂。小枝密生灰色至灰褐色绒毛；冬芽卵状圆锥形，芽长 4 ~ 6 mm，芽鳞多数，被疏毛。叶片倒卵形、椭圆状倒卵形，长 7 ~ 15 cm，宽 3 ~ 8 cm，先端钝或短渐尖，基部楔形或窄圆形，叶缘具波状锯齿或粗钝锯齿，幼时两面被灰黄色星状毛，侧脉每边 8 ~ 12，叶背支脉明显；叶柄长 3 ~ 5 mm，被棕黄色绒毛。雄花序长 6 ~ 9 cm，花序轴被绒毛；雌花序长 1 ~ 4 cm，生 2 ~ 4 花。壳斗杯形，约包着 1/3 坚果，直径 0.8 ~ 1.1 cm，高 4 ~ 8 mm；小苞片卵状披针形，排列紧密，在口缘处稍伸出；坚果长椭圆形或卵状长椭圆形，直径 0.7 ~ 1.2 cm，高 1.7 ~ 2 cm，无毛，果脐凸起。花期 4 月，果期 10 月。

| **生境分布** | 生于海拔 50 ～ 850 m 的丘陵、山地杂木林中。湖南各地均有分布。

| **资源情况** | 野生资源丰富。药材来源于野生。

| **采收加工** | 秋季采集，晒干。

| **药材性状** | 本品呈不规则卵球形，灰褐色，表面具密集的小苞片；小苞片狭披针形。

| **功能主治** | 苦、涩，平。健脾消积，理气，清火，明目。用于疝气，疳积，火眼赤痛。

| **用法用量** | 内服煎汤，15 ～ 21 g。外用适量，煅炭研敷。

壳斗科 Fagaceae 栎属 Quercus

枹栎 Quercus serrata Thunb.

| 药 材 名 | 枹栎虫瘿（药用部位：带虫瘿的果实）。

| 形态特征 | 落叶乔木，高达 25 m。树皮灰褐色，纵深裂。幼枝被柔毛，不久毛即脱落；冬芽长卵形，长 5 ~ 7 mm，芽鳞多数，棕色，无毛或有极少毛。叶片薄革质，倒卵形或倒卵状椭圆形，长 7 ~ 17 cm，宽 3 ~ 9 cm，先端渐尖或急尖，基部楔形或近圆形，叶缘有腺状锯齿，幼时被伏贴单毛，老时与叶背均被平伏单毛或无毛，侧脉每边 7 ~ 12；叶柄长 1 ~ 3 cm，无毛。雄花序长 8 ~ 12 cm，花序轴密被白毛，雄蕊 8；雌花序长 1.5 ~ 3 cm。壳斗杯状，包着 1/4 ~ 1/3 坚果，直径 1 ~ 1.2 cm，高 5 ~ 8 mm；小苞片长三角形，贴生，边缘具柔毛；坚果卵形至卵圆形，直径 0.8 ~ 1.2 cm，高 1.7 ~ 2 cm，果脐平坦。花期 3 ~ 4 月，果期 9 ~ 10 月。

| **生境分布** | 生于海拔 200 ～ 900 m 的山地或沟谷林中。湖南各地均有分布。 |

| **资源情况** | 野生资源丰富。药材来源于野生。 |

| **采收加工** | 秋季采集，晒干。 |

| **药材性状** | 本品呈不规则卵球形，灰褐色，表面具密集的小苞片；小苞片狭披针形。 |

| **功能主治** | 健脾胃，利尿，解毒。用于胃痛，小便淋涩。 |

| **用法用量** | 内服研末，9 ～ 15 g。 |

壳斗科 Fagaceae 栎属 *Quercus*

短柄枹栎

Quercus serrata Thunb. var. *brevipetiolata* (A. DC.) Nakai

| 药 材 名 | 短柄枹栎虫瘿（药用部位：带虫瘿的果实）。

| 形态特征 | 落叶乔木，高达 25 m。树皮灰褐色，纵深裂。幼枝被柔毛，不久毛即脱落；冬芽长卵形，长 5 ~ 7 mm，芽鳞多数，棕色，无毛或有极少毛。叶常聚生于枝顶，叶片较小，长椭圆状倒卵形或卵状披针形，长 5 ~ 11 cm，宽 1.5 ~ 5 cm，叶缘具内弯浅锯齿，齿端具腺；叶柄短，长 2 ~ 5 mm。雄花序长 8 ~ 12 cm，花序轴密被白毛，雄蕊 8；雌花序长 1.5 ~ 3 cm。壳斗杯状，包着 1/4 ~ 1/3 坚果，直径 1 ~ 1.2 cm，高 5 ~ 8 mm；小苞片长三角形，贴生，边缘具柔毛；坚果卵形至卵圆形，直径 0.8 ~ 1.2 cm，高 1.7 ~ 2 cm，果脐平坦。花期 3 ~ 4 月，果期 9 ~ 10 月。

| 生境分布 | 生于海拔 200 ~ 1 600 m 的山地或沟谷林中。湖南各地均有分布。

| 资源情况 | 野生资源丰富。药材来源于野生。

| 采收加工 | 秋季采集，晒干。

| 药材性状 | 本品呈不规则卵球形，灰褐色，表面具密集的小苞片；小苞片狭披针形。

| 功能主治 | 健脾胃，利尿，解毒。用于胃痛，小便淋涩。

| 用法用量 | 内服研末，9 ~ 15 g。

| 附　　注 | FOC 将本种合并到枹栎中。

壳斗科 Fagaceae 栎属 Quercus

栓皮栎 *Quercus variabilis* Bl.

药材名

青杠碗（药用部位：果实或果壳）。

形态特征

落叶乔木，高达 30 m，胸径超过 1 m。树皮黑褐色，纵深裂，木栓层发达。小枝灰棕色，无毛；芽圆锥形，芽鳞褐色，具缘毛。叶片卵状披针形或长椭圆形，长 8 ~ 15（~ 20）cm，宽 2 ~ 6（~ 8）cm，先端渐尖，基部圆形或宽楔形，叶缘具刺芒状锯齿，叶背密被灰白色星状绒毛，侧脉每边13 ~ 18，直达齿端；叶柄长 1 ~ 3（~ 5）cm，无毛。雄花序长达 14 cm，花序轴密被褐色绒毛，花被 4 ~ 6 裂，雄蕊 10 或较多；雌花序生于新枝上端叶腋，花柱30。壳斗杯形，包着 2/3 坚果，连小苞片直径 2.5 ~ 4 cm，高约 1.5 cm；小苞片钻形，反曲，被短毛；坚果近球形或宽卵形，高和直径均约 1.5 cm，先端圆，果脐凸起。花期 3 ~ 4 月，果期翌年 9 ~ 10 月。

生境分布

生于海拔 1 600 m 以下的山地、丘陵阔叶林中。湖南各地均有分布。

| **资源情况** | 野生资源丰富。药材来源于野生。

| **采收加工** | 秋季采收，晒干。

| **药材性状** | 本品果实近球形或宽卵形，高约 1.5 cm，先端圆。

| **功能主治** | 苦、涩，平。止咳，止泻，止血，解毒。用于咳嗽，久泻，久痢，痔漏出血，头癣。

| **用法用量** | 内服煎汤，10 ～ 15 g。外用适量，研末调敷。

榆科 Ulmaceae 糙叶树属 *Aphananthe*

糙叶树

Aphananthe aspera (Thunb.) Planch.

| 药 材 名 |

糙叶树皮（药用部位：根皮、树皮。别名：牛筋树）。

| 形态特征 |

落叶乔木，高可达 25 m。树皮黄褐色或灰褐色，有灰斑与皱纹，老时纵裂。幼枝被贴生的毛。叶互生；叶柄长 5 ～ 15 mm，被贴生的毛；托叶条形；叶片卵形或卵状椭圆形，长 5 ～ 10 cm，宽 3 ～ 5 cm，先端渐尖，基部浅心形或阔楔形，叶缘基部以上有单锯齿，两面均有糙伏毛，基部叶脉 3，侧脉先端直达锯齿缘。雌雄同株；雄花聚伞花序生于新枝基部的叶腋；雌花单生于新枝上部的叶腋，有梗；花被 5 裂，宿存；雄蕊与花被片同数；子房被毛，1 室，柱头 2。核果近球形或卵球形，直径 8 ～ 13 mm，被平伏硬毛；果柄较叶柄短。花期 3 ～ 5 月，果期 8 ～ 10 月。

| 生境分布 |

生于海拔 500 ～ 1 000 m 的山谷、溪边林中。湖南有广泛分布。

| **资源情况** | 野生资源较丰富。药材来源于野生。

| **采收加工** | 春、秋季剥取，晒干。

| **药材性状** | 本品树皮呈槽状，表面黄褐色，有灰斑及皱纹，老树干皮可见纵裂纹，内面黄白色，纤维性较强。气微，味淡。

| **功能主治** | 舒筋，活络，止痛。用于腰部损伤。

| **用法用量** | 内服煎汤，10 ～ 20 g。

榆科 Ulmaceae 朴属 Celtis

紫弹树
Celtis biondii Pamp.

| 药 材 名 |

紫弹树叶（药用部位：叶）、紫弹树皮（药用部位：茎皮）。

| 形态特征 |

落叶乔木，高可达 18 m。树皮暗灰色。一年生枝密被黄褐色柔毛，二年生枝无毛。叶互生；叶柄长 3 ~ 6 mm；托叶条状披针形；叶片卵圆形、卵状长椭圆形，长 2.5 ~ 7 cm，宽 2 ~ 3.5 cm，先端渐尖，基部宽楔形，两边不相等，中上部边缘有锯齿，稀全缘，基出脉 3，侧脉 2 ~ 4 对，上面较粗糙，下面脉上的毛较多，脉腋毛较密，老叶无毛。核果通常 2 果实腋生，近球形，直径 4 ~ 6 mm，橙黄色，果核具网纹；果柄被毛。花期 4 ~ 5 月，果期 9 ~ 10 月。

| 生境分布 |

生于海拔 50 ~ 2 000 m 的山地灌丛或杂木林中。栽培于公园、屋旁，喜肥沃、排水良好的土壤。湖南各地均有分布。

| 资源情况 |

野生资源丰富。栽培资源一般。药材来源于野生和栽培。

| 采收加工 | 紫弹树叶：春、夏季采集，鲜用或晒干。
紫弹树皮：全年均可采收，切片，晒干。

| 药材性状 | 紫弹树叶：本品多破碎、皱缩，完整者展平后为卵形或卵状椭圆形，长 3.5 ~ 8 cm，宽 2 ~ 3.5 cm，先端渐尖，基部宽楔形，两边不相等，中上部边缘有锯齿，稀全缘，上表面暗黄绿色，较粗糙，下表面黄绿色，幼叶两面被散生毛，脉上的毛较多，脉腋毛较密，老叶无毛；叶柄长 3 ~ 7 mm，具细软毛。质脆，易碎。气微，味淡。
紫弹树皮：本品呈板块状，外表面暗灰色，有少数皮孔，内表面灰褐色。气微，味淡。

| 功能主治 | 紫弹树叶：甘，寒。清热解毒。用于疮毒溃烂。
紫弹树皮：甘，寒。清热解毒，祛痰，利小便。用于小儿脑积水，腰部酸痛，乳腺炎；外用于疮毒。

| 用法用量 | 紫弹树叶：外用适量，捣敷；或研末调敷。
紫弹树皮：内服煎汤，15 ~ 30 g。外用适量，捣敷。

榆科 Ulmaceae 朴属 Celtis

黑弹树

Celtis bungeana Bl.

| 药 材 名 | 棒棒木（药用部位：树干）。

| 形态特征 | 落叶乔木，高达 10 m。树皮灰色或暗灰色。当年生小枝淡棕色，老后色较深，无毛，散生椭圆形皮孔，去年生小枝灰褐色；冬芽棕色或暗棕色，鳞片无毛。叶厚纸质，狭卵形、长圆形、卵状椭圆形至卵形，长 3 ~ 7（~ 15）cm，宽 2 ~ 4（~ 5）cm，基部宽楔形至近圆形，稍偏斜至几乎不偏斜，先端尖至渐尖，中部以上疏具不规则浅齿，有时一侧近全缘，无毛；叶柄淡黄色，长 5 ~ 15 mm，上面有沟槽，幼时槽中有短毛，老后毛脱净；萌发枝上的叶形变异较大，先端尾尖且有糙毛。果实单生于叶腋，果柄较细软，无毛，长 10 ~ 25 mm，果实成熟时呈蓝黑色，近球形，直径 6 ~ 8 mm；核

近球形，肋不明显，表面极大部分近平滑或略具网孔状凹陷，直径 4 ~ 5 mm。花期 4 ~ 5 月，果期 10 ~ 11 月。

| **生境分布** | 生于海拔 150 ~ 1 500 m 的路旁、山坡、灌丛或林边。湖南各地均有分布。

| **资源情况** | 野生资源较丰富。药材来源于野生。

| **采收加工** | 夏季取树干刨片，晒干。

| **药材性状** | 本品多刨成薄片状，外表面灰色，平滑。茎枝圆柱状，灰褐色，有光泽；断面色白，纹理致密；枝坚硬。气微香，味微苦。

| **功能主治** | 辛、微苦，凉。祛痰，止咳，平喘。用于支气管哮喘，慢性支气管炎。

| **用法用量** | 内服煎汤，30 ~ 60 g。

榆科 Ulmaceae 朴属 Celtis

珊瑚朴

Celtis julianae Schneid.

| 药 材 名 | 珊瑚朴（药用部位：茎叶）。

| 形态特征 | 落叶乔木，高达 30 m。树皮淡灰色至深灰色，密生褐黄色茸毛。去年生小枝颜色深；冬芽褐棕色，内鳞片有红棕色柔毛。叶厚纸质，宽卵形至尖卵状椭圆形，长 6 ~ 12 cm，宽 3.5 ~ 8 cm，基部近圆形或两侧稍不对称，一侧圆形，另一侧宽楔形，先端具突然收缩的短渐尖至尾尖，叶面粗糙至稍粗糙，叶背密生短柔毛，近全缘至上部以上具浅钝齿；叶柄长 7 ~ 15 mm，较粗壮；萌发枝上的叶叶面具短糙毛，叶背在短柔毛中也夹有短糙毛。果实单生于叶腋，果柄粗壮，长 1 ~ 3 cm，果实椭圆形至近球形，长 10 ~ 12 mm，金黄色至橙黄色；核乳白色，倒卵形至倒宽卵形，长 7 ~ 9 mm，上部有

较明显的肋 2，两侧或仅下部稍压扁，基部尖至略钝，表面略有网孔状凹陷。花期 3 ~ 4 月，果期 9 ~ 10 月。

| 生境分布 |　生于海拔 300 ~ 1 300 m 的山坡、山谷林中或林缘。湖南各地均有分布。

| 资源情况 |　野生资源较丰富。药材来源于野生。

| 功能主治 |　用于咳喘。

榆科 Ulmaceae 朴属 Celtis

朴树

Celtis sinensis Pers.

药材名

朴树叶（药用部位：叶）、朴树果（药用部位：成熟果实）、朴树皮（药用部位：根皮、茎皮）。

形态特征

落叶乔木，高达 20 m。树皮灰色，平滑。一年生枝被密毛，后毛渐脱落。叶互生；叶柄长 3 ~ 10 mm；叶片革质，通常呈卵形或卵状椭圆形，长 5 ~ 13 cm，宽 3 ~ 5 cm，先端急尖至渐尖，基部几乎不偏斜或近稍偏斜，中部以上边缘有浅锯齿，上面无毛，下面沿脉及脉腋疏被毛，基出脉 3。核果单生或 2 ~ 3 生于叶腋，近球形，成熟时呈黄色或橙黄色；果柄与叶柄近等长；果核近球形，直径约 5 mm，具 4 肋，表面有网状凹陷。花期 4 ~ 5 月，果期 9 ~ 10 月。

生境分布

生于海拔 100 ~ 1 500 m 的路旁、山坡、林缘。栽培于庭院、公园、屋旁，喜肥沃、排水良好的土壤。湖南各地均有分布。

资源情况

野生资源丰富。栽培资源较丰富。药材来源

于野生和栽培。

| 采收加工 |　朴树叶：夏季采收，鲜用或晒干。

朴树果：秋季果实成熟时采收，晒干。

朴树皮：全年均可采收，鲜用或晒干。

| 药材性状 |　朴树叶：本品多破碎，完整者卵形或卵状椭圆形，长 3 ～ 10 cm，宽 1.5 ～ 4 cm，
先端尖，基部偏斜，边缘中上部有浅锯齿，上面无毛，棕褐色，下面叶脉上有
少数茸毛或无毛，棕黄色；叶柄长 5 ～ 10 mm，被柔毛。气微，味淡。

朴树果：本品近球形，红褐色；果核有凹陷和棱脊。

朴树皮：本品茎皮深褐色，平滑，大小不等。

| 功能主治 |　朴树叶：微苦，凉。清热，凉血，解毒。用于漆疮，荨麻疹。

朴树果：苦、涩，平。清热利咽。用于感冒，咳嗽音哑。

朴树皮：用于腰痛。

| 用法用量 |　朴树叶：外用适量，鲜品捣敷；或捣烂，取汁涂敷。

朴树果：内服煎汤，3 ～ 6 g。

朴树皮：内服煎汤，冲黄酒，鲜品 200 ～ 250 g。

榆科 Ulmaceae 朴属 Celtis

四蕊朴
Celtis tetrandra Roxb.

| 药 材 名 | 朴树叶（药用部位：叶）、朴树果（药用部位：成熟果实）、朴树皮（药用部位：根皮、茎皮）。

| 形态特征 | 乔木，高达 30 m。树皮灰白色。当年生小枝幼时密被黄褐色短柔毛，老后毛常脱落，去年生小枝褐色至深褐色，有时还残留柔毛；冬芽棕色，鳞片无毛。叶厚纸质至近革质，通常卵状椭圆形或带菱形，长 5 ~ 13 cm，宽 3 ~ 5.5 cm，基部多偏斜，一侧近圆形，另一侧楔形，先端渐尖至短尾状渐尖，边缘变异较大，近全缘至具钝齿，幼时叶背常和幼枝、叶柄一样，密生黄褐色短柔毛，老时毛脱净或残存，变异也较大。果柄常 2 ~ 3 生于叶腋，其中 1 果柄常有 2 果实，其他果柄具 1 果实，无毛或被短柔毛，长 7 ~ 17 mm；果实成熟时呈

黄色至橙黄色，近球形，直径约 8 mm；核近球形，直径约 5 mm，具 4 肋，表面有网孔状凹陷。花期 3 ～ 4 月，果期 9 ～ 10 月。

| 生境分布 | 生于海拔 700 ～ 1 500 m 的沟谷、河谷的林中或林缘及山坡灌丛中。湖南各地均有分布。

| 资源情况 | 野生资源较丰富。药材来源于野生。

| 采收加工 | 同朴树。

| 药材性状 | 同朴树。

| 功能主治 | 同朴树。

| 用法用量 | 同朴树。

榆科 Ulmaceae 刺榆属 Hemiptelea

刺榆

Hemiptelea davidii (Hance) Planch.

| 药 材 名 | 刺榆皮（药用部位：树皮、根皮）、刺榆叶（药用部位：叶）。

| 形态特征 | 小乔木，高可达 10 m。树皮深灰色或褐灰色，具不规则的条状深裂。小枝灰褐色或紫褐色，被灰白色短柔毛，具粗而硬的棘刺，刺长 2 ~ 10 cm；冬芽常 3 个聚生于叶腋，卵圆形。叶椭圆形或椭圆状矩圆形，稀倒卵状椭圆形，长 4 ~ 7 cm，宽 1.5 ~ 3 cm，先端急尖或钝圆，基部浅心形或圆形，边缘有整齐的粗锯齿，叶面绿色，幼时被毛，后毛脱落并残留有稍隆起的圆点，叶背淡绿色，光滑无毛，或在脉上有稀疏的柔毛，侧脉 8 ~ 12 对，排列整齐，斜直出至齿尖；叶柄短，长 3 ~ 5 mm，被短柔毛；托叶矩圆形、长矩圆形或披针形，长 3 ~ 4 mm，淡绿色，边缘具睫毛。小坚果黄绿色，斜卵圆形，两侧扁，长 5 ~ 7 mm，在背侧具窄翅，形似鸡头，翅端渐狭，呈缘状；

果柄纤细，长 2 ~ 4 mm。花期 4 ~ 5 月，果期 9 ~ 10 月。

| **生境分布** | 生于海拔 2 000 m 以下的坡地次生林中、村落路旁、土堤上、石砾河滩。湖南有广泛分布。

| **资源情况** | 野生资源较丰富。药材来源于野生。

| **采收加工** | 刺榆皮：全年均可采收，刮去外层粗皮，鲜用。
刺榆叶：春、夏季采摘，鲜用或晒干。

| **药材性状** | 刺榆皮：本品为扁平板块状或两边稍向内卷的块片，厚 2 ~ 7 mm。外表面暗灰色，粗糙且具条状深裂；内表面灰褐色，光滑。易折断，断面纤维性。气微，味淡、微涩。
刺榆叶：本品椭圆形或椭圆状长圆形，长 2 ~ 6 cm，宽 1 ~ 3 cm，先端微钝，基部圆形或广楔形，边缘有粗锯齿，上面深绿色，疏生柔毛或具黑色圆形凹痕，下面黄绿色，具疏柔毛或无毛；叶柄长 1 ~ 4 mm。气微，味淡。

| **功能主治** | 刺榆皮：苦、辛，微寒。解毒消肿。用于疮痈肿毒，毒蛇咬伤。
刺榆叶：淡，微寒。利水消肿，解毒。用于水肿，疮疡肿毒，毒蛇咬伤。

| **用法用量** | 刺榆皮：内服煎汤，3 ~ 6 g。外用适量，鲜品捣敷。
刺榆叶：内服煎汤，3 ~ 6 g。外用适量，鲜品捣敷。

榆科 Ulmaceae 青檀属 Pteroceltis

青檀 Pteroceltis tatarinowii Maxim.

| **药 材 名** | 青檀（药用部位：小枝、叶）。

| **形态特征** | 乔木，高达 20 m 以上。树皮灰色或深灰色，呈不规则的长片状剥落。小枝黄绿色，干时变栗褐色。叶纸质，宽卵形至长卵形，长 3 ～ 10 cm，宽 2 ～ 5 cm，先端渐尖至尾状渐尖，基部不对称，楔形、圆形或截形，边缘有不整齐的锯齿，基出脉 3，侧出的 1 对近直伸达叶的上部，侧脉 4 ～ 6 对；叶柄长 5 ～ 15 mm，被短柔毛。翅果状坚果近圆形或近四方形，直径 10 ～ 17 mm，黄绿色或黄褐色，翅宽，稍带木质，有放射状条纹，下端截形或浅心形，先端有凹缺，果实外面无毛或多少被曲柔毛，常有不规则的皱纹，有时具耳状附属物，具宿存的花柱和花被；果柄纤细，长 1 ～ 2 cm，被短柔毛。花期 3 ～ 5 月，果期 8 ～ 10 月。

| **生境分布** | 生于海拔 100 ～ 1 500 m 的山谷溪边石灰岩山地疏林中。栽培于村旁、公园，喜阳光充足、排水良好的土壤。湖南有广泛分布。

| **资源情况** | 野生资源较丰富。药材来源于野生。

| **采收加工** | 夏、秋季采收，晒干。

| **药材性状** | 本品小枝干时呈栗褐色，疏被短柔毛或无毛，皮孔明显，椭圆形或近圆形。叶片纸质，黄褐色，宽卵形至长卵形，先端渐尖至尾状渐尖，基部不对称，楔形、圆形或截形，边缘有不整齐的锯齿。

| **功能主治** | 微苦、涩，平。祛风，止血，止痛。用于风湿筋骨痛。

| **用法用量** | 内服煎汤，15 ～ 30 g；或浸酒。外用煎汤洗。

榆科 Ulmaceae 山黄麻属 Trema

狭叶山黄麻
Trema angustifolia (Planch.) Bl.

| 药 材 名 | 山郎木根（药用部位：根）、山郎木叶（药用部位：叶）。

| 形态特征 | 灌木或小乔木。小枝纤细，紫红色，干后变为灰褐色或深灰色，密被细粗毛。叶卵状披针形，长 3 ~ 5（~ 7）cm，宽 0.8 ~ 1.4（~ 2）cm，先端渐尖或尾状渐尖，基部圆，稀浅心形，边缘有细锯齿，叶面深绿色，干后变为深灰绿色，极粗糙，叶背浅绿色，干后变为灰白色，密被灰色短毡毛，脉上有细粗毛和锈色腺毛，基出脉 3，侧生的 2 脉达叶片中部，侧脉 2 ~ 4 对；叶柄长 2 ~ 5 mm，密被细粗毛。花单性，雌雄异株或同株，由数花组成小聚伞花序；雄花小，直径约 1 mm，几乎无梗，花被片 5，狭椭圆形，内弯，在开放前其边缘凹陷并包裹着雄蕊，呈瓣状，外面密被细粗毛。核果

宽卵状或近圆球形，微压扁，直径 2 ~ 2.5 mm，成熟时呈橘红色，有宿存的花被。花期 4 ~ 6 月，果期 8 ~ 11 月。

| 生境分布 | 生于海拔 100 ~ 1 600 m 的向阳山坡灌丛或疏林中。湖南各地均有分布。

| 资源情况 | 野生资源丰富。药材来源于野生。

| 采收加工 | **山郎木根：**秋末冬初采挖，洗净泥土，晒干或鲜用。
山郎木叶：春、夏季采摘，鲜用或晒干。

| 功能主治 | **山郎木根：**止血，止痛。用于外伤出血，跌扑伤痛。
山郎木叶：解毒敛疮，凉血止血，止痛。用于疮疡溃破不敛，麻疹，外伤出血。

| 用法用量 | **山郎木根：**外用适量，研末调敷；或鲜品捣敷。
山郎木叶：外用适量，研末调敷；或煎汤熏洗。

榆科 Ulmaceae 山黄麻属 Trema

光叶山黄麻 *Trema cannabina* Lour.

| 药 材 名 |

光叶山黄麻（药用部位：根皮）。

| 形态特征 |

灌木或小乔木。小枝纤细，黄绿色，被贴生的短柔毛，后毛渐脱落。叶近膜质，卵形或卵状矩圆形，长 4 ~ 9 cm，宽 1.5 ~ 4 cm，先端尾状渐尖或渐尖，基部圆形或浅心形，稀宽楔形，边缘具圆齿状锯齿，叶面绿色，近光滑，叶背浅绿色，只在脉上疏生柔毛，基部有明显的三出脉；叶柄纤细，长 4 ~ 8 mm，被贴生短柔毛。花单性，雌雄同株，雌花序常生于花枝上部的叶腋，雄花序常生于花枝下部的叶腋，或雌雄同序，聚伞花序一般短于叶柄；雄花具花梗，直径约 1 mm，花被片 5，倒卵形，外面无毛或疏生微柔毛。核果近球形或阔卵圆形，微压扁，直径 2 ~ 3 mm，成熟时呈橘红色，有宿存花被。花期 3 ~ 6 月，果期 9 ~ 10 月。

| 生境分布 |

生于海拔 100 ~ 600 m 的河边、旷野或山坡疏林、灌丛中。湖南各地均有分布。

| **资源情况** | 野生资源丰富。药材来源于野生。

| **采收加工** | 夏、秋季采收，鲜用或晒干。

| **药材性状** | 本品灰褐色，平滑，大小不等。

| **功能主治** | 甘、淡，微寒。利水，解毒，活血祛瘀。用于水泻，流行性感冒，毒蛇咬伤，筋骨折伤。

| **用法用量** | 内服煎汤，15 ~ 30 g。外用适量，捣烂，炒熟敷。

榆科 Ulmaceae 山黄麻属 Trema

山油麻
Trema cannabina Lour. var. *dielsiana* (Hand.-Mazz.) C. J. Chen

| **药 材 名** | 山油麻（药用部位：叶）。

| **形态特征** | 灌木或小乔木，高 1 ~ 5 m。当年生小枝紫红色，密生粗毛。单叶互生；叶纸质，卵状披针形至长椭圆形，长 4 ~ 9 cm，宽 1.5 ~ 4 cm，先端渐尖或尾尖，基部圆形或浅心形，两面均密生短粗毛，叶具三出脉，边缘有圆齿状锯齿；叶柄长 4 ~ 8 mm，被短柔毛。雌雄同株；雌花序常生于花枝上部叶腋；雄花序常生于花枝下部叶腋；雄花具梗，花被片 5。核果卵圆形或近球形，橘红色，直径 2 ~ 3 mm，无毛。花期 3 ~ 6 月。果期 9 ~ 10 月。

| **生境分布** | 生于海拔 100 ~ 1 100 m 的向阳山坡灌丛中。湖南各地均有分布。

| **资源情况** | 野生资源丰富。药材来源于野生。

| **采收加工** | 全年均可采收，鲜用。

| **功能主治** | 清热解毒，止痛，止血。用于疗毒，外伤出血。

| **用法用量** | 外用适量，嫩叶捣烂，加白糖敷。

榆科 Ulmaceae 山黄麻属 Trema

山黄麻
Trema tomentosa (Roxb.) Hara

| 药 材 名 |

山黄麻叶（药用部位：叶）、山黄麻根（药用部位：根或根皮）。

| 形态特征 |

小乔木，高达 10 m，或为灌木。当年生枝密被伸展的白色曲柔毛。叶互生；叶柄长 7 ~ 18 mm，密被白色柔毛；叶片纸质或薄革质，宽卵形或卵状矩圆形，长 7 ~ 15（ ~ 20）cm，宽 3 ~ 7（ ~ 8）cm，先端长而渐尖，基部心形或近截平，明显偏斜，上面有粗糙短硬毛，下面密被灰褐色或灰色短绒毛，边缘有细锯齿，基出脉 3，侧脉 4 ~ 5 对，网脉明显。雄花序长 2 ~ 4.5 cm，雄花直径 1.5 ~ 2 mm，花被 5，雄蕊 5；雌花序长 1 ~ 2 cm，雌花具短梗，花被片 4 ~ 5。核果宽卵球状，压扁，直径 2 ~ 3 mm，褐黑色。种子阔卵球状，压扁，直径 1.5 ~ 2 mm。花期 3 ~ 6 月，果期 9 ~ 11 月。

| 生境分布 |

生于海拔 100 ~ 2 000 m 的湿润河谷、山坡混交林或空旷的山坡。湖南各地均有分布。

| 资源情况 | 野生资源丰富。药材来源于野生。

| 采收加工 | 山黄麻叶：全年均可采收，鲜用或晒干。
山黄麻根：全年均可采收，鲜用或晒干。

| 药材性状 | 山黄麻叶：叶多皱缩，展平后完整者呈卵形、卵状披针形或披针形，长6～18 cm，先端长渐尖，基部心形或近截平，常稍斜，基部三出脉明显，边缘有小锯齿，上面有粗糙短硬毛，下面密被淡黄色柔毛。质脆。气微，味涩。

| 功能主治 | 山黄麻叶：涩，平。止血。用于外伤出血。
山黄麻根：辛，平。散瘀消肿，止痛。用于跌打损伤，瘀肿疼痛，腹痛。

| 用法用量 | 山黄麻叶：外用适量，鲜品捣敷；或研末敷。
山黄麻根：外用适量，鲜品捣敷。

榆科 Ulmaceae 榆属 Ulmus

兴山榆 *Ulmus bergmanniana* Schneid.

| 药 材 名 | 兴山榆叶（药用部位：叶）、兴山榆皮（药用部位：树皮）。

| 形态特征 | 落叶乔木，高达 26 m。树皮灰白色、深灰色或灰褐色，纵裂，粗糙。叶椭圆形、长椭圆形、倒卵状矩圆形或卵形，长 6 ~ 16 cm，宽 3 ~ 8.5 cm，先端渐窄长尖、骤凸长尖或尾状，尖头边缘有明显的锯齿，基部多少偏斜，圆形、心形、耳形或楔形，上面幼时密生硬毛，后脱落无毛，有时沿主脉凹陷处有毛，平滑或微粗糙，下面除脉腋有簇生毛外，余处无毛，平滑，侧脉每边 17 ~ 26，边缘具重锯齿；叶柄长 3 ~ 13 mm，无毛或几无毛。花自花芽抽出，在去年生枝上排成簇状聚伞花序。翅果宽倒卵形、倒卵状圆形、近圆形或长圆状圆形，长 1.2 ~ 1.8 cm，宽 1 ~ 1.6 cm，除先端缺口柱头面有毛外，余处无毛。花果期 3 ~ 5 月。

| 生境分布 | 生于海拔 400 ～ 1 500 m 的山坡及溪边阔叶林中。分布于湖南怀化（中方、辰溪）、张家界（桑植、慈利、武陵源）、邵阳（洞口）等。

| 资源情况 | 野生资源较少。药材来源于野生。

| 采收加工 | 全年均可采收，鲜用或晒干。

| 功能主治 | **兴山榆叶**：用于水肿。
兴山榆皮：用于胃病。

榆科 Ulmaceae 榆属 Ulmus

多脉榆
Ulmus castaneifolia Hemsl.

| 药 材 名 |

多脉榆（药用部位：树皮）。

| 形态特征 |

落叶乔木，高达 20 m。树皮厚，木栓层发达，淡灰色至黑褐色，纵裂成条状或呈长圆状块片脱落。叶长圆状椭圆形、长椭圆形、长圆状卵形、倒卵状长圆形或倒卵状椭圆形，质地通常较厚，长 8 ~ 15 cm，宽 3.5 ~ 6.5 cm，先端长尖或骤凸，基部常明显偏斜，一边耳状或半心形，一边圆形或楔形，较长的一边往往覆盖叶柄，长为叶柄之半或与叶柄几等长，叶面幼时密生硬毛，后毛渐脱落，平滑或微粗糙，主、侧脉凹陷处常多少有毛，叶背密被长柔毛，脉腋有簇生毛，边缘具重锯齿，侧脉每边 16 ~ 35；叶柄长 3 ~ 10 mm，密被柔毛。花在去年生枝上排成簇状聚伞花序。翅果长圆状倒卵形、倒三角状倒卵形或倒卵形，长 1.5 ~ 3.3 cm，宽 1 ~ 1.6 cm。花果期 3 ~ 4 月。

| 生境分布 |

生于海拔 500 ~ 1 600 m 的山坡及山谷的阔叶林中。分布于湖南邵阳（邵阳、洞口）、怀化（辰溪、麻阳、通道）、湘西州（吉首、花垣）等。

| **资源情况** | 野生资源较少。药材来源于野生。

| **采收加工** | 全年均可采收，鲜用或晒干。

| **功能主治** | 清热解毒，利尿消肿，祛痰。

榆科 Ulmaceae 榆属 Ulmus

杭州榆 *Ulmus changii* Cheng

| 药 材 名 |

杭州榆（药用部位：果实）。

| 形态特征 |

落叶乔木，高达 20 m。树皮暗灰色、灰褐色或灰黑色。叶卵形或卵状椭圆形，稀宽披针形或长圆状倒卵形，长 3 ~ 11 cm，宽 1.7 ~ 4.5 cm，先端渐尖或短尖，基部偏斜，圆楔形、圆形或心形，叶面幼时有疏生的平伏长毛，或有散生的短硬毛，老时则无毛而平滑，或有微凸起的毛迹或短硬毛而较粗糙，主脉凹陷处常有短毛，叶背无毛或脉上有毛，侧脉每边 12 ~ 20（~ 24），边缘常具单锯齿，稀兼具或全为重锯齿；叶柄长 3 ~ 8 mm，通常仅上面有毛。花常自花芽抽出，在去年生枝上排成簇状聚伞花序，稀出自混合芽而散生新枝的基部或近基部。翅果长圆形或椭圆状长圆形，稀近圆形，长 1.5 ~ 3.5 cm，宽 1.3 ~ 2.2 cm，全被短毛。花果期 3 ~ 4 月。

| 生境分布 |

生于海拔 200 ~ 800 m 的山坡、谷地及溪旁阔叶林中。分布于湖南怀化（鹤城、中方、沅陵）、湘西州（花垣、永顺）等。

| 资源情况 | 野生资源较少。药材来源于野生。

| 采收加工 | 果实成熟时采收，鲜用或晒干。

| 功能主治 | 祛痰，利尿，杀虫。

| 用法用量 | 内服煎汤，10 ～ 15 g。

榔榆

Ulmus parvifolia Jacq.

| 药 材 名 |

榔榆皮（药用部位：树皮、根皮）、榔榆茎（药用部位：茎）、榔榆叶（药用部位：叶）。

| 形态特征 |

落叶乔木，或冬季叶变为黄色或红色宿存至翌年新叶开放后脱落，高达 25 m。叶质厚，披针状卵形或窄椭圆形，稀卵形或倒卵形，中脉两侧长、宽不等，长 1.7 ~ 8 cm，宽 0.8 ~ 3 cm，先端尖或钝，基部偏斜，侧脉每边 10 ~ 15，细脉在两面均明显；叶柄长 2 ~ 6 mm，仅上面有毛。花秋季开放，3 ~ 6 花在叶腋簇生或排成簇状聚伞花序，花被上部杯状，下部管状，花被片 4，深裂至杯状花被的基部或近基部，花梗极短，被疏毛。翅果椭圆形或卵状椭圆形，长 10 ~ 13 mm，宽 6 ~ 8 mm，除先端缺口柱头面被毛外，余处无毛，果翅稍厚，基部的柄长约 2 mm。花果期 8 ~ 10 月。

| 生境分布 |

生于海拔 50 ~ 1 000 m 的平原、丘陵、山坡及谷地。栽培于公园、庭院、路边，喜阳光充足、土壤肥沃的环境。湖南各地均有分布。

| **资源情况** | 野生资源丰富。药材来源于野生和栽培。

| **采收加工** | **榔榆皮**：秋季采收，晒干或鲜用。
榔榆茎：夏、秋季采收，鲜用。
榔榆叶：夏、秋季采收，鲜用。

| **药材性状** | **榔榆皮**：本品呈长卷曲状；外表面灰褐色，不规则鳞片状脱落，有突出的横向皮孔；内表面黄白色。质柔韧，不易折断，断面外侧棕红色，内侧黄白色。气特异，味淡，嚼之有黏液感。根皮表面灰黄棕色，较平滑。余同树皮。
榔榆叶：本品椭圆形、卵圆形或倒卵形，长 1.5 ～ 5.5 cm，宽 1 ～ 2.8 cm，基部圆形，稍歪，先端短尖，叶缘有锯齿，上面微粗糙，棕褐色，下面淡棕色。气微，味淡，嚼之有黏液感。

| **功能主治** | **榔榆皮**：甘、微苦，寒。清热利水，解毒消肿，凉血止血。用于热淋，小便不利，疮疡肿毒，乳痈，烫火伤，痢疾，胃肠出血，尿血，痔血，腰背酸痛，外伤出血。
榔榆茎：甘、微苦，寒。通络止痛。用于腰背酸痛。
榔榆叶：甘、微苦，寒。清热解毒，消肿止痛。用于热毒疮疡，牙痛。

| **用法用量** | **榔榆皮**：内服煎汤，15 ～ 30 g。外用适量，鲜品捣敷；或研末调敷。
榔榆茎：内服煎汤，10 ～ 15 g。
榔榆叶：外用适量，鲜品捣敷；或煎汤含漱。

榆科 Ulmaceae 榆属 Ulmus

榆树 *Ulmus pumila* L.

| 药 材 名 | 榆枝（药用部位：枝）、榆白皮（药用部位：根皮或树皮的韧皮部）、榆皮涎（药用部位：茎皮部的涎汁）、榆叶（药用部位：叶）、榆花（药用部位：花）、榆荚仁（药用部位：含种子的果实）。

| 形态特征 | 落叶乔木，树干端直，高达 25 m。树皮暗灰褐色，粗糙，有纵沟裂。小枝柔软，有毛或无毛，浅灰黄色。叶互生，纸质；叶柄长 4 ~ 10 mm，有毛；托叶早落；叶片椭圆状卵形或椭圆状披针形，长 2 ~ 8 cm，宽 1.2 ~ 3.5 cm，先端锐尖或渐尖，基部偏斜或近对称，上面暗绿色，无毛，下面幼时有短毛，老时仅脉腋有毛，边缘具单锯齿，侧脉明显，9 ~ 16 对。花先于叶开放，簇生成聚伞花序，生于去年生枝的叶腋；花被针形，4 ~ 5 裂；雄蕊与花被同数，花药紫色；子房扁平，1 室，花柱 2。翅果近圆形或倒卵形，长 1.2 ~

2 cm，宽 0.8 ~ 1.2 cm，光滑，先端有缺口；种子位于翅果中央，与缺口相接；果柄长约 2 mm。花期 3 ~ 4 月，果期 4 ~ 6 月。

| **生境分布** | 生于海拔 1 600 m 以下的山坡、山谷、川地、丘陵及沙岗等。栽培于公园、庭院、路边，喜阳光充足、土壤肥沃的环境。湖南各地均有分布。

| **资源情况** | 野生资源丰富。药材来源于野生和栽培。

| 采收加工 | 榆枝：夏、秋季采收，鲜用或晒干。

榆白皮：春、秋季采收根皮，春季或 8 ~ 9 月割下老枝条，立即剥取内皮（即韧皮部），晒干。

榆皮涎：全年均可采收，割破茎皮，收集流出的涎汁。

榆叶：夏、秋季采收，鲜用或晒干。

榆花：3 ~ 4 月采收，鲜用或晒干。

榆荚仁：4 ~ 6 月果实成熟时采收，除去果翅，晒干。

| 药材性状 | 榆枝：本品为圆形厚片，表面类白色，中心髓部小，呈白色，周边黄褐色。质坚硬。气微，味淡、微涩。

榆白皮：本品呈板片状或浅槽状，长短不一，厚 3 ~ 7 mm。外表面浅黄白色或灰白色，较平坦，皮孔横生，嫩皮较明显，有不规则的纵向浅裂纹，偶有残存的灰褐色粗皮；内表面黄棕色，具细密的纵棱纹。质柔韧，纤维性。气微，味稍淡，有黏性。

榆叶：本品常皱缩，展平后呈椭圆状卵形或椭圆状披针形，长 2 ~ 8 cm，宽 2 ~ 2.5 cm，上表面暗绿色，下表面颜色稍浅，叶脉明显，侧脉 9 ~ 16 对，脉腋有簇生的白色茸毛，叶缘有单锯齿；叶柄长 0.2 ~ 1 cm。质脆，易碎。气微，味稍涩。

榆花：本品略呈类球形或不规则团状，直径 5 ~ 8 mm，有短梗，暗紫色。花被针形，4 ~ 5 裂；雄蕊 4 ~ 5，伸出于花被或脱落，花药紫色；雌蕊 1，子房扁平，花柱 2。体轻，质柔韧。气微，味淡。

榆荚仁：本品呈类圆形或倒卵形，黄褐色，直径 0.3 ~ 0.6 cm，边缘有残存的果翅。

| 功能主治 | 榆枝：甘，平。利尿通淋。用于气淋。

榆白皮：甘，微寒。归肺、脾、膀胱经。利水通淋，祛痰，消肿解毒。用于小便不利，淋浊，带下，咳喘痰多，失眠，内、外伤出血，难产胎死不下，痈疽，白秃疮，疥癣。

榆皮涎：杀虫。用于疥癣。

榆叶：甘，平。清热利尿，安神，祛痰止咳。用于水肿，小便不利，石淋，尿浊，失眠，暑热困闷，痰多咳嗽，酒渣鼻。

榆花：甘，平。清热定惊，利尿疗疮。用于小儿惊痫，小便不利，头疮。

榆荚仁：苦、微辛，平。健脾安神，清热利水，消肿杀虫。用于失眠，食欲不振，带下，小便不利，水肿，小儿疳热羸瘦，烫火伤，疮癣。

| 用法用量 |　**榆枝**：内服煎汤，9～15 g。

榆白皮：内服煎汤，9～15 g；或研末。外用适量，煎汤洗；或捣敷；或研末调敷。

榆皮涎：外用适量，涂敷。

榆叶：内服煎汤，5～10 g；或入丸、散剂。外用适量，煎汤洗。

榆花：内服煎汤，5～9 g。外用适量，研末调敷。

榆荚仁：内服煎汤，10～15 g。外用适量，研末调敷。

榆科 Ulmaceae 榉属 Zelkova

大叶榉树

Zelkova schneideriana Hand.-Mazz.

| 药 材 名 | 榉树皮（药用部位：树皮、根皮）、榉树叶（药用部位：叶）。

| 形态特征 | 乔木，高达 35 m，胸径达 80 cm。树皮灰褐色至深灰色，呈不规则
片状剥落。当年生枝灰绿色或褐灰色，密生伸展的灰色柔毛；冬芽
常 2 个并生，球形或卵状球形。叶厚纸质，大小、形状变异很大，
卵形至椭圆状披针形，长 3 ~ 10 cm，宽 1.5 ~ 4 cm，先端渐尖、
尾状渐尖或锐尖，基部稍偏斜，圆形或宽楔形，干后呈深绿色至暗
褐色，被糙毛，叶背浅绿色，干后变为淡绿色至紫红色，密被柔毛，
边缘具圆齿状锯齿，侧脉 8 ~ 15 对；叶柄短粗，长 3 ~ 7 mm，被
柔毛。雄花 1 ~ 3 簇生于叶腋；雌花或两性花常单生于小枝上部叶腋。
核果与榉树相似。花期 4 月，果期 9 ~ 11 月。

| 生境分布 | 生于海拔 200 ~ 1 100 m 的溪旁或山坡土层较厚的疏林中。分布于湖南怀化（沅陵、通道、溆浦）、衡阳（雁峰、南岳）等。

| 资源情况 | 野生资源较少。药材来源于野生。

| 采收加工 | 榉树皮：全年均可采收，鲜用或晒干。
榉树叶：夏、秋季采收，鲜用或晒干。

| 药材性状 | 榉树叶：本品常皱缩，展平后呈长椭圆状卵形或卵状披针形，长 2 ~ 10 cm，宽 1 ~ 4 cm，上面绿褐色，粗糙，有脱落性硬毛，下面色稍浅，密生淡灰色毛，叶脉在下面明显，侧脉 8 ~ 15 对，叶缘具波状单锯齿；叶柄长 1 ~ 6 mm。纸质，脆而易碎。

| 功能主治 | 榉树皮：苦，寒。清热解毒，止血，利水，安胎。用于感冒发热，血痢，便血，水肿，妊娠腹痛，目赤肿痛，烫伤，疮疡肿痛。
榉树叶：苦，寒。清热解毒，凉血。用于疮疡肿痛，崩中带下。

| 用法用量 | 榉树皮：内服煎汤，3 ~ 10 g。外用适量，煎汤洗。
榉树叶：内服煎汤，6 ~ 10 g。外用适量，捣敷。

榆科 Ulmaceae 榉属 Zelkova

榉树
Zelkova serrata (Thunb.) Makino

| 药 材 名 | 榉树皮（药用部位：树皮、根皮）、榉树叶（药用部位：叶）。

| 形态特征 | 乔木，高达 30 m，胸径达 100 cm。树皮灰白色或褐灰色，呈不规则片状剥落。叶薄纸质至厚纸质，大小、形状变异很大，卵形、椭圆形或卵状披针形，长 3 ~ 10 cm，宽 1.5 ~ 5 cm，先端渐尖或尾状渐尖，基部有的稍偏斜，圆形或浅心形，边缘有圆齿状锯齿，具短尖头，侧脉（5 ~）7 ~ 14 对；叶柄短粗，长 2 ~ 6 mm，被短柔毛；托叶膜质，紫褐色，披针形，长 7 ~ 9 mm。雄花具极短的梗，直径约 3 mm，花被裂至中部，花被片（5 ~）6 ~ 7（~ 8），不等大，外面被细毛，退化子房缺；雌花近无梗，直径约 1.5 mm，花被片 4 ~ 5（~ 6），外面被细毛，子房被细毛。核果几乎无柄，淡绿色，

斜卵状圆锥形，上面偏斜，凹陷，直径 2.5 ~ 3.5 mm，具背腹脊，网肋明显，表面被柔毛，具宿存的花被。花期 4 月，果期 9 ~ 11 月。

| **生境分布** | 生于海拔 500 ~ 1 100 m 的河谷、溪边疏林中。分布于湖南益阳（赫山）、郴州（桂阳、嘉禾）、怀化（辰溪、洪江）、湘西州（古丈、永顺）等。

| **资源情况** | 野生资源一般。药材来源于野生。

| **采收加工** | 榉树皮：全年均可采收，鲜用或晒干。
榉树叶：夏、秋季采收，鲜用或晒干。

| **药材性状** | 榉树叶：本品常皱缩，展平后呈长椭圆状卵形或卵状披针形，长 2 ~ 10 cm，宽 1 ~ 4 cm，上面绿褐色，粗糙，有脱落性硬毛，下面色稍浅，密生淡灰色毛，叶脉在下面明显，侧脉 7 ~ 14 对，叶缘具波状单锯齿；叶柄长 1 ~ 4 mm。纸质，脆而易碎。

| **功能主治** | 榉树皮：苦，寒。清热解毒，止血，利水，安胎。用于感冒发热，血痢，便血，水肿，妊娠腹痛，目赤肿痛，烫伤，疮疡肿痛。
榉树叶：苦，寒。清热解毒，凉血。用于疮疡肿痛，崩中带下。

| **用法用量** | 榉树皮：内服煎汤，3 ~ 10 g。外用适量，煎汤洗。
榉树叶：内服煎汤，6 ~ 10 g。外用适量，捣敷。

杜仲科 Eucommiaceae 杜仲属 Eucommia

杜仲
Eucommia ulmoides Oliver

| 药 材 名 |

杜仲（药用部位：树皮）、杜仲叶（药用部位：叶）、櫾芽（药用部位：嫩叶）。

| 形态特征 |

落叶乔木，高达 20 m。小枝光滑，黄褐色或颜色较淡，具片状髓。皮、枝及叶均含胶质。单叶互生，椭圆形或卵形，长 7 ～ 15 cm，宽 3.5 ～ 6.5 cm，先端渐尖，基部广楔形，边缘有锯齿，幼叶上面疏被柔毛，下面毛较密，老叶上面光滑，下面叶脉处疏被毛；叶柄长 1 ～ 2 cm。花单性，雌雄异株，与叶同时开放或先于叶开放，生于当年生枝基部苞片的腋内，有花梗，无花被；雄花有雄蕊 6 ～ 10；雌花有一裸露而延长的子房，子房 1 室，先端有二叉状花柱。翅果呈卵状长椭圆形而扁，先端 2 裂，基部楔形，内有种子 1，种子扁平，线形。早春开花，秋后果实成熟。

| 生境分布 |

生于海拔 300 ～ 1 500 m 的低山、谷地或低坡的疏林中。栽培于海拔 1 200 m 以下的向阳山坡。湖南各地均有分布。

| 资源情况 | 野生资源稀少。栽培资源丰富。药材来源于栽培。

| 采收加工 | **杜仲：**4～6月剥取，刮去粗皮，堆置"发汗"至内皮呈紫褐色，晒干。
杜仲叶：秋末采收，除去杂质，洗净，晒干。
檰芽：春季嫩叶初生时采摘，鲜用或晒干。

| 药材性状 | **杜仲：**本品呈板片状或两边稍向内卷，大小不一，厚3～7 mm。外表面淡棕色或灰褐色，有明显的皱纹或纵裂槽纹，较薄者未去粗皮，可见明显的皮孔；内表面暗紫色，光滑。质脆，易折断，断面有细密、富弹性的银白色橡胶丝相连。气微，味稍苦。

杜仲叶：本品多皱缩，破碎，完整叶片展平后呈椭圆形或卵圆形，长 7 ～ 15 cm，宽 3.5 ～ 7 cm，暗黄绿色，先端渐尖，基部圆形或广楔形，边缘具锯齿，下表面脉上有柔毛；叶柄长 1 ～ 1.5 cm。质脆，折断后可见富弹性、银白色的橡胶丝。气微，味微苦。

| **功能主治** | 杜仲：甘，温。归肝、肾经。补肝肾，强筋骨，安胎。用于肝肾不足，腰膝酸痛，筋骨无力，头晕目眩，妊娠漏血，胎动不安。

杜仲叶：微辛，温。归肝、肾经。补肝肾，强筋骨，降血压。用于肝肾不足，腰膝酸痛，头晕目眩，筋骨痿软。

橼芽：甘，平。补虚生津，解毒，止血。用于身体虚弱，口渴，脚气，痔疮肿痛，便血。

| **用法用量** | 杜仲：内服煎汤，6 ～ 10 g；或浸酒；或入丸、散剂。

杜仲叶：内服煎汤，10 ～ 15 g。

橼芽：内服煎汤，3 ～ 10 g；或研末，1 ～ 3 g。

桑科 Moraceae 构属 Broussonetia

藤构

Broussonetia kaempferi Sieb. var. *australis* Suzuki

| 药 材 名 | 谷皮藤（药用部位：根）。

| 形态特征 | 蔓生藤状灌木。树皮黑褐色。小枝显著伸长，幼时被浅褐色柔毛，成长时脱落。叶互生，螺旋状排列，呈近对称的卵状椭圆形，长 3.5 ~ 8 cm，宽 2 ~ 3 cm，先端渐尖至尾尖，基部心形或截形，边缘锯齿细，齿尖具腺体，不裂，稀为 2 ~ 3 裂，表面无毛，稍粗糙；叶柄长 8 ~ 10 mm，被毛。花雌雄异株，雄花序短穗状，长 1.5 ~ 2.5 cm，花序轴长约 1 cm；雄花花被裂片 3 ~ 4，裂片外面被毛，雄蕊 3 ~ 4，花药黄色，椭圆球形，退化雌蕊小；雌花集生为球形头状花序。聚花果直径 1 cm，花柱线形，延长。花期 4 ~ 6 月，果期 5 ~ 7 月。

| **生境分布** | 生于海拔 300 ~ 1 000 m 的山谷灌丛中、沟边、山坡、路旁。湖南有广泛分布。 |

| **资源情况** | 野生资源较丰富。药材来源于野生。 |

| **采收加工** | 4 ~ 11 月采挖，洗净，切片，晒干或鲜用。 |

| **功能主治** | 微甘，平。清热利尿，活血消肿。用于肺热咳嗽，石淋，黄疸，跌扑损伤。 |

| **用法用量** | 内服煎汤，30 ~ 60 g。外用适量，捣敷。 |

楮

Broussonetia kazinoki Sieb.

| 药 材 名 | 构皮麻（药用部位：全株或根、根皮）、小构树叶（药用部位：叶）。

| 形态特征 | 灌木，高 2 ~ 4 m。小枝斜上，幼时被毛，成长时脱落。叶卵形至斜卵形，长 3 ~ 7 cm，宽 3 ~ 4.5 cm，先端渐尖至尾尖，基部近圆形或斜圆形，边缘具三角形锯齿，不裂或 3 裂，表面粗糙，背面近无毛；叶柄长约 1 cm；托叶小，线状披针形，渐尖，长 3 ~ 5 mm，宽 0.5 ~ 1 mm。花雌雄同株；雄花序头状球形，直径 8 ~ 10 mm，花被 3 ~ 4 裂，裂片三角形，外面被毛，雄蕊 3 ~ 4，花药椭圆形；雌花序球形，被柔毛，花被管状，先端齿裂或近全缘，花柱单生，仅在近中部有小突起。聚花果球形，直径 8 ~ 10 mm；瘦果扁球形，外果皮壳质，表面具瘤体。花期 4 ~ 5 月，果期 5 ~ 6 月。

| 生境分布 | 生于海拔 1 000 m 以下的山坡林缘、沟边、宅旁。湖南各地均有分布。

| 资源情况 | 野生资源丰富。药材来源于野生。

| 采收加工 | **构皮麻**：全年均可采收，晒干。
小构树叶：全年均可采收，鲜用或晒干。

| 功能主治 | **构皮麻**：甘、淡，平。归肝、肾、膀胱经。祛风除湿，散瘀消肿。用于风湿痹痛，泄泻，痢疾，黄疸，水肿，痈疖，跌打损伤。
小构树叶：淡，凉。清热解毒，祛风止痒，敛疮止血。用于痢疾，神经性皮炎，疥癣，疖肿，刀伤出血。

| 用法用量 | **构皮麻**：内服煎汤，30 ~ 60 g。
小构树叶：内服煎汤，30 ~ 60 g；或捣汁饮。外用适量，捣敷；或绞汁搽。

桑科 Moraceae 构属 Broussonetia

构树

Broussonetia papyifera (L.) L'Hert. ex Vent.

| 药 材 名 |

楮树根（药用部位：嫩根或根皮）、楮树皮（药用部位：树皮）、楮叶（药用部位：叶）、楮实子（药用部位：果实）。

| 形态特征 |

乔木，高 10 ~ 20 m。树皮暗灰色。小枝密生柔毛。叶广卵形至长椭圆状卵形，长 6 ~ 18 cm，宽 5 ~ 9 cm，先端渐尖，基部心形，两侧常不相等，边缘具粗锯齿，不分裂或 3 ~ 5 裂，小树之叶常有明显分裂，表面粗糙，疏生糙毛，背面密被绒毛，基生叶脉 3 出，侧脉 6 ~ 7 对；叶柄长 2.5 ~ 8 cm，密被糙毛；托叶大，卵形，狭渐尖。花雌雄异株；雄花序为柔荑花序，粗壮，长 3 ~ 8 cm，苞片披针形，被毛，花被 4 裂，裂片三角状卵形，被毛，雄蕊 4，花药近球形，退化雌蕊小；雌花序头状球形，苞片棍棒状，先端被毛，花被管状，先端与花柱紧贴，子房卵圆形，柱头线形，被毛。聚花果直径 1.5 ~ 3 cm，成熟时呈橙红色，肉质；瘦果具与其等长的柄，表面有小瘤，龙骨双层，外果皮壳质。花期 4 ~ 5 月，果期 6 ~ 7 月。

| **生境分布** | 生于低海拔的山坡林缘、村寨道旁。湖南各地均有分布。 |

| **资源情况** | 野生资源丰富。药材来源于野生。 |

| **采收加工** | **楮树根：**春季采挖嫩根，或秋季采挖根并剥取根皮，鲜用或晒干。
楮树皮：冬、春季剥取，鲜用或阴干。
楮叶：全年均可采收，鲜用或晒干。
楮实子：9月果实变红时采摘，除去灰白色膜状宿萼及杂质，晒干。 |

| **药材性状** | **楮实子：**果实呈扁圆形或卵圆形，长1.5～3 cm，直径约1.5 cm，厚至1 cm。表面红棕色，有网状皱纹或疣状突起。一侧有棱，一侧略平或有凹槽，有的具子房柄。果皮坚脆，易压碎，膜质种皮紧贴于果皮内面，胚乳类白色，富油性。气微，味淡。 |

| **功能主治** | **楮树根：**甘，微寒。凉血散瘀，清热利湿。用于咳嗽，吐血，崩漏，水肿，跌打损伤。 |

楮树皮：甘，平。利尿消肿，祛风湿。用于水肿，筋骨酸痛；外用于神经性皮炎，癣疾。

楮叶：甘，凉。凉血止血，利尿解毒。用于吐血，衄血，血崩，金疮出血，水肿，疝气，痢疾，毒疮。

楮实子：甘，寒。归肝、肾经。补肾清肝，明目，利尿。用于肝肾不足，腰膝酸软，虚劳骨蒸，头晕目昏，目生翳膜，水肿胀满。

| 用法用量 |　楮树根：内服煎汤，30 ~ 60 g。

楮树皮：内服煎汤，6 ~ 10 g。外用适量，割破树皮，取鲜浆汁擦。

楮叶：内服煎汤，3 ~ 6 g；或捣汁；或入丸、散剂。外用适量，捣敷。

楮实子：内服煎汤，6 ~ 12 g；或入丸、散剂。外用适量，捣敷。

桑科 Moraceae 大麻属 Cannabis

大麻 *Cannabis sativa* L.

| 药 材 名 |

火麻仁（药用部位：种仁。别名：蓖、麻子、麻子仁）、麻根（药用部位：根。别名：麻青根、大麻根）、麻花（药用部位：雄花。别名：麻勃、乌麻花）、麻皮（药用部位：茎皮部纤维）、麻叶（药用部位：叶。别名：火麻叶、火麻头）、麻蕡（药用部位：雌花序及幼嫩果序。别名：麻勃、麻蓝、青羊）。

| 形态特征 |

一年生直立草本，高 1 ～ 3 m，枝具纵沟槽，密生灰白色贴伏毛。叶掌状全裂，裂片披针形或线状披针形，长 7 ～ 15 cm，中裂片最长，宽 0.5 ～ 2 cm，先端渐尖，基部狭楔形，表面深绿，微被糙毛，背面幼时密被灰白色贴伏毛后变无毛，边缘具向内弯的粗锯齿，中脉及侧脉在表面微下陷，在背面隆起；叶柄长 3 ～ 15 cm，密被灰白色贴伏毛；托叶线形。雄花序长达 25 cm，花黄绿色，花被 5，膜质，外面被细贴伏毛，雄蕊 5，花丝极短，花药长圆形；小花梗长 2 ～ 4 mm；雌花绿色；花被 1，紧包子房，略被小毛，子房近球形，外面包于苞片。瘦果为宿存黄褐色苞片所包，果皮坚脆，表面具细网纹。花期 5 ～ 6 月，果期 7 月。

| 生境分布 | 生于路旁、田野。分布于湖南衡阳（南岳）、常德（武陵）等。

| 资源情况 | 野生资源一般。栽培资源稀少。药材主要来源于栽培。

| 采收加工 | **火麻仁：** 10 ~ 11 月果实大部分成熟时，割取果株，晒干，脱粒，扬净。
麻根： 全年均可采挖，去净泥土，晒干。
麻花： 5 ~ 6 月花期时采收，鲜用或晒干。
麻皮： 夏、秋季采收茎，剥取皮部，除去外皮，晒干。
麻叶： 夏、秋季枝叶茂盛时采收，鲜用或晒干。
麻蕡： 夏季采收，鲜用或晒干。

| 药材性状 | **火麻仁：** 本品果实呈扁卵圆形，长 3 ~ 5 mm，宽 3 ~ 4 mm。表面灰褐色或灰绿色，有细微的白色或棕色网纹，先端略尖，基部有圆形的果柄痕，两侧有棱，果皮薄而脆，易破碎。种皮暗绿色，胚弯曲，被菲薄胚乳。子叶与胚根等长，乳白色。富油性。气微，味淡，嚼后稍有麻舌感。

| 功能主治 | **火麻仁：** 甘，平。归脾、胃、大肠经。润燥滑肠，利水通淋，活血。用于肠燥便秘，风痹，消渴，风水，脚气，热淋，痢疾，月经不调，疮癣，丹毒。
麻根： 苦，平。散瘀，止血，利尿。用于跌打损伤，难产，胞衣不下，血崩，淋证，带下。
麻花： 苦、辛，温；有毒。祛风，活血，生发。用于风病肢体麻木，遍身瘙痒，眉发脱落，经闭。
麻皮： 甘，平。归大肠、脾经。活血，利尿。用于跌扑损伤，热淋胀痛。
麻叶： 苦、辛，平；有毒。截疟，驱蛔，定喘。用于疟疾，蛔虫病，气喘。
麻蕡： 辛，平；有毒。祛风镇痛，定惊安神。用于痛风，痹证，癫狂，失眠，咳喘。

| 用法用量 | **火麻仁：** 内服煎汤，10 ~ 15 g；或入丸、散剂。外用适量，捣敷；或煎汤洗。
麻根： 内服煎汤或捣汁，9 ~ 15 g。
麻花： 内服煎汤，1 ~ 3 g；或入膏、丸剂。外用适量，研末敷；或作炷燃灸。
麻皮： 内服煎汤，9 ~ 15 g；或研末冲服。
麻叶： 内服 0.2 ~ 1.5 g，捣汁；或入丸、散剂。外用适量，捣敷。
麻蕡： 内服煎汤，0.3 ~ 0.6 g。外用适量，捣敷。

桑科 Moraceae 柘属 Cudrania

构棘
Cudrania cochinchinensis (Lour.) Kudo et Masam.

| 药 材 名 |

穿破石（药用部位：根）、山荔枝果（药用部位：果实）、奴柘刺（药用部位：棘刺）。

| 形态特征 |

直立或攀缘灌木。枝无毛，具粗壮、弯曲、无叶的腋生刺，刺长约 1 cm。叶革质，椭圆状披针形或长圆形，长 3 ~ 8 cm，宽 2 ~ 2.5 cm，全缘，先端钝或短渐尖，基部楔形，两面无毛，侧脉 7 ~ 10 对；叶柄长约 1 cm。花雌雄异株，雌雄花序均为具苞片的球形头状花序，每花具 2 ~ 4 苞片；苞片锥形，内面具黄色腺体 2，苞片常附着于花被片上；雄花序直径 6 ~ 10 mm，花被片 4，不相等，雄蕊 4，花药短，在芽时直立，退化雌蕊锥形或盾形；雌花序微被毛，花被片顶部厚，分离或下部合生，基部有黄色腺体 2。聚合果肉质，直径 2 ~ 5 cm，表面微被毛，成熟时呈橙红色；核果卵圆形，成熟时呈褐色，光滑。花期 4 ~ 5 月，果期 6 ~ 7 月。

| 生境分布 |

生于海拔 200 ~ 1 500 m 的阳光充足的荒坡、山地、林缘和溪旁。湖南各地均有分布。

| **资源情况** | 野生资源丰富。药材来源于野生。

| **采收加工** | **穿破石**：全年均可采收，除去泥土及须根，晒干；或洗净，趁鲜切片，晒干。亦可鲜用。

山荔枝果：夏、秋季果实近成熟时采收，鲜用或晒干。

奴柘刺：全年均可采收，鲜用或晒干。

| **药材性状** | **穿破石**：本品呈圆柱形，长短不一，直径 1.5 ~ 2.5 cm；或为圆形厚片。外皮黄色或橙红色，具显著的纵皱纹及少数须根痕。栓皮薄而易脱落。质地坚硬，不易折断，断面皮部薄，灰黄色，具韧性纤维，木部占绝大部分，黄色，柴性，导管孔明显，有的中央有小髓。气微，味淡。

山荔枝果：本品呈球形，直径 3 ~ 5 cm。鲜品橙红色，具茸毛，有乳黄色浆汁，干品棕红色，皱缩。剖开后可见果皮内层着生多数瘦果，每一瘦果均包裹在肉质的花被和苞片中。基部有极短的果柄。气微，味微甜。

奴柘刺：本品粗针状，长 5 ~ 10 mm，直立或略弯。表面灰褐色，光滑。体轻质硬，略带韧性，不易折断，断面黄色。气微，味淡。

| 功能主治 | **穿破石：**淡、微苦，凉。祛风通络，清热除湿，解毒消肿。用于风湿痹痛，跌打损伤，黄疸，腮腺炎，肺结核，复合性胃和十二指肠溃疡，淋浊，臌胀，闭经，劳伤咯血，疔疮痈肿。

山荔枝果：微甘，温。理气，消食，利尿。用于疝气，食积，小便不利。

奴柘刺：苦，微温。化瘀消积。用于腹中积聚，痞块。

| 用法用量 | **穿破石：**内服煎汤，9 ~ 30 g，鲜品可用至 120 g；或浸酒。外用适量，捣敷。

山荔枝果：内服煎汤，15 ~ 30 g；或嚼食。

奴柘刺：内服煎汤，6 ~ 12 g。

| 附　注 | 本种的拉丁学名在 FOC 中被修订为 *Maclura cochinchinensis* (Loureiro) Corner。

桑科 Moraceae 柘属 Cudrania

柘树
Cudrania tricuspidata (Carr.) Bur. ex Lavallee

| 药 材 名 |

穿破石（药用部位：根）、柘木（药用部位：木材）、柘木白皮（药用部位：除去栓皮的树皮或根皮）、奴柘刺（药用部位：棘刺）、柘树果实（药用部位：果实）、柘树茎叶（药用部位：枝、叶）。

| 形态特征 |

落叶灌木或小乔木，高达 7 m。树皮灰褐色。小枝暗绿褐色，具坚硬棘刺，刺长 5 ～ 20 mm。单叶互生；叶柄长 0.5 ～ 2 cm；托叶侧生，分离；叶片近革质，卵圆形或倒卵形，长 5 ～ 14 cm，先端钝或渐尖，基部楔形或圆形，全缘或 3 裂，上面暗绿色，下面淡绿色，幼时两面均有毛，成长后下面主脉略有毛，余均光滑无毛，基出脉 3，侧脉 4 ～ 5 对。花单性，雌雄异株，均为球形头状花序，具短梗，单个或成对着生于叶腋；雄花花被片 4，长圆形，基部有苞片 2 或 4，雄蕊 4，花丝直立；雌花花被片 4，花柱 1，线状。聚花果球形，肉质，直径约 2.5 cm，橘红色或橙黄色，表面微皱缩，瘦果包裹在肉质的花被里。花期 5 ～ 6 月，果期 6 ～ 7 月。

| **生境分布** | 生于海拔 1 000 m 以下的山坡灌丛、路旁、沟边、宅旁。湖南各地均有分布。

| **资源情况** | 野生资源丰富。药材来源于野生。

| **采收加工** | **穿破石：**全年均可采收，除去泥土、须根，晒干；或洗净，趁鲜切片，鲜用或晒干。
柘木：全年均可砍取树干及粗枝，趁鲜剥去树皮，切段或片，晒干。
柘木白皮：全年均可剥取树皮和根皮，刮去栓皮，鲜用或晒干。
奴柘刺：全年均可采收，鲜用或晒干。

柘树果实：秋季果实将成熟时采收，切片，鲜用或晒干。

柘树茎叶：夏、秋季采收，鲜用或晒干。

| **药材性状** |

穿破石：本品呈圆柱形，长短不一，直径 1.5 ~ 2.5 cm；或为圆形厚片。外皮黄色或橙红色，具显著纵皱纹及少数须根痕。栓皮薄而易脱落。质地坚硬，不易折断，断面皮部薄，灰黄色，具韧性纤维，木部占绝大部分，黄色，柴性，导管孔明显，有的中央有小髓。气微，味淡。

柘木：圆柱形，较粗壮，全体黄色或淡黄棕色。表面较光滑。质地硬，难折断，断面不平坦，黄色至黄棕色，中央可见小髓。气微，味淡。

柘木白皮：本品树皮为扭曲的条片，常纵向裂开，露出纤维，全体淡黄白色。体轻质韧，纤维性强。根皮为扭曲的卷筒状，外表面淡黄白色，偶有未除净的橙黄色栓皮，内表面黄白色，有细纵纹。气微，味淡。

奴柘刺：本品粗针状，长 5 ~ 20 mm，直立或略弯。表面灰褐色，光滑。体轻质硬，略带韧性，不易折断，断面黄色。气微，味淡。

柘树果实：本品近球形，直径约 2.5 cm。鲜品肉质，橙黄色，干品多为对开片，呈皱缩的半球形。全体橘黄色或棕红色，果皮内层着生多数瘦果，瘦果被干缩的肉质花被包裹，长约 0.5 cm，内含种子 1，棕黑色。气微，味微甘。

柘树茎叶：本品茎枝圆柱形，直径 0.5 ~ 2 cm。表面灰褐色或灰黄色，可见灰白色点状皮孔；茎节上有坚硬的粗针状棘刺，刺略弯曲，长 5 ~ 20 mm。单叶互生，易脱落，叶痕明显；叶片为卵圆形或倒卵形，长 5 ~ 13 cm，先端钝、渐尖或微凹缺，基部楔形，全缘，基出脉 3，侧脉 4 ~ 5 对，两面无毛，深绿色或绿棕色，厚纸质或近革质；叶柄长 0.5 ~ 2 cm。气微，味淡。

| 功能主治 |　**穿破石：** 淡、微苦，凉。祛风通络，清热除湿，解毒消肿。用于风湿痹痛，跌打损伤，黄疸，腮腺炎，肺结核，复合性胃和十二指肠溃疡，淋浊，臌胀，闭经，劳伤咯血，疔疮痈肿。

柘木： 甘，温。补虚。用于崩中血结，疟疾。

柘木白皮： 甘、微苦，平。补肾固精，利湿解毒，止血，化瘀。用于肾虚耳鸣，腰膝冷痛，遗精，带下，黄疸，疮疖，呕血，咯血，崩漏，跌打损伤。

奴柘刺： 苦，温。化瘀消积。用于腹中积聚，痞块。

柘树果实： 苦，平。清热凉血，舒筋活络。用于跌打损伤。

柘树茎叶： 甘、微苦，凉。清热解毒，祛风活络。用于疟腮，痈肿，荨麻疹，湿疹，跌打损伤，腰腿痛。

| 用法用量 |　**穿破石：** 内服煎汤，9 ~ 30 g，鲜品可用至 120 g；或浸酒。外用适量，捣敷。

柘木： 内服煎汤，15 ~ 60 g。外用适量，煎汤洗。

柘木白皮： 内服煎汤，15 ~ 30 g，大剂量可用至 60 g。外用适量，捣敷。

奴柘刺： 内服煎汤，6 ~ 12 g。

柘树果实： 内服煎汤，15 ~ 30 g；或研末。

柘树茎叶： 内服煎汤，9 ~ 15 g。外用适量，煎汤洗；或捣敷。

桑科 Moraceae 水蛇麻属 Fatoua

水蛇麻 *Fatoua villosa* (Thunb.) Nakai

| 药 材 名 | 水蛇麻叶（药用部位：叶）、水蛇麻（药用部位：全草）。

| 形态特征 | 一年生草本，高 30 ～ 80 cm。枝直立，纤细，少分枝或不分枝，幼时绿色，后变黑色，微被长柔毛。叶膜质，卵圆形至宽卵圆形，长 5 ～ 10 cm，宽 3 ～ 5 cm，先端急尖，基部心形至楔形，边缘锯齿三角形，微钝，两面被粗糙贴伏柔毛，侧脉每边 3 ～ 4；叶片在基部稍下延成叶柄；叶柄被柔毛。花单性，聚伞花序腋生，直径约 5 mm；雄花钟形，花被片长约 1 mm，雄蕊伸出花被片外，与花被片对生；雌花花被片宽舟状，稍长于雄花花被片，子房近扁球形，花柱侧生，丝状，长 1 ～ 1.5 mm，约长于子房 2 倍。瘦果略扁，具 3 棱，表面散生细小瘤体；种子 1。花期 5 ～ 8 月。

| **生境分布** | 生于海拔 200 ~ 800 m 的荒地、道旁、岩石及灌丛中。湖南各地均有分布。

| **资源情况** | 野生资源丰富。药材来源于野生。

| **功能主治** | **水蛇麻叶**：用于风热感冒，头痛，咳嗽。
　　　　　　　水蛇麻：用于刀伤，无名肿毒。

桑科 Moraceae 榕属 Ficus

石榕树 *Ficus abelii* Miq.

| 药 材 名 | 石榕树（药用部位：叶）。

| 形态特征 | 灌木，高 1 ~ 2.5 m。树皮深灰色。叶纸质，窄椭圆形至倒披针形，长 4 ~ 9 cm，宽 1 ~ 2 cm，先端短渐尖至急尖，基部楔形，全缘，表面散生短粗毛，成长后脱落，背面密生黄色或灰白色短硬毛和柔毛，基生侧脉对生，侧脉 7 ~ 9 对；叶柄长 4 ~ 10 mm，被毛；托叶披针形，长约 4 mm。榕果单生于叶腋，近梨形，直径 1.5 ~ 2 cm，成熟时呈紫黑色或褐红色，密生白色短硬毛，顶部脐状凸起，基部收缩为短柄，基生苞片 3，三角状卵形，被毛，总柄长 7 ~ 10 mm，被短粗毛；雄花散生于榕果内壁，近无梗，花被片 3，短于雄蕊，雄蕊 2 或 3，长短不一，花药长于花丝；瘿花同生于榕果内，花被

合生，先端有 3 ~ 4 齿裂，子房球形；雌花无花被，花柱长，近顶生，柱头线形。瘦果肾形，外有一层泡状黏膜包着。花期 5 ~ 7 月。

| **生境分布** | 生于低海拔的山沟或河谷两边。湖南各地均有分布。

| **资源情况** | 野生资源丰富。药材来源于野生。

| **功能主治** | 消肿止痛，祛腐生新。用于乳痈，刀伤。

桑科 Moraceae 榕属 Ficus

无花果 *Ficus carica* L.

| 药 材 名 | 无花果叶（药用部位：叶）、无花果（药用部位：果实）。

| 形态特征 | 落叶灌木，高 3 ～ 10 m，多分枝。树皮灰褐色，皮孔明显；小枝直立，粗壮。叶互生，厚纸质，广卵圆形，长、宽近相等，均为 10 ～ 20 cm，通常 3 ～ 5 裂，小裂片卵形，边缘具不规则钝齿，表面粗糙，背面密生细小钟乳体及灰色短柔毛，基部浅心形，基生侧脉 3 ～ 5，侧脉 5 ～ 7 对；叶柄长 2 ～ 5 cm，粗壮；托叶卵状披针形，长约 1 cm，红色。雌雄异株，雄花和瘿花同生于榕果内壁，雄花生于内壁口部，花被片 4 ～ 5，雄蕊 3，有时 1 或 5，瘿花花柱短，侧生；雌花花被与雄花同，子房卵圆形，光滑，花柱侧生，柱头 2 裂，线形。榕果单生于叶腋，大而呈梨形，直径 3 ～ 5 cm，顶部下陷，成熟时呈紫红色或黄色，基生苞片 3，卵形；瘦果透镜状。花果期 5 ～ 7 月。

| **生境分布** | 栽培于庭院、屋旁，喜阳光充足、土壤肥沃的环境。湖南各地均有栽培。

| **资源情况** | 栽培资源丰富。药材来源于栽培。

| **采收加工** | 无花果叶：夏、秋季采收，鲜用或晒干。
无花果：7～10月果实呈绿色时分批采摘或拾取落地的未成熟果实，用开水烫后，晒干或烘干。

| **药材性状** | 无花果：本品干燥的花序托呈倒圆锥形或类球形，长约2 cm，直径1.5～2 cm；表面淡黄棕色至暗棕色、青黑色，有波状弯曲的纵棱线，先端稍平截，中央有圆形突起，基部渐狭，带有果柄及残存的苞片。质坚硬，横切面黄白色，内壁着生众多细小瘦果。有时壁的上部尚见枯萎的雄花。瘦果卵形或三棱状卵形，长1～2 mm，淡黄色，外有宿萼包被。气微，味甜、略酸。

| **功能主治** | 无花果叶：甘、微辛，平；有小毒。清湿热，解疮毒，消肿止痛。用于湿热泄泻，带下，痔疮，痈肿疼痛，瘰疬。
无花果：甘，凉。归肺、胃、大肠经。清热生津，健脾开胃，解毒消肿。用于咽喉肿痛，燥咳声嘶，乳汁稀少，肠热便秘，食欲不振，消化不良，泄泻，痢疾，痈肿，癣疾。

| **用法用量** | 无花果叶：内服煎汤，9～15 g。外用适量，煎汤熏洗。
无花果：内服煎汤，9～15 g，大剂量可用30～60 g；或生食鲜果10～20 g。外用适量，煎汤洗；或研末调敷或吹喉。

桑科 Moraceae 榕属 Ficus

矮小天仙果
Ficus erecta Thunb.

| 药 材 名 | 天仙果（药用部位：果实）、牛奶浆根（药用部位：根）、牛奶柴（药用部位：茎、叶）。

| 形态特征 | 大型落叶灌木，高 3 ~ 4 m。枝粗壮，近无毛，疏分枝。叶倒卵形至狭倒卵形，先端急尖，具短尖头，基部圆形或浅心形，表面无毛，微粗糙，背面近光滑；叶柄长 1.5 ~ 4 cm。榕果单生于叶腋，球形，无毛，直径 1 ~ 1.5 cm，成熟时呈红色，总柄细，长 1 ~ 2 cm。

| 生境分布 | 生于海拔 300 ~ 1 100 m 的山坡林下或溪边。湖南各地均有分布。

| 资源情况 | 野生资源丰富。药材来源于野生。

| 采收加工 | **天仙果：**夏季结果时，拾取被风吹落或自行脱落的幼果及未成熟果

实，鲜用或晒干。

牛奶浆根：全年均可采收，鲜用或晒干。

牛奶柴：夏、秋季采收，洗净，晒干。

| 药材性状 | **天仙果：**本品呈卵圆形或梨形，直径约 1.5 cm，顶具凸头，黄红色至紫黑色，带有极短的果柄及残存的苞片。质坚硬，横切面内壁可见众多细小瘦果，有时壁的上部尚见枯萎的雄花。气微，味甜、略酸。以干燥、紫黑色、无霉者为佳。

| 功能主治 | **天仙果：**润肠通便，解毒消肿。用于便秘，痔疮肿痛。

牛奶浆根：甘、辛，温。益气健脾，活血通络，祛风除湿。用于劳倦乏力，食少，乳汁不下，脾虚带下，脱肛，月经不调，头风，跌打损伤，风湿关节痛。

牛奶柴：甘、淡，温。补中健脾，祛风湿，活血通络。用于气虚乏力，四肢酸软，风湿痹痛，筋骨不利，跌打损伤，经闭，乳汁不通。

| 用法用量 | **天仙果：**内服煎汤，15 ～ 30 g。

牛奶浆根：内服煎汤，30 ～ 60 g。外用适量，捣敷。

牛奶柴：内服煎汤，30 ～ 60 g。

桑科 Moraceae 榕属 Ficus

天仙果

Ficus erecta Thunb. var. *beecheyana* (Hook. et Arn.) King

|药材名|

天仙果（药用部位：果实）、牛奶浆根（药用部位：根）、牛奶柴（药用部位：茎、叶）。

|形态特征|

落叶小乔木或灌木，高 2 ~ 7 m。叶厚纸质，倒卵状椭圆形，长 7 ~ 20 cm，宽 3 ~ 9 cm，先端短渐尖，基部圆形至浅心形；叶柄长 1 ~ 4 cm，纤细，密被灰白色短硬毛；托叶三角状披针形，膜质，早落。榕果单生于叶腋，具总柄，球形或梨形，直径 1.2 ~ 2 cm，幼时被柔毛和短粗毛，顶生苞片脐状，基生苞片 3，卵状三角形，成熟时呈黄红色至紫黑色。雄花和瘿花生于同一榕果内壁，雌花生于另一植株的榕果中；雄花有梗或近无梗，花被片 2 ~ 4，椭圆形至卵状披针形，雄蕊 2 ~ 3；瘿花近无梗或有短梗，花被片 3 ~ 5，披针形，长于子房，被毛，子房椭圆状球形，花柱短，侧生，柱头 2 裂；雌花花被片 4 ~ 6，宽匙形，子房光滑，有短柄，花柱侧生，柱头 2 裂。花果期 5 ~ 6 月。

|生境分布|

生于海拔 300 ~ 1 100 m 的山坡林下或溪边。湖南各地均有分布。

| 资源情况 | 野生资源丰富。药材来源于野生。

| 采收加工 | **天仙果：**夏季结果时，拾取被风吹落或自行脱落的幼果及未成熟果实，鲜用或晒干。

牛奶浆根：全年均可采收，鲜用或晒干。

牛奶柴：夏、秋季采收，洗净，晒干。

| 药材性状 | **天仙果：**本品呈卵圆形或梨形，直径约 1.5 cm，顶具凸头，黄红色至紫黑色，带有极短的果柄及残存的苞片。质坚硬，横切面内壁可见众多细小瘦果，有时壁的上部尚见枯萎的雄花。气微，味甜、略酸。以干燥、紫黑色、无霉者为佳。

| 功能主治 | **天仙果：**润肠通便，解毒消肿。用于便秘，痔疮肿痛。

牛奶浆根：甘、辛，温。益气健脾，活血通络，祛风除湿。用于劳倦乏力，食少，乳汁不下，脾虚带下，脱肛，月经不调，头风，跌打损伤，风湿关节痛。

牛奶柴：甘、淡，温。补中健脾，祛风湿，活血通络。用于气虚乏力，四肢酸软，风湿痹痛，筋骨不利，跌打损伤，经闭，乳汁不通。

| 用法用量 | **天仙果：**内服煎汤，15 ~ 30 g。

牛奶浆根：内服煎汤，30 ~ 60 g。外用适量，捣敷。

牛奶柴：内服煎汤，30 ~ 60 g。

| 附 注 | FOC 将本种合并到矮小天仙果 *Ficus erecta* Thunb. 中。

桑科 Moraceae 榕属 Ficus

狭叶天仙果

Ficus erecta Thunb. var. *beecheyana* (Hook. et Arn.) King f. *koshunensis* (Hayata) Corner

| 药 材 名 | 狭叶天仙果（药用部位：根）。

| 形态特征 | 落叶小乔木或灌木，高 2 ～ 7 m。树皮灰褐色。小枝密生硬毛。叶长圆状披针形，长 7 ～ 20 cm，宽 3 ～ 9 cm，先端短渐尖，基部圆形至浅心形，全缘或上部偶有疏齿，表面粗糙，被白色粗长柔毛，侧脉 5 ～ 7 对；叶柄长 1 ～ 4 cm，纤细，密被灰白色短硬毛；托叶三角状披针形，膜质，早落。榕果近球形，被白色长柔毛，直径 1 ～ 1.2 cm，顶生苞片红色，基部缢缩为柄；果柄长 1 ～ 1.5 cm。雄花和瘿花生于同一榕果内壁，雌花生于另一植株榕果中；雄花有梗或近无梗，花被片 2 ～ 4，雄蕊 2 ～ 3；瘿花近无梗或有短梗，花被片 3 ～ 5，长于子房，子房椭圆状球形，花柱短，侧生，柱头 2 裂；

雌花花被片 4 ~ 6，子房有短柄，花柱侧生，柱头 2 裂。花果期 5 ~ 6 月。

| **生境分布** | 生于低海拔的丘陵岗地。分布于湖南邵阳（绥宁）等。

| **资源情况** | 野生资源稀少。药材来源于野生。

| **功能主治** | 祛风除湿。

| **附　　注** | FOC 将本种合并到矮小天仙果 *Ficus erecta* Thunb. 中。

桑科 Moraceae 榕属 Ficus

台湾榕

Ficus formosana Maxim.

| 药 材 名 | 台湾榕（药用部位：全株）、奶汁树（药用部位：根、叶）。

| 形态特征 | 灌木，高 1.5 ~ 3 m。小枝、叶柄、叶脉幼时疏被短柔毛；枝纤细，节短。叶膜质，倒披针形，长 4 ~ 11 cm，宽 1.5 ~ 3.5 cm，全缘或在中部以上有疏钝齿裂，顶部渐尖，中部以下渐窄，至基部成狭楔形，干后表面呈墨绿色，背面呈淡绿色，中脉不明显。榕果单生于叶腋，卵状球形，直径 6 ~ 9 mm，成熟时带红色，顶部脐状凸起，基部收缩为纤细短柄，基生苞片 3，边缘齿状，总柄长 2 ~ 3 mm，纤细。雄花散生于榕果内壁，有梗或无，花被片 3 ~ 4，卵形，雄蕊 2，稀为 3，花药长过花丝；瘿花花被片 4 ~ 5，舟状，子房球形，有柄，花柱短，侧生；雌花有梗或无，花被片 4，花柱长，柱头漏

斗形。瘦果球形，光滑。花期 4 ~ 7 月。

| **生境分布** | 生于海拔 200 ~ 1 000 m 的溪沟旁湿润处。湖南各地均有分布。

| **资源情况** | 野生资源丰富。药材来源于野生。

| **采收加工** | 台湾榕：全年均可采收，鲜用或晒干。

奶汁树：全年均可采收，鲜用或晒干。

| **功能主治** | 台湾榕：甘、微涩，平。活血补血，催乳，止咳，祛风利湿，清热解毒。用于月经不调，产后或病后虚弱，乳汁不下，咳嗽，风湿痹痛，跌打损伤，背痛，乳痈，毒蛇咬伤，湿热黄疸，急性肾小球肾炎，尿路感染。

奶汁树：辛、微涩，平。祛风利湿，清热解毒。用于风湿痹痛，黄疸，疟疾，背痛，乳痈，齿龈炎，毒蛇咬伤。

| **用法用量** | 台湾榕：内服煎汤，10 ~ 30 g。外用适量，捣敷。

奶汁树：内服煎汤，9 ~ 15 g。外用适量，捣敷。

桑科 Moraceae 榕属 Ficus

菱叶冠毛榕

Ficus gasparriniana Miq. var. *laceratifolia* (Lévl. et Vant.) Corner

| 药 材 名 | 菱叶冠毛榕根（药用部位：根）、菱叶冠毛榕果序托（药用部位：果序托）。

| 形态特征 | 灌木。小枝纤细，节短，幼嫩部分被糙毛，后近无毛。叶倒卵形，厚纸质至亚革质，长 6 ~ 10 cm，宽 2 ~ 3 cm，先端急尖至渐尖，基部楔形，微钝，全缘，叶背白绿色，微被柔毛或近无毛，叶上半部具数个不规则齿裂，侧脉 3 ~ 5 对；叶柄长约 1 cm，被柔毛；托叶披针形，长约 10 mm。榕果成对腋生或单生于叶腋，具长不过 10 mm 的柄，幼时呈卵状椭圆形，被柔毛，后呈椭圆状球形，有白斑，长 10 ~ 14 mm，直径 8 ~ 12 mm，成熟时呈紫红色，顶生苞片呈脐状凸起，红色，基生苞片 3。雄花具梗，花被片 3，被毛，

雄蕊 2 ~ 3；瘿花花被片 3 ~ 4，被毛，子房斜卵圆形，花柱侧生，2 浅裂；雌花花被片 4，先端被毛。瘦果卵球形，直径 2.5 ~ 3.5 mm，花柱侧生，弯曲。花期 5 ~ 7 月。

| **生境分布** | 生于海拔 600 ~ 1 300 m 的山脚、路边灌丛中。分布于湖南怀化（中方、辰溪、会同、芷江）等。

| **资源情况** | 野生资源较少。药材来源于野生。

| **功能主治** | **菱叶冠毛榕根：**清热解毒。用于痢疾，淋证，尿路感染，瘰疬，痔疮。
菱叶冠毛榕果序托：下乳。用于乳汁不足。

桑科 Moraceae 榕属 Ficus

绿叶冠毛榕
Ficus gasparriniana Miq. var. *viridescens* (Lévl. et Vant.) Corner

| **药 材 名** | 丛毛榕根（药用部位：根。别名：母猪精、铁牛入石、小叶钻石风）。

| **形态特征** | 灌木。小枝纤细，节短，幼嫩部分被糙毛，后近无毛。叶纸质，倒卵状椭圆形，长6～10 cm，宽2～3 cm，先端急尖至渐尖，基部楔形，微钝，全缘，表面粗糙，具瘤体，背面近无毛，基脉短，侧脉4～8对；叶柄长约1 cm，被柔毛；托叶披针形，长约10 mm。榕果成对腋生或单生于叶腋，具长不超过10 mm的柄，幼时卵状椭圆形，被柔毛，后呈椭圆状球形，有白斑，长10～14 mm，直径7～8 mm，成熟时呈紫红色，顶生苞片呈脐状凸起，红色，基生苞片3，宽卵形。雄花具梗，花被片3，被毛，雄蕊2～3；瘿花花被片3～4，被毛，倒披针形，子房斜卵圆形，花柱侧生，2浅裂；雌

花花被片 4，先端被毛。瘦果卵球形，光滑，花柱侧生，弯曲。花期 5 ~ 7 月。

| **生境分布** | 生于海拔 600 ~ 1 300 m 的溪沟旁湿润处。湖南有广泛分布。

| **资源情况** | 野生资源较丰富。药材来源于野生。

| **采收加工** | 全年均可采收，切段或片，晒干。

| **功能主治** | 甘、微辛，温。祛风行气，健脾利湿。用于风湿关节痛，消化不良，带下，溃疡久不收口。

| **用法用量** | 内服煎汤，30 ~ 120 g。外用适量，煎汤洗。

| **附　　注** | FOC 将本种合并到冠毛榕 *Ficus gasparriniana* Miq. 中。

桑科 Moraceae 榕属 Ficus

长叶冠毛榕

Ficus gasparriniana Miq. var. *esquirolii* (Lévl. et Vant.) Corner

| 药 材 名 | 长叶冠毛榕（药用部位：根）。

| 形态特征 | 灌木，小枝纤细，节短，幼嫩部分被糙毛，后近无毛。叶纸质，披针形，长 6 ~ 10 cm，宽 2 ~ 3 cm，先端急尖至渐尖，基部楔形，微钝，全缘，表面粗糙，具瘤体，背面被柔毛，侧脉 8 ~ 18 对，基脉短，侧脉 3 ~ 5 对；叶柄长约 1 cm，被柔毛；托叶披针形，长约 10 mm。榕果成对或单生于叶腋，具柄，柄长不超过 10 mm，幼时卵状椭圆形，被柔毛，后成椭圆状球形，有白色斑，长 10 ~ 14 mm，直径 10 mm 以上，成熟时紫红色，顶生苞片脐状突起，红色，基生苞片 3，宽卵形；雄花具柄，花被片 3，被毛，雄蕊 2 ~ 3；瘿花花被片 3 ~ 4，被毛，倒披针形，子房斜卵圆形，花

柱侧生，2 浅裂；雌花花被片 4，先端被毛。瘦果卵球形，光滑，花柱侧生，长，弯曲。花期 5 ～ 7 月。

| **生境分布** | 生于海拔 500 ～ 1000（～ 2000）m 的沟边或山坡灌丛中。分布于湖南湘西州（保靖）、怀化（通道）等。

| **资源情况** | 野生资源稀少。药材来源于野生。

| **功能主治** | 清热解毒，止痢。

桑科 Moraceae 榕属 Ficus

尖叶榕

Ficus henryi Warb. ex Diels

药 材 名

山枇杷（药用部位：果实）。

形态特征

小乔木，高 3 ～ 10 m。幼枝黄褐色，无毛，具薄翅。叶倒卵状长圆形至长圆状披针形，长 7 ～ 16 cm，宽 2.5 ～ 5 cm，先端渐尖或尾尖，基部楔形，表面深绿色，背面色稍淡，两面均被点状钟乳体，侧脉 5 ～ 7 对，网脉在背面明显，全缘或中部以上有疏锯齿；叶柄长 1 ～ 1.5 cm。榕果单生于叶腋，球形至椭圆形，直径 1 ～ 2 cm，总柄长 5 ～ 6 mm，顶生苞片呈脐状凸起，基生苞片 3。雄花生于榕果内壁的口部或散生，具长梗，花被片 4 ～ 5，白色，倒披针形，被微毛，雄蕊 3 ～ 4，花药椭圆形；瘿花生于雌花下部，具梗，花被片 5，卵状披针形；雌花生于另一植株榕果内壁，子房卵圆形，花柱侧生，柱头 2 裂。榕果成熟时呈橙红色；瘦果卵圆形，光滑，背面龙骨状。花期 5 ～ 6 月，果期 7 ～ 9 月。

生境分布

生于海拔 200 ～ 1 100 m 的山谷疏林或溪沟旁。湖南各地均有分布。

| **资源情况** | 野生资源丰富。药材来源于野生。

| **功能主治** | 清热利湿，解毒消肿。用于痔疮。

桑科 Moraceae 榕属 Ficus

异叶榕
Ficus heteromorpha Hemsl.

| 药 材 名 | 奶浆果（药用部位：果实）、奶浆木（药用部位：全株或根）。

| 形态特征 | 落叶灌木或小乔木，高 2 ~ 5 m。树皮灰褐色。小枝红褐色，节短。叶琴形、椭圆形或椭圆状披针形，长 10 ~ 18 cm，宽 2 ~ 7 cm，先端渐尖或为尾状，基部圆形或浅心形，表面略粗糙，背面有细小钟乳体，全缘或微波状，基生侧脉较短，侧脉 6 ~ 15 对，红色；叶柄长 1.5 ~ 6 cm，红色；托叶披针形，长约 1 cm。榕果成对生于短枝叶腋，稀单生，无总梗，球形或圆锥状球形，光滑，直径 6 ~ 10 mm，成熟时呈紫黑色，顶生苞片脐状，基生苞片 3，卵圆形。雄花和瘿花生于同一榕果中；雄花散生于内壁，花被片 4 ~ 5，匙形，雄蕊 2 ~ 3；瘿花花被片 5 ~ 6，子房光滑，花柱短；雌花花被片 4 ~ 5，

包围子房，花柱侧生，柱头画笔状，被柔毛。瘦果光滑。花期 4 ～ 5 月，果期 5 ～ 7 月。

| **生境分布** | 生于海拔 400 ～ 1 300 m 的山坡林下或溪边。湖南各地均有分布。

| **资源情况** | 野生资源丰富。药材来源于野生。

| **采收加工** | 奶浆果：夏、秋季采收，鲜用或晒干。
　　　　　　奶浆木：全年均可采收，鲜用或晒干。

| **药材性状** | 奶浆果：本品近球形，直径约 1 cm，先端有圆形突起，表面淡棕色至深棕色。剖开后花序托肉质，内壁着生多数瘦果，包藏于花被内。瘦果细小，近卵形，稍压扁，长约 3 mm，先端尖而略弯，基部圆钝，表面黄棕色，光滑。气微，味微甜。

| **功能主治** | 奶浆果：甘、酸，温。补血，下乳。用于脾胃虚弱，缺乳。
　　　　　　奶浆木：微苦、涩，微凉。祛风除湿，化痰止咳，活血，解毒。用于风湿痹痛，咳嗽，跌打损伤，毒蛇咬伤。

| **用法用量** | 奶浆果：内服炖肉，30 ～ 60 g，鲜品 250 ～ 500 g。
　　　　　　奶浆木：内服煎汤，15 ～ 30 g；或浸酒。外用适量，煎汤洗。

粗叶榕 *Ficus hirta* Vahl

| 药 材 名 |

五爪龙（药用部位：根、茎枝、叶。别名：五指毛桃、牛奶木）。

| 形态特征 |

灌木或小乔木。嫩枝中空，小枝、叶和榕果均被开展的金黄色长硬毛。叶互生，纸质，长椭圆状披针形或广卵形，长 10 ~ 25 cm，边缘具细锯齿，有时全缘或 3 ~ 5 深裂，先端急尖或渐尖，基部圆形、浅心形或宽楔形；叶柄长 2 ~ 8 cm；托叶卵状披针形。榕果成对腋生或生于已落叶枝上，球形或椭圆球形，无柄或近无柄，直径 10 ~ 15 mm；雌花果球形，雄花果及瘿花果卵球形，无柄或近无柄，直径 10 ~ 15 mm。雄花生于榕果内壁近口部，有梗，花被片 4，披针形，红色，雄蕊 2 ~ 3，花药椭圆形，长于花丝；瘿花花被片与雌花同数，子房球形，光滑，花柱短，侧生，柱头漏斗形；雌花生于雌株榕果内，有梗或无梗，花被片 4。瘦果椭圆球形，表面光滑，花柱贴生于一侧微凹处，细长，柱头棒状。

| 生境分布 |

生于海拔 200 ~ 800 m 的山地林中、林缘或村寨附近旷地。分布于湖南衡阳（衡山）、永州（道县、江永、江华、蓝山）、郴州（桂东、宜章）、怀化（通道）等。

| **资源情况** | 野生资源一般。药材来源于野生。

| **采收加工** | 全年均可采收，鲜用，或切段、片，晒干。

| **药材性状** | 本品根呈圆柱形短段或呈片状，段长 2 ~ 4 cm，直径 1 ~ 4 cm，片厚 0.5 ~ 1 cm；表面灰黄色或黄棕色，有红棕色花斑及细密纵皱纹，可见横向皮孔；质坚硬，不易折断，横切面皮部薄而韧，易剥离，富纤维性，木部宽大，淡黄白色，有较密的同心性环纹，纵切面木纹顺直。茎枝圆柱形，黄绿色，被金黄色的长硬毛；质脆，折断面髓部多中空。叶互生，多皱缩、破碎，完整叶片椭圆形或倒卵形，先端钝尖，基部狭，全缘或 3 ~ 5 深裂，绿色或枯绿色；质较厚。气微香，有类似败油气，味微甜。

| **功能主治** | 甘、微苦，平。祛风除湿，散瘀消肿。用于风湿痿痹，腰腿痛，痢疾，水肿，带下，瘰疬，跌打损伤，经闭，乳少。

| **用法用量** | 内服煎汤，30 ~ 60 g；或浸酒。外用适量，煎汤洗；或研末调敷。

桑科 Moraceae 榕属 Ficus

壶托榕

Ficus ischnopoda Miq.

| 药 材 名 | 壶托榕（药用部位：全株或根皮。别名：牛奶子、水牛奶）。

| 形态特征 | 灌木状小乔木，高 2 ~ 3 m；茎皮灰色，略具棱翅；幼枝节短，带红色。叶多集生于小枝顶，纸质，椭圆状披针形至倒披针形，长 4 ~ 13 cm，宽 1 ~ 3 cm，全缘，先端渐尖，基部楔形，表面深绿色，背面干后浅棕色，两面无毛，基生侧脉短，侧脉 7 ~ 15 对，弯弧向上；叶柄长 5 ~ 8 mm；托叶线状披针形，长约 8 mm。榕果单生于叶腋，稀成对腋生，或生于落叶小枝上，圆柱形或圆锥状，长 10 ~ 20 mm，直径 5 ~ 8 mm，表面具槽纹，基部缢缩成短柄，干瘦。总梗长 1 ~ 4 cm；雄花生于榕果内壁近口部，具柄，有苞片 1，花被片 3 ~ 4，倒披针形，雄蕊 2，花药椭圆形；瘿花近无柄，花被片 4，

子房近球形，花柱短，侧生，柱头 2 浅开裂；雌花生于另 1 植株榕果内壁，具柄，花被片与雄花同数。瘦果肾形，表面略具瘤状突起，花柱较长，柱头 2 裂。花果期 5 ~ 8 月。

| **生境分布** | 生于溪边、路旁。分布于湖南湘西州（永顺）等。

| **资源情况** | 野生资源稀少。药材来源于野生。

| **功能主治** | 全株，清热解毒。用于跌打损伤。根皮，舒筋活络。用于小儿惊风，风湿麻木。

榕树
Ficus microcarpa L. f.

| 药 材 名 | 榕树叶（药用部位：叶）、榕树皮（药用部位：树皮）、榕须（药用部位：气根）。

| 形态特征 | 大乔木，高 15 ～ 25 m，胸径达 50 cm，冠幅广展；老树常有锈褐色气根。树皮深灰色。叶薄革质，狭椭圆形，长 4 ～ 8 cm，宽 3 ～ 4 cm，先端钝尖，基部楔形，表面深绿色，干后呈深褐色，有光泽，全缘，基生叶脉延长，侧脉 3 ～ 10 对；叶柄长 5 ～ 10 mm，无毛；托叶小，披针形，长约 8 mm。榕果成对腋生或生于已落叶枝叶腋，成熟时呈黄色或微红色，扁球形，直径 6 ～ 8 mm，无总柄，基生苞片 3，广卵形，宿存。雄花、雌花、瘿花生于同一榕果内，花间有少许短刚毛；雄花无梗或具梗，散生于内壁，花丝与花药等长；雌花与瘿花相似，花被片 3，广卵形，花柱近侧生，柱头短，棒形。瘦果卵圆形。花

期 5 ~ 6 月。

| **生境分布** | 生于低海拔的林中、村边坡地、河边。栽培于街边、庭院,喜肥沃、湿润的环境。分布于湖南永州(江华、江永)等。

| **资源情况** | 野生资源较少。栽培资源一般。药材来源于野生和栽培。

| **采收加工** | 榕树叶:全年均可采,鲜用或晒干。

榕树皮:全年均可采剥,洗净,晒干。

榕须:采收后扎成小把,晒干。

| **药材性状** | 榕树叶:本品不规则卷曲,呈筒状,褐色至黄褐色,展平后呈椭圆形或卵形,长 3 ~ 8 cm,宽 2 ~ 4 cm,先端钝或短尖,基部稍狭,全缘,下面网脉明显;叶柄长 5 ~ 10 mm。革质,体轻,稍有韧性。气微,味苦、涩。

榕须:本品呈细条状,木质,长 1 m 左右,基部较粗,直径 4 ~ 8 mm,末端渐细,往往分枝,有时簇生 6 ~ 7 支根。表面红褐色,外皮多纵裂,有时剥落,皮孔灰白色,呈圆点状或椭圆状。质脆,皮部不易折断,断面木部棕色。以条细、红褐色者为佳。

| **功能主治** | 榕树叶:淡,凉。清热发表,解毒消肿,祛湿止痛。用于流行性感冒,慢性支气管炎,百日咳,扁桃体炎,目赤,牙痛,细菌性痢疾,肠炎,乳痈,烫伤,

跌打损伤。

榕树皮： 微苦，微寒。止泻，消肿，止痒。用于泄泻，痔疮，疥癣。

榕须： 苦、涩，平。散风热，祛风湿，活血止痛。用于流行性感冒，百日咳，麻疹不透，扁桃体炎，结膜炎，风湿关节痛，疝气腹痛，久痢，胃痛，带下，湿疹，阴痒，跌打损伤。

| **用法用量** | **榕树叶：** 内服煎汤，9 ~ 15 g；或研末；或浸酒。外用适量，捣敷。

榕树皮： 内服煎汤，9 ~ 15 g。外用适量，煎汤洗。

榕须： 内服煎汤，9 ~ 15 g；或浸酒。外用适量，捣碎，酒炒敷；或煎汤洗。

桑科 Moraceae 榕属 *Ficus*

琴叶榕
Ficus pandurata Hance

| 药 材 名 | 琴叶榕（药用部位：根、叶）。

| 形态特征 | 小灌木，高 1 ~ 2 m。枝小。嫩叶幼时被白色柔毛。叶纸质，提琴形或倒卵形，长 4 ~ 8 cm，先端急尖或有短尖，基部圆形至宽楔形，中部缢缩，表面无毛，背面叶脉有疏毛和小瘤点，基生侧脉 2，侧脉 3 ~ 5 对；叶柄疏被糙毛，长 3 ~ 5 mm；托叶披针形，迟落。榕果单生于叶腋，鲜红色，椭圆形或球形，直径 6 ~ 10 mm，顶部呈脐状凸起，基生苞片 3，卵形，总柄长 4 ~ 5 mm，纤细。雄花有梗，生于榕果内壁口部，花被片 4，线形，雄蕊 3，稀为 2，长短不一；瘿花有梗或无梗，花被片 3 ~ 4，倒披针形至线形，子房近球形，花柱侧生，很短；雌花花被片 3 ~ 4，椭圆形，花柱侧生，细长，柱头漏斗形。花期 6 ~ 8 月。

| **生境分布** | 生于海拔 300 ～ 1 500 m 的山地沟谷、疏林或灌丛中。湖南各地均有分布。 |

| **资源情况** | 野生资源丰富。药材来源于野生。 |

| **采收加工** | 根，全年均可采收，以秋季采收为佳。叶，夏、秋季采收，鲜用或晒干。 |

| **功能主治** | 甘、微辛，平。祛风除湿，解毒消肿，活血通经。用于风湿痹痛，黄疸，疟疾，百日咳，乳汁不通，乳痈，痛经，闭经，痈疖肿痛，跌打损伤，毒蛇咬伤。 |

| **用法用量** | 内服煎汤，30 ～ 60 g。外用适量，捣敷。 |

桑科 Moraceae 榕属 Ficus

条叶榕

Ficus pandurata Hance var. *angustifolia* Cheng

| 药材名 | 琴叶榕（药用部位：根、叶）。

| 形态特征 | 小灌木，高 1 ~ 2 m。枝小。嫩叶幼时被白色柔毛。叶线状披针形，长可达 16 cm，先端渐尖，侧脉 8 ~ 18 对；叶柄疏被糙毛，长 3 ~ 5 mm；托叶披针形，迟落。榕果单生于叶腋，鲜红色，椭圆形或球形，直径 6 ~ 10 mm，顶部呈脐状凸起，基生苞片 3，卵形，总柄长 4 ~ 5 mm，纤细。雄花有梗，生于榕果内壁口部，花被片 4，线形，雄蕊 3，稀为 2，长短不一；瘿花有梗或无梗，花被片 3 ~ 4，倒披针形至线形，子房近球形，花柱侧生，很短；雌花花被片 3 ~ 4，椭圆形，花柱侧生，细长，柱头漏斗形。花期 6 ~ 8 月。

| 生境分布 | 生于海拔 300 ~ 1 500 m 的山地、路边或灌丛中。湖南有广泛分布。

| **资源情况** | 野生资源较丰富。药材来源于野生。

| **采收加工** | 同琴叶榕。

| **功能主治** | 同琴叶榕。

| **用法用量** | 同琴叶榕。

| **附　　注** | FOC 将本种合并到琴叶榕 *Ficus pandurata* Hance 中。

桑科 Moraceae 榕属 Ficus

全缘琴叶榕 *Ficus pandurata* Hance var. *holophylla* Migo

| 药 材 名 | 琴叶榕（药用部位：根、叶）。

| 形态特征 | 小灌木，高 1 ～ 2 m。枝小。嫩叶幼时被白色柔毛。叶倒卵状披针形或披针形，先端渐尖，中部不收缢；叶柄疏被糙毛，长 3 ～ 5 mm；托叶披针形，迟落。榕果单生于叶腋，鲜红色，椭圆形，直径 4 ～ 6 mm，顶部微呈脐状，基生苞片 3，卵形，总柄长 4 ～ 5 mm，纤细。雄花有梗，生于榕果内壁口部，花被片 4，线形，雄蕊 3，稀为 2，长短不一；瘿花有梗或无梗，花被片 3 ～ 4，倒披针形至线形，子房近球形，花柱侧生，很短；雌花花被片 3 ～ 4，椭圆形，花柱侧生，细长，柱头漏斗形。花期 6 ～ 8 月。

| 生境分布 | 生于海拔 400 ～ 600 m 的山地溪边、旷野或灌丛中。湖南各地均有

分布。

| **资源情况** | 野生资源丰富。药材来源于野生。

| **采收加工** | 同琴叶榕。

| **功能主治** | 同琴叶榕。

| **用法用量** | 同琴叶榕。

| **附　　注** | FOC 将本种合并到琴叶榕 *Ficus pandurata* Hance 中。

桑科 Moraceae 榕属 Ficus

薜荔 *Ficus pumila* L.

| 药 材 名 | 薜荔（药用部位：茎、叶。别名：石壁藤、追骨风、爬岩风）、薜荔果（药用部位：花序托。别名：凉粉果、木馒头）。

| 形态特征 | 攀缘或匍匐灌木。叶二型，不育枝枝节上生不定根；叶卵状心形，长2.5 cm，薄革质，基部稍不对称，叶柄很短；结果枝上无不定根，叶革质，卵状椭圆形，长5～10 cm，宽2～3.5 cm，基部圆形至浅心形，全缘，上面无毛，下面被黄褐色柔毛，基生叶脉延长，网脉3～4对，叶柄长5～10 mm。榕果单生于叶腋，瘿花果梨形，雌花果近球形。雄花和瘿花同生于花序托内壁口部；雄花多数，有梗，花被片2～3，雄蕊2，花丝短；瘿花具梗，花被片3～4，花柱侧生；雌花生于另一植株花序托内壁，花梗长，花被片4～5。瘦果近球形，有黏液。花果期5～8月。

| **生境分布** | 生于海拔 250 ～ 1 200 m 的山坡树木间或断墙破壁上。湖南各地均有分布。

| **资源情况** | 野生资源丰富。药材来源于野生。

| **采收加工** | 薜荔：全年均可采收带叶的茎枝，除去气根及杂质，洗净，鲜用或晒干。
薜荔果：花序托成熟后采摘，纵剖成 2 ～ 4 片，除去花序托内细小的瘦果，晒干。

| **药材性状** | 薜荔：本品茎圆柱形，节处具呈簇状的攀缘根及点状凸起的根痕。叶互生，长约 2.5 cm，卵状心形，全缘，基部偏斜，上面光滑，深绿色，下面浅绿色，有显著凸起的网状叶脉，形成许多小凹窝，被细毛。茎质脆或坚韧，断面可见髓部，呈圆点状，偏于一侧。气微，味淡。

| **功能主治** | 薜荔：酸，凉。祛风除湿，活血通络，解毒消肿。用于风湿痹痛，坐骨神经痛，泻痢，小便淋沥，水肿，疟疾，闭经，产后瘀血腹痛，咽喉肿痛，睾丸炎，漆疮，痈疮肿毒，跌打损伤。
薜荔果：甘，平。补肾固精，活血，催乳。用于遗精，阳痿，乳汁不通，闭经，乳糜尿。

| **用法用量** | 薜荔：内服煎汤，9 ～ 15 g，鲜品 60 ～ 90 g；或捣汁；或浸酒；或研末。外用适量，捣汁涂；或煎汤熏洗。
薜荔果：内服煎汤，9 ～ 15 g。

桑科 Moraceae 榕属 Ficus

舶梨榕
Ficus pyriformis Hook. et Arn.

| 药 材 名 |

梨果榕（药用部位：茎）。

| 形态特征 |

灌木，高 1 ~ 2 m。小枝被糙毛。叶纸质，倒披针形至倒卵状披针形，长 4 ~ 11（~ 14）cm，宽 2 ~ 4 cm，先端渐尖或锐尖而为尾状，基部楔形至近圆形，全缘，稍背卷，表面光绿色，背面微被柔毛和细小疣点，侧脉 5 ~ 9 对，很不明显，基生侧脉短；叶柄被毛，长 1 ~ 1.5 cm；托叶披针形，红色，无毛，长约 1 cm。榕果单生于叶腋，梨形，直径 2 ~ 3 cm，无毛，有白斑。雄花生于内壁口部，花被片 3 ~ 4，披针形，雄蕊 2，花药卵圆形；瘿花花被片 4，线形，子房球形，花柱侧生；雌花生于另一植株榕果内壁，花被片 3 ~ 4，子房肾形，花柱侧生，细长。瘦果表面有瘤体。花期 12 月至翌年 6 月，果期全年。

| 生境分布 |

生于溪边林下潮湿地带。分布于湖南邵阳（邵东、洞口）、娄底（涟源）、常德（石门）等。

| **资源情况** | 野生资源较少。药材来源于野生。

| **采收加工** | 全年均可采收，切碎，鲜用或晒干。

| **功能主治** | 涩，凉。清热利水，止痛。用于小便淋沥，尿路感染，水肿，胃痛，腹痛。

| **用法用量** | 内服煎汤，15 ～ 30 g。

桑科 Moraceae 榕属 Ficus

珍珠莲

Ficus sarmentosa Buch.-Ham. ex J. E. Sm. var. *henryi* (King ex Oliv.) Corner

| 药 材 名 | 珍珠莲（药用部位：根、藤）、石彭子（药用部位：果实）。

| 形态特征 | 木质攀缘匍匐藤状灌木。幼枝密被褐色长柔毛。叶革质，卵状椭圆形，长 8 ~ 10 cm，宽 3 ~ 4 cm，先端渐尖，基部圆形至楔形，表面无毛，背面密被褐色柔毛或长柔毛，基生侧脉延长，侧脉 5 ~ 7 对，小脉网结成蜂窝状；叶柄长 5 ~ 10 mm，被毛。榕果成对腋生，圆锥形，直径 1 ~ 1.5 cm，表面密被褐色长柔毛，成长后脱落，顶生苞片直立，长约 3 mm，基生苞片卵状披针形，长 3 ~ 6 mm。榕果无总柄或具短柄。

| 生境分布 | 生于海拔 750 m 以下的阔叶林或灌丛中。湖南各地均有分布。

| **资源情况** | 野生资源丰富。药材来源于野生。

| **采收加工** | 珍珠莲：全年均可采收，洗净，切片，鲜用或晒干。
石彭子：秋、冬季采收，晒干。

| **药材性状** | 石彭子：本品倒圆锥形，直径约 1 cm，先端明显凸起，基部有短柄，表面暗灰色，有疣状突起和黄色茸毛。质坚硬，不易碎，击破后可见内含多数黄色卵形瘦果，瘦果包藏于红色花被内。

| **功能主治** | 珍珠莲：甘、涩，平。祛风除湿，消肿解毒，杀虫。用于风湿性关节炎，乳痈，疮疖，癣疾。
石彭子：甘、涩，平。归肺经。消肿止痛，止血。用于睾丸偏坠，跌打损伤，内痔便血。

| **用法用量** | 珍珠莲：内服煎汤，30 ~ 60 g。外用适量，捣敷；或和米汤磨汁敷。
石彭子：内服煎汤，9 ~ 15 g。

桑科 Moraceae 榕属 Ficus

尾尖爬藤榕

Ficus sarmentosa Buch.-Ham. ex J. E. Sm. var. *lacrymans* (Lévl. et Vant.) Corner

| 药 材 名 | 爬藤榕（药用部位：根茎）。

| 形态特征 | 藤状匍匐灌木。叶薄革质，披针状卵形，长 4 ~ 8 cm，宽 2 ~ 2.5 cm，先端渐尖至尾尖，基部楔形，两面绿色，干后绿白色至黄绿色，侧脉 5 ~ 6 对，网脉两面平；叶柄长约 5 mm。榕果成对腋生或生于落叶枝叶腋，球形，直径 5 ~ 9 mm，表面无毛或薄被柔毛。花期 4 ~ 5 月，果期 6 ~ 7 月。

| 生境分布 | 生于海拔 500 ~ 1 400 m 的山谷，攀缘于岩石上。湖南各地均有分布。

| 资源情况 | 野生资源一般。药材来源于野生。

| 采收加工 | 全年均可采收，鲜用或晒干。

| **功能主治** | 清热解毒，祛风通络，舒筋活血。

| **用法用量** | 内服煎汤，30～60 g；或炖肉。

桑科 Moraceae 榕属 Ficus

白背爬藤榕

Ficus sarmentosa Buch.-Ham. ex J. E. Sm. var. *nipponica* (Fr. et Sav.) Corner

| 药 材 名 | 白背爬藤榕（药用部位：花托）。

| 形态特征 | 木质藤状灌木。当年生小枝浅褐色。叶椭圆状披针形，背面浅黄色或灰黄色。榕果球形，直径 1 ~ 1.2 cm，顶生苞片脐状凸起，基生苞片三角状卵形，长 2 ~ 3 mm；总柄长不超过 5 mm。

| 生境分布 | 生于平原、丘陵地区。分布于湖南张家界（武陵源）、郴州（嘉禾）等。

| 资源情况 | 野生资源较少。药材来源于野生。

| 功能主治 | 用于内痔，便血。

桑科 Moraceae 榕属 Ficus

爬藤榕

Ficus sarmentosa Buch.-Ham. ex J. E. Sm. var. *impressa* (Champ.) Corner

| 药 材 名 | 爬藤榕（药用部位：根茎。别名：枇杷藤）。

| 形态特征 | 藤状匍匐灌木。叶革质，披针形，长 4 ~ 7 cm，宽 1 ~ 2 cm，先端渐尖，基部钝，背面白色至浅灰褐色，侧脉 6 ~ 8 对，网脉明显；叶柄长 5 ~ 10 mm。榕果成对腋生或生于落叶枝叶腋，球形，直径 7 ~ 10 mm，幼时被柔毛。花期 4 ~ 5 月，果期 6 ~ 7 月。

| 生境分布 | 常攀缘在岩石斜坡树上或墙壁上。湖南各地均有分布。

| 资源情况 | 野生资源一般。药材来源于野生。

| 采收加工 | 全年均可采收，鲜用或晒干。

| **功能主治** | 辛、甘，温。祛风除湿，行气活血，消肿止痛。用于风湿痹痛，神经性头痛，小儿惊风，胃痛，跌打损伤。

| **用法用量** | 内服煎汤，30 ~ 60 g；或炖肉。

桑科 Moraceae 榕属 Ficus

竹叶榕 *Ficus stenophylla* Hemsl.

| **药 材 名** | 水稻清（药用部位：全株）。

| **形态特征** | 小灌木，高1～3 m。小枝散生灰白色硬毛，节间短。叶纸质，干后灰绿色，线状披针形，长5～13 cm，先端渐尖，基部楔形至近圆形，表面无毛，背面有小瘤体，全缘背卷，侧脉7～17对；托叶披针形，红色，无毛，长约8 mm；叶柄长3～7 mm。榕果椭圆状球形，表面稍被柔毛，直径7～8 mm，成熟时呈深红色，先端脐状凸起，基生苞片三角形，宿存，总柄长20～40 mm。雄花和瘿花同生于雄株榕果中，雄花生于内壁口部，有短梗，花被片3～4，卵状披针形，红色，雄蕊2～3，花丝短；瘿花具梗，花被片3～4，倒披针形，内弯，子房球形，花柱短，侧生；雌花生于另一植株榕果中，近无梗，

花被片 4，线形，先端钝，瘦果透镜状，顶部具棱骨，一侧微凹入，花柱侧生，纤细。花果期 5 ～ 7 月。

| **生境分布** | 生于溪旁潮湿处或山坡路边。湖南各地均有分布。

| **资源情况** | 野生资源丰富。药材来源于野生。

| **采收加工** | 春、秋季采收，洗净，切片，晾干。叶亦鲜用。

| **功能主治** | 苦，温。祛痰止咳，祛风除湿，活血消肿，安胎，通乳。用于咳嗽胸痛，风湿关节痛，胎动不安，肾炎，乳痈，疮疖肿毒，跌打损伤。

| **用法用量** | 内服煎汤，15 ～ 30 g。外用适量，捣敷；或煎汤洗。

桑科 Moraceae 榕属 Ficus

地果
Ficus tikoua Bur.

| 药 材 名 |　地瓜藤（药用部位：茎、叶。别名：牛托鼻、地木耳、冬枇杷）、地瓜根（药用部位：根）、地瓜果（药用部位：未成熟果实。别名：地石榴、地枇杷果、地瓜）。

| 形态特征 |　匍匐木质藤本。茎上生细长不定根，节膨大；幼枝偶直立，高30 ~ 40 cm。叶坚纸质，倒卵状椭圆形，长2 ~ 8 cm，宽1.5 ~ 4 cm，先端急尖，基部圆形至浅心形，边缘具波状疏浅圆锯齿，基生侧脉较短，侧脉3 ~ 4对，表面被短刺毛，背面沿脉有细毛；叶柄长1 ~ 2 cm，直立幼枝的叶柄长达6 cm；托叶披针形，长约5 mm，被柔毛。榕果成对或簇生于匍匐茎上，常埋于土中，球形至卵球形，直径1 ~ 2 cm，基部收缩成狭柄，成熟时呈深红色，表面具多数圆形瘤点，基生苞片3，细小。雄花生于榕果内壁孔口部，无梗，花

被片 2 ~ 6，雄蕊 1 ~ 3；雌花生于另一植株榕果内壁，有短梗，无花被，有黏膜包被子房。瘦果卵球形，表面有瘤体，花柱长，侧生，柱头 2 裂。花期 5 ~ 6月，果期 7 月。

| **生境分布** | 生于荒地、草坡或岩石缝中。湖南各地均有分布。

| **资源情况** | 野生资源丰富。药材来源于野生。

| **采收加工** | 地瓜藤：9 ~ 10 月采收，洗净，晒干。
地瓜根：夏、秋季采挖全株，除去地上部分，洗净，晒干或鲜用。
地瓜果：夏季采收，晒干。

| **药材性状** | **地瓜藤：** 本品茎枝圆柱形，直径 4 ～ 6 mm，常附有须状不定根。表面棕红色至暗棕色，具纵皱纹，幼枝有明显的环状托叶痕。质稍硬，断面中央有髓。叶多折皱，破碎；完整叶倒卵状椭圆形，长 2 ～ 8 cm，宽 1.5 ～ 4 cm，先端急尖，基部圆形或近心形，边缘具细锯齿，上面灰绿色至深绿色，下面灰绿色，网脉明显。纸质，易碎。气微，味淡。

地瓜根： 本品类圆柱形，直径约 7 mm，表面暗紫棕色，具不规则纵皱纹。质硬，断面皮部暗紫色，木部灰黄色。气微，味淡。

地瓜果： 本品呈球形或卵圆形，直径 1 ～ 2 cm。表面黄绿色或淡红色，皱缩，基部有短柄。剖开后可见肉质花托内壁着生许多小瘦果。气微，味微涩。

| **功能主治** | **地瓜藤：** 苦、涩，寒。清热利湿，活血通络，解毒消肿。用于肺热咳嗽，痢疾，水肿，黄疸，小儿消化不良，风湿疼痛，经闭，带下，跌打损伤，痔疮出血，无名肿毒。

地瓜根： 苦、涩，凉。清热利湿，消肿止痛。用于泄泻，痢疾，黄肿病，风湿痹痛，遗精，带下，瘰疬，痔疮，牙痛，跌打伤痛。

地瓜果： 甘，微寒。清热解毒，涩精止遗。用于咽喉肿痛，遗精滑精。

| **用法用量** | **地瓜藤：** 内服煎汤，15 ～ 30 g。外用适量，捣敷；或煎汤洗。
地瓜根： 内服煎汤，30 ～ 60 g。
地瓜果： 内服煎汤，9 ～ 30 g；或用开水泡饮。

桑科 Moraceae 榕属 Ficus

斜叶榕
Ficus tinctoria Forst. f. subsp. *gibbosa* (Bl.) Corner

| 药 材 名 | 斜叶榕（药用部位：树皮、根皮）、斜叶榕叶（药用部位：叶）。

| 形态特征 | 乔木或附生。叶革质，形状变异很大，卵状椭圆形或近菱形，两侧极不相等，全缘或具角棱和角齿，大小相差很大，大树叶一般长不及 13 cm，宽不及 5 cm，而附生叶长超过 13 cm，宽 5 ~ 6 cm，质薄，侧脉 5 ~ 7 对，干后呈黄绿色。榕果直径 6 ~ 8 mm。隐头花序，花序托单生或成对腋生，扁球形或球状梨形，直径 5 ~ 8 mm，成熟时呈黄色，顶部脐状凸起，下端聚狭成梗，长 5 ~ 10 mm，微被柔毛，基部有少数苞片；雄花、瘿花着生于同一花序托内壁，雄花生于近口部，花被片 4 ~ 6，雄蕊 1，花丝短，有退化雌蕊；瘿花花被片与雄花相似，子房近球形，花柱侧生；雌花着生于另一植株花序托内，

花被片 4，子房斜卵形，略具乳头状突起，花柱侧生。花果期 6 ~ 7 月。

| **生境分布** | 生于海拔 200 ~ 600 m 的山谷湿润林中或岩石上。分布于湖南永州（道县）等。

| **资源情况** | 野生资源稀少。药材来源于野生。

| **采收加工** | 斜叶榕：全年均可采收，鲜用或晒干。
斜叶榕叶：春、夏季采收，鲜用或晒干。

| **药材性状** | 斜叶榕：本品树皮呈半卷筒状，长短不等，厚 1 ~ 2 mm。外表面灰棕色，具纵皱纹，皮孔横向，栓皮易脱落而露出鲜黄色皮部；内表面白色，具细密纵皱纹。质稍脆，易折断。气微，味淡。

| **功能主治** | 斜叶榕：苦，寒。清热利湿，解毒。用于感冒，高热惊厥，泄泻，痢疾，目赤肿痛。
斜叶榕叶：苦、涩，平。祛痰止咳，活血通络。用于咳嗽，风湿痹痛，跌打损伤。

| **用法用量** | 斜叶榕：内服煎汤，15 ~ 30 g。外用适量，捣敷。
斜叶榕叶：内服煎汤，30 ~ 60 g。外用适量，捣敷。

桑科 Moraceae 榕属 Ficus

岩木瓜
Ficus tsiangii Merr. ex Corner

| 药 材 名 | 地瓜藤（药用部位：藤茎）。

| 形态特征 | 灌木或乔木，高 4 ~ 6 m。树皮灰褐色。小枝节间长，密生灰白色至黄褐色硬毛。叶螺旋状排列，纸质，卵形至倒卵状椭圆形，长 8 ~ 23 cm，宽 5 ~ 15 cm，先端稍宽，渐尖为尾状，基部圆形至浅心形或宽楔形，表面被粗糙硬毛，背面有钟乳体，密被灰白色或褐色糙毛，基生侧脉延伸至叶片中部以上，叶基有 2 腺体；叶柄长 3 ~ 12 cm。榕果卵圆形至球状椭圆形，长 2 ~ 3.5 cm，宽 1.5 ~ 2 cm，被粗糙短硬毛，成熟时呈红色，榕果内壁有刚毛。雄花二型，生于内壁口部或散生，无梗雄花生于口部，有梗雄花散生，花被片 3 ~ 5，线状披针形，雄蕊 2，稀为 1，花丝基部有毛；雌花子

房无柄，柱头浅 2 裂，散生刚毛，不育花小。瘦果透镜状，背面微具龙骨。花期 5 ～ 8 月。

| **生境分布** | 生于海拔 200 ～ 1 850 m 的山谷、沟边潮湿处。湖南各地均有分布。

| **资源情况** | 野生资源一般。药材来源于野生。

| **采收加工** | 秋季采收，切片，晒干。

| **功能主治** | 活血解毒，清热利湿。用于小儿消化不良，急性胃肠炎，痢疾，尿路感染，风湿筋骨痛，跌打损伤。

| **用法用量** | 内服煎汤，9 ～ 15 g。外用适量。

桑科 Moraceae 榕属 Ficus

变叶榕 *Ficus variolosa* Lindl. ex Benth.

| **药 材 名** | 变叶榕（药用部位：根）。

| **形态特征** | 灌木或小乔木，光滑，高 3 ～ 10 m。树皮灰褐色。小枝节间短。叶薄革质，狭椭圆形至椭圆状披针形，长 5 ～ 12 cm，宽 1.5 ～ 4 cm，先端钝或钝尖，基部楔形，全缘，侧脉 7 ～ 11（～ 15）对，与中脉略呈直角展出；叶柄长 6 ～ 10 mm；托叶长三角形，长约 8 mm。榕果成对或单生于叶腋，球形，直径 10 ～ 12 mm，表面有瘤体，顶部苞片脐状凸起，基生苞片 3，卵状三角形，基部微合生，总柄长 8 ～ 12 mm。瘿花子房球形，花柱短，侧生；雌花生于另一植株榕果内壁，花被片 3 ～ 4，子房肾形，花柱侧生，细长。瘦果表面有瘤体。花期 12 月至翌年 6 月。

| **生境分布** | 常生于溪边林下潮湿处。湖南各地均有分布。

| **资源情况** | 野生资源丰富。药材来源于野生。

| **采收加工** | 全年均可采收，鲜用或晒干。

| **药材性状** | 本品呈圆柱形，长短不等，直径 0.8 ~ 2 cm。表面深棕色，有横向皮孔，栓皮易脱落而露出淡红棕色的皮部。质硬。断面皮部淡棕色，木部淡黄棕色，具细密同心环纹。气微，味淡。

| **功能主治** | 微苦、辛，微温。祛风除湿，活血止痛，催乳。用于风湿痹痛，胃痛，疔肿，跌打损伤，乳汁不下。

| **用法用量** | 内服煎汤，30 ~ 60 g。外用适量，浸酒擦。

桑科 Moraceae 葎草属 Humulus

葎草
Humulus scandens (Lour.) Merr.

| 药 材 名 | 葎草（药用部位：全草。别名：旱马藤兜、五爪风、五皮风）、葎草根（药用部位：根）、葎草果穗（药用部位：果穗）。

| 形态特征 | 缠绕草本。茎、枝、叶柄均具倒钩刺。叶纸质，肾状五角形，掌状5～7深裂，稀为3裂，长、宽均为7～10 cm，基部心形，表面粗糙，疏生糙伏毛，背面有柔毛和黄色腺体，裂片卵状三角形，边缘具锯齿；叶柄长5～10 cm。雄花小，黄绿色，圆锥花序，长15～25 cm；雌花序球果状，直径约5 mm，苞片纸质，三角形，先端渐尖，具白色绒毛，子房被苞片包围，柱头2，伸出苞片外。瘦果成熟时露出苞片外。花期春、夏季，果期秋季。

| 生境分布 | 生于海拔1500 m以下的沟边、荒地、废墟、林缘。湖南各地均有分布。

| 资源情况 | 野生资源丰富。药材来源于野生。

| 采收加工 | 苍耳草：9 ~ 10 月选晴天采收全草，除去杂质，鲜用或晒干。

| 药材性状 | 苍耳草：本品叶皱缩成团，完整叶片展平后为近肾状五角形，掌状深裂，裂片 5 ~ 7，边缘有粗锯齿，两面均有茸毛，下面有黄色小腺点；叶柄长 5 ~ 10 cm，有纵沟和倒刺。茎圆形，有倒刺和茸毛。质脆易碎，茎断面中空，不平坦，皮、木部易分离。有的可见花序或果穗。气微，味淡。

| 功能主治 | 苍耳草：甘、苦，寒。归肺、肾经。清热解毒，利尿消肿。用于淋证，疟疾，泄泻，痔疮，风热咳喘。

苍耳草根： 用于石淋，疝气，瘰疬。

苍耳草果穗： 用于肺结核。

| 用法用量 | 苍耳草：内服煎汤，10 ~ 15 g，鲜品 30 ~ 60 g；或捣汁。外用适量，捣敷；或煎汤熏洗。

苍耳草根： 内服煎汤，15 ~ 25 g；或捣汁。

苍耳草果穗： 内服煎汤，25 ~ 50 g，鲜品 50 ~ 150 g。

桑科 Moraceae 桑属 Morus

桑 *Morus alba* L.

| 药 材 名 | 桑白皮（药用部位：根皮）、桑枝（药用部位：嫩枝）、桑叶（药用部位：叶）、桑椹（药用部位：果穗）、桑皮汁（药用部位：桑树皮中白色汁液）。

| 形态特征 | 乔木或灌木，高 3 ~ 10 m。树皮灰色，具不规则浅纵裂。冬芽红褐色，卵形，芽鳞灰褐色，有细毛；小枝有细毛。叶卵形或广卵形，长 5 ~ 15 cm，宽 5 ~ 12 cm，先端急尖、渐尖或圆钝，基部圆形至浅心形，边缘锯齿粗钝，有时分裂，表面鲜绿色，无毛，背面沿脉有疏毛，脉腋有簇毛；叶柄长 1.5 ~ 5.5 cm，具柔毛；托叶披针形，外面密被细硬毛。花单性，腋生或生于芽鳞腋内；雄花序下垂，长 2 ~ 3.5 cm，密被白色柔毛，雄花花被片宽椭圆形，淡绿色，花药

2 室，球形至肾形，纵裂；雌花序长 1 ~ 2 cm，被毛，总花梗长 5 ~ 10 mm，被柔毛，雌花无梗，花被片倒卵形，先端圆钝，外面和边缘被毛，无花柱，柱头 2 裂，内面有乳头状突起。聚花果卵状椭圆形，长 1 ~ 2.5 cm，成熟时呈红色或暗紫色。花期 4 ~ 5 月，果期 5 ~ 8 月。

| **生境分布** | 生于海拔 1 000 m 以下的山坡疏林或沟渠边、路旁及住宅周围。栽培于村旁、田间、滩地或山坡上。湖南各地均有分布。

| **资源情况** | 野生资源丰富。栽培资源丰富。药材来源于野生和栽培。

| **采收加工** | **桑白皮**：秋末叶落至翌年春季发芽前采挖根，刮去黄棕色粗皮，纵向剖开，剥取根皮，晒干。

桑枝：春末夏初采收，去叶，晒干，或趁鲜切片后晒干。

桑叶：初霜后采收，除去杂质，晒干。

桑椹：4～6月果实变红时采收，晒干，或略蒸后晒干。

桑皮汁：用刀划破桑树皮，用洁净容器收取从树皮中流出的白色汁液。

| **药材性状** | **桑白皮**：本品呈扭曲的卷筒状、槽状或板片状，长短、宽窄不一，厚1～4 mm。外表面白色或淡黄白色，较平坦，有的残留橙黄色或棕黄色鳞片状粗皮；内表面黄白色或灰黄色，有细纵纹。体轻，质韧，纤维性强，难折断，易纵向撕裂，撕裂时有粉尘飞扬。气微，味微甘。

桑枝：本品呈长圆柱形，少有分枝，长短不一，直径0.5～1.5 cm。表面灰黄色或黄褐色，有多数黄褐色点状皮孔及细纵纹，并有略呈半圆形的灰白色叶痕和黄棕色的腋芽。质坚韧，不易折断，断面纤维性。切片厚0.2～0.5 cm，皮部较薄，木部黄白色，射线放射状，髓部白色或黄白色。气微，味淡。

桑叶：本品多皱缩、破碎。完整者有柄，叶片展平后呈卵形或宽卵形，长5～13 cm，宽5～11 cm，先端渐尖，基部截形、圆形或心形，边缘有锯齿或钝锯齿，有的不规则分裂。上表面黄绿色或浅黄棕色，有的有小疣状突起；下表面颜色稍浅，叶脉凸出，小脉网状，脉上被疏毛，脉基具簇毛。质脆。气微，味淡，微苦、涩。

桑椹： 本品为聚花果，由多数小瘦果集合而成，呈长圆形，长 1 ~ 2 cm，直径 0.5 ~ 0.8 cm，黄棕色、棕红色至暗紫色，有短果序柄。小瘦果卵圆形，稍扁，长约 2 mm，宽约 1 mm，外具肉质花被片 4。气微，味微酸而甜。

桑皮汁： 本品鲜品为白色乳汁，半透明，略有黏稠感。气微，味微甘、淡。

| 功能主治 |

桑白皮： 甘，寒。归肺经。泻肺平喘，利水消肿。用于肺热喘咳，水肿。

桑枝： 微苦，平。归肝经。祛风湿，利关节。用于风湿痹痛，关节酸痛麻木。

桑叶： 甘、苦，寒。归肺、肝经。疏散风热，清肺润燥，清肝明目。用于风热感冒，肺热燥咳，头晕头痛，目赤昏花。

桑椹： 甘、酸，寒。归心、肝、肾经。滋阴补血，生津润燥。用于肝肾阴虚，眩晕耳鸣，心悸失眠，须发早白，津伤口渴，内热消渴，肠燥便秘。

桑皮汁： 苦，微寒。清热解毒，止血。用于口舌生疮，外伤出血，蛇虫咬伤。

| 用法用量 |

桑白皮： 内服煎汤，6 ~ 12 g；或入散剂。外用适量，捣汁涂；或煎汤洗。

桑枝： 内服煎汤，9 ~ 15 g。外用适量，煎汤熏洗。

桑叶： 内服煎汤，5 ~ 10 g；或入丸、散剂。外用适量，煎汤洗；或捣敷。

桑椹： 内服煎汤，9 ~ 15 g；或熬膏；或浸酒；或入丸、散剂。外用适量，浸汤洗。

桑皮汁： 外用适量，涂搽。

鸡桑

Morus australis Poir.

| 药 材 名 | 鸡桑叶（药用部位：叶）、鸡桑根（药用部位：根或根皮。别名：小叶桑根）。

| 形态特征 | 灌木或小乔木。树皮灰褐色。冬芽大，圆锥状卵圆形。叶卵形，长5 ~ 14 cm，宽 3.5 ~ 12 cm，先端急尖或尾状，基部楔形或心形，边缘具粗锯齿，不分裂或 3 ~ 5 裂，表面粗糙，密生短刺毛，背面疏被粗毛；叶柄长 1 ~ 1.5 cm，被毛；托叶线状披针形，早落。雄花序长 1 ~ 1.5 cm，被柔毛，雄花绿色，具短梗，花被片卵形，花药黄色；雌花序球形，长约 1 cm，密被白色柔毛，雌花花被片长圆形，暗绿色，花柱很长，柱头 2 裂，内面被柔毛。聚花果短椭圆形，直径约 1 cm，成熟时呈红色或暗紫色。花期 3 ~ 4 月，果期 4 ~ 5 月。

| 生境分布 | 生于海拔 500 ～ 1 000 m 的石灰岩山地、林缘及荒地。湖南各地均有分布。

| 资源情况 | 野生资源丰富。药材来源于野生。

| 采收加工 | 鸡桑叶：夏季采收，鲜用或晒干。
鸡桑根：秋、冬季采挖，趁鲜刮去栓皮，洗净；或剥取白皮，晒干。

| 功能主治 | 鸡桑叶：甘、辛，寒。归肺经。清热解表，宣肺止咳。用于风热感冒，肺热咳嗽，头痛，咽痛。
鸡桑根：甘、辛，寒。清肺，凉血，利湿。用于肺热咳嗽，鼻衄，水肿，腹泻，黄疸。

| 用法用量 | 鸡桑叶：内服煎汤，3 ～ 9 g。
鸡桑根：内服煎汤，6 ～ 15 g。

桑科 Moraceae 桑属 Morus

蒙桑 *Morus mongolica* (Bur.) Schneid.

| 药 材 名 | 桑白皮（药用部位：根皮）、桑叶（药用部位：叶）、桑椹（药用部位：果穗）。

| 形态特征 | 小乔木或灌木。树皮灰褐色，纵裂。小枝暗红色，老枝灰黑色；冬芽卵圆形，灰褐色。叶长椭圆状卵形，长8～15 cm，宽5～8 cm，先端尾尖，基部心形，边缘具三角形单锯齿，稀为重锯齿，齿尖有长刺芒，两面无毛；叶柄长2.5～3.5 cm。雄花序长3 cm，雄花花被暗黄色，外面及边缘被长柔毛，花药2室，纵裂；雌花序短圆柱状，长1～1.5 cm，总花梗纤细，长1～1.5 cm，雌花花被片外面上部疏被柔毛或近无毛，花柱长，柱头2裂，内面密生乳头状突起。聚花果长1.5 cm，成熟时为红色至紫黑色。花期3～4月，果期4～5月。

| 生境分布 | 生于海拔 480 ～ 1 200 m 的向阳山坡疏林中。分布于湖南永州（新田）、湘西州（保靖）等。

| 资源情况 | 野生资源稀少。药材来源于野生。

| 功能主治 | 桑白皮：利尿消肿，止咳平喘。用于水肿，咳喘。

桑叶：清热，祛风，清肺止咳，凉血明目。用于风热头痛，目赤，口渴，肺热咳嗽，风痹，下肢象皮肿。

桑椹：益肠胃，补肝肾，养血祛风。

| 用法用量 | 桑白皮：内服煎汤，6 ～ 12 g；或入散剂。外用适量，捣汁涂；或煎汤洗。

桑叶：内服煎汤，5 ～ 10 g；或入丸、散剂。外用适量，煎汤洗；或捣敷。

桑椹：内服煎汤，9 ～ 15 g；或熬膏；或浸酒；或入丸、散剂。外用适量，煎汤洗。

荨麻科 Urticaceae 苎麻属 Boehmeria

序叶苎麻

Boehmeria clidemicides Miq. var. *diffusa* (Wedd.) Hand.-Mazz.

| 药 材 名 | 水火麻（药用部位：全草）。

| 形态特征 | 多年生草本或亚灌木。茎多分枝，上部多少密被短伏毛。叶互生，有时茎下部少数叶对生，纸质或草质，卵形、狭卵形或长圆形，长5 ~ 14 cm，宽2.5 ~ 7 cm，先端长渐尖或骤尖，基部圆形，稍偏斜，边缘自中部以上有小牙齿或粗牙齿，两面有短伏毛，上面常粗糙，基出脉3，侧脉2 ~ 3对；叶柄长0.7 ~ 6.8 cm。穗状花序单生于叶腋，通常雌雄异株，长4 ~ 12.5 cm，顶部有2 ~ 4叶，叶狭卵形，长1.5 ~ 6 cm；团伞花序直径2 ~ 3 mm，除在穗状花序上着生外，也常生于叶腋；雄花无梗，花被片4，椭圆形，长约1.2 mm，下部合生，外面有疏毛，雄蕊4，长约2 mm，花药长约0.6 mm，退化

雌蕊椭圆形，长约 0.5 mm；雌花花被片椭圆形或狭倒卵形，长 0.6 ~ 1 mm，果期长约 1.5 mm，先端有 2 ~ 3 小齿，外面上部有短毛，柱头长 0.7 ~ 1.8 mm。花期 6 ~ 8 月。

| **生境分布** | 生于丘陵或低山山谷林中、林缘、灌丛中、草坡或溪边。湖南各地均有分布。

| **资源情况** | 野生资源丰富。药材来源于野生。

| **采收加工** | 秋季采收，鲜用或晒干。

| **功能主治** | 辛，温。祛风除湿。用于风湿痹痛。

| **用法用量** | 内服煎汤，3 ~ 9 g；或研末。

荨麻科 Urticaceae 苎麻属 Boehmeria

密球苎麻 *Boehmeria densiglomerata* W. T. Wang

|药材名|

密球苎麻（药用部位：全草）。

|形态特征|

多年生草本。茎高 32 ~ 46 cm，上部疏被短糙伏毛，下部无毛。叶对生，草质，心形或圆卵形，长 5 ~ 9.4 cm，宽 5.2 ~ 8 cm，先端渐尖，基部近心形或心形，边缘具牙齿，两面有短糙伏毛，基出脉 3，侧脉 2 ~ 3 对；叶柄长 2.5 ~ 6.9 cm，疏被短糙伏毛；托叶钻状三角形。两性花序，穗状，长 2.5 ~ 5.5 cm，雄花序分枝，雌花序不分枝，雄团伞花序直径约 2 mm，雌团伞花序直径 2 ~ 2.5 mm；苞片狭三角形，长 1.2 ~ 2 mm；雄花花被片 4，椭圆形，长约 1 mm，基部合生，外面疏被短糙伏毛，雄蕊 4，花丝长 1.6 mm，花药直径 0.6 mm，退化雌蕊倒卵球形，长约 0.5 mm；雌花花被片纺锤形、狭倒卵形或倒卵形，长约 0.7 mm，果期长 1 ~ 1.3 mm，先端有 2 小齿，外面被短糙伏毛，柱头长约 1 mm。瘦果卵球形或狭倒卵球形，长 1 ~ 1.2 mm，光滑。花期 6 ~ 8 月。

| 生境分布 | 生于海拔 250 ～ 700 m 的山谷沟边或林中。分布于湖南永州（道县）、常德（安乡）、怀化（洪江）、湘西州（古丈）等。

| 资源情况 | 野生资源一般。药材来源于野生。

| 功能主治 | 祛风除湿。用于跌打损伤。

荨麻科 Urticaceae 苎麻属 Boehmeria

海岛苎麻 *Boehmeria formosana Hayata*

|药材名|

海岛苎麻叶（药用部位：叶）。

|形态特征|

多年生草本或亚灌木。茎高 80 ~ 150 cm，通常不分枝，上部疏被短伏毛或无毛。叶对生或近对生，草质，长圆状卵形、长圆形或披针形，长 8 ~ 15（~ 21）cm，宽 2.5 ~ 6.5（~ 8）cm，先端尾状或长渐尖，基部钝或圆形，边缘在基部之上有多数牙齿，两面疏被短伏毛或近无毛，侧脉 3 ~ 4 对；叶柄长 0.5 ~ 6 cm。穗状花序通常为雌雄异株，不分枝，长 3.5 ~ 9 cm，有时雌雄同株，分枝，长约 16 cm，茎上部为雌性，茎下部为雄性或两性，团伞花序直径 1 ~ 2 mm；雄花无梗，花被片 4，椭圆形，长约 1.2 mm，雄蕊 4，花药长约 0.6 mm，退化雌蕊倒卵形，长约 0.5 mm；雌花花被片椭圆形，长约 0.6 mm，先端有 2 小齿，外面有短毛，果期呈菱状倒卵形至宽菱形，长 1.2 ~ 2 mm。瘦果近球形，直径约 1 mm。花期 7 ~ 8 月。

|生境分布|

生于丘陵或低山山谷林中、林缘、灌丛中、草坡或溪边。分布于湖南湘西州（古丈、永顺）、常德（安乡）、永州（东安）等。

| **资源情况** | 野生资源稀少。药材来源于野生。

| **采收加工** | 春、夏、秋季采收，洗净，鲜用。

| **功能主治** | 活血散瘀，消肿止痛。用于跌打损伤，瘀血肿痛。

| **用法用量** | 外用适量，捣敷；或煎汤洗。

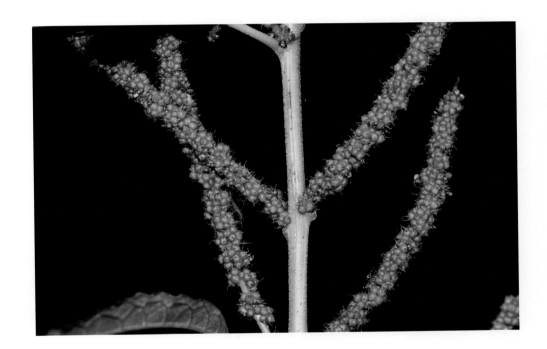

荨麻科 Urticaceae 苎麻属 Boehmeria

细野麻
Boehmeria gracilis C. H. Wright

| 药 材 名 |　麦麸草（药用部位：全草）、麦麸草根（药用部位：根）。

| 形态特征 |　多年生草本或亚灌木。茎高 40 ~ 100 cm，常分枝，疏被短伏毛或
近无毛。叶对生，薄草质，卵状菱形或卵状宽菱形，长 2.4 ~ 7.5 cm，
宽 1.5 ~ 5 cm，先端长骤尖，基部宽楔形，边缘每侧在基部之上有
（3 ~ ）4 ~ 7（ ~ 8）大牙齿（上部牙齿常呈狭三角形），两面疏
被短伏毛或近无毛，侧脉 1 ~ 2 对；叶柄长 1 ~ 6.5 cm。穗状花序
单生于叶腋，雌雄异株或同株，同株时茎上部为雌性，下部为雄性，
雌性部分长 4 ~ 10 cm，雄性部分长约 2.5 cm；雄花无梗，花被片
（3 ~ ）4，椭圆形，长约 1 mm，下部合生，外面有稀疏短毛，雄
蕊（3 ~ ）4，花药近圆形，退化雌蕊椭圆形，长约 0.5 mm；雌花

花被片近狭椭圆形，长约 0.6 mm，齿不明显，外面有短柔毛，果期呈菱状倒卵形或宽菱形，长约 1 mm，柱头长 1 ~ 1.2 mm。花期 6 ~ 8 月。

| 生境分布 | 生于丘陵或低山草坡、石上、沟边。湖南各地均有分布。

| 资源情况 | 野生资源丰富。药材来源于野生。

| 采收加工 | 麦麸草：秋季采收，晒干。
麦麸草根：秋季采收，鲜用或晒干。

| 药材性状 | 麦麸草：本品茎有分枝，表面有短伏毛。叶对生，多皱缩，展平后呈卵状菱形或卵状宽菱形，长 2.4 ~ 7.5 cm，宽 1.5 ~ 5 cm，先端长骤尖，基部宽楔形，边缘有粗锯齿，两面均有短粗毛；叶柄长 1 ~ 6 cm。果实倒卵形，上部有少量短毛；宿存柱头丝状。气微，味涩、微苦。

| 功能主治 | 麦麸草：辛、微苦，平。祛风止痒，解毒利湿。用于皮肤瘙痒，湿毒疮疹。
麦麸草根：辛、微苦，平。活血消肿。用于跌打伤肿，痔疮肿痛。

| 用法用量 | 麦麸草：内服煎汤，6 ~ 9 g。外用适量，煎汤洗。
麦麸草根：内服煎汤，6 ~ 9 g。外用适量，煎汤洗。

| 附　　注 | FOC 将本种合并到小赤麻 *Boehmeria spicata* (Thunb.) Thunb. 中。

荨麻科 Urticaceae 苎麻属 Boehmeria

大叶苎麻
Boehmeria longispica Steud.

| 药 材 名 | 水禾麻（药用部位：全草）。

| 形态特征 | 亚灌木或多年生草本，高 0.6 ~ 1.5 m，上部有较密糙毛。叶对生，纸质，近圆形、圆卵形或卵形，长 7 ~ 17（~ 26）cm，宽 5.5 ~ 13（~ 20）cm，先端骤尖，基部宽楔形或截形，边缘在基部之上有牙齿，上面被短糙伏毛，下面沿脉网有短柔毛，侧脉 1 ~ 2 对；叶柄长 6 ~ 8 cm。穗状花序单生于叶腋，雌雄异株，不分枝或少数分枝，雄团伞花序直径约 1.5 mm，约有 3 花，雌团伞花序直径 2 ~ 4 mm；苞片卵状三角形或狭披针形，长 0.8 ~ 1.5 mm；雄花花被片 4，椭圆形，长约 1 mm，基部合生，外面被短糙伏毛，雄蕊 4，花药长约 0.5 mm，退化雌蕊椭圆形，长约 0.5 mm；雌花花被倒卵

状纺锤形，长 1 ~ 1.2 mm，先端有 2 小齿，上部密被糙毛，果期呈菱状倒卵形，长约 2 mm，柱头长 1.2 ~ 1.5 mm。瘦果倒卵球形，长约 1 mm，光滑。花期 6 ~ 9 月。

| 生境分布 | 生于海拔 300 ~ 600 m 的丘陵、低山灌丛、疏林、田边或溪边。湖南各地均有分布。

| 资源情况 | 野生资源丰富。药材来源于野生。

| 采收加工 | 夏、秋季采收，鲜用或晒干。

| 药材性状 | 本品根较粗壮，直径约 1 cm，淡棕黄色，表面有点状突起和须根痕，质地较硬，断面淡棕色，有放射状纹。茎细，长 1 ~ 1.5 m，茎上部四棱形，具白色短柔毛。叶对生，多皱缩，展平后呈宽卵形，长 7 ~ 26 cm，宽 5.5 ~ 20 cm，先端骤尖，基部宽楔形或截形，边缘具粗锯齿，上部常具重锯齿，两面有毛；叶柄长 5 ~ 8 cm。茎上部叶腋有穗状果序，果实狭倒卵形。气微，味淡。

| 功能主治 | 甘、辛，平。归肺、肝经。清热祛风，解毒杀虫，化瘀消肿。用于风热感冒，麻疹，痈肿，毒蛇咬伤，皮肤瘙痒，疥疮，风湿痹痛，跌打伤肿，骨折。

| 用法用量 | 内服煎汤，6 ~ 15 g。外用适量，捣敷；或煎汤洗。

| 附 注 | 本种名称在 FOC 中被修订为野线麻 *Boehmeria japonica* (L. f.) Miq.。

荨麻科 Urticaceae 苎麻属 Boehmeria

苎麻
Boehmeria nivea (L.) Gaudich.

| 药 材 名 | 苎麻根（药用部位：根及根茎）、苎麻皮（药用部位：茎皮）、苎麻叶（药用部位：叶）、苎麻梗（药用部位：茎或带叶嫩茎）、苎花（药用部位：花）。

| 形态特征 | 亚灌木或灌木，高 0.5 ～ 1.5 m。茎上部与叶柄均密被长硬毛和短糙毛。叶互生，草质，圆卵形或宽卵形，少数呈卵形，长 6 ～ 15 cm，宽 4 ～ 11 cm，先端骤尖，基部近截形或宽楔形，边缘在基部之上有牙齿，上面疏被短伏毛，下面密被雪白色毡毛，侧脉约 3 对；叶柄长 2.5 ～ 9.5 cm；托叶分生，钻状披针形，背面被毛。圆锥花序腋生，雌雄同株或异株；雄花序直径 1 ～ 3 mm，花少数；雌花序直径 0.5 ～ 2 mm，花多密集；雄花花被片 4，雄蕊 4，长约 2 mm，花药长约 0.6 mm，退化雌蕊狭倒卵球形，长约 0.7 mm，先端有短柱头；

雌花花被片椭圆形，长 0.6 ～ 1 mm，先端有 2 ～ 3 小齿，外面有短柔毛，果期呈菱状倒披针形，长 0.8 ～ 1.2 mm，柱头丝状，长 0.5 ～ 0.6 mm。瘦果近球形，长约 0.6 mm，光滑，基部突缩成细柄。花期 8 ～ 10 月。

| 生境分布 | 生于海拔 200 ～ 1 700 m 的山谷林边或草坡。栽培于田间、屋旁等湿润、肥沃的土壤中。湖南各地均有分布。

| 资源情况 | 野生资源丰富。栽培资源丰富。药材来源于野生和栽培。

| 采收加工 | **苎麻根**：冬、春季采挖，除去地上茎和泥土，鲜用或晒干。

苎麻皮：夏、秋季采剥，鲜用或晒干。

苎麻叶：春、夏、秋季均可采收，鲜用或晒干。

苎麻梗：春、夏季采收，鲜用或晒干。

苎花：夏季盛花期采收，鲜用或晒干。

| 药材性状 | 苎麻根：本品根略呈纺锤形，长约 10 cm，直径 1 ~ 1.3 cm；表面灰棕色，有纵皱纹及横长皮孔；断面粉性。根茎呈不规则圆柱形，稍弯曲，长 4 ~ 30 cm，直径 0.4 ~ 5 cm；表面灰棕色，有纵皱纹及多数皮孔，并有多数疣状突起及残留须根；质坚硬，不易折断，折断面纤维性，皮部棕色，木部淡棕色，有的中间有数个同心环纹，中央有髓或中空。气微，味淡，有黏性。

苎麻皮：本品为长短不一的条片，皮甚薄，粗皮易脱落或有少量残留，粗皮绿棕色，内皮白色或淡灰白色。质地软，韧性强，曲而不断。气微，味淡。

苎麻叶：本品叶多皱缩，全体绿棕色，有毛，叶片展平后呈宽卵形，长 6 ~ 15 cm，宽 4 ~ 10 cm，先端骤尖，基部近截形或宽楔形，边缘有粗齿，基出脉 3，在上面微凹，在下面微隆起；叶柄长达 7 cm。气微，味微辛、微苦。

苎麻梗：本品茎呈圆柱形，有粗毛，体较轻而韧，皮易纵向撕裂，韧性足，断面淡黄色，中央为髓。叶对生，叶片多皱缩或破碎，绿棕色，完整者展平后呈宽卵形，长 6 ~ 15 cm，宽 4 ~ 10 cm，先端骤尖，基部近截形或宽楔形，边缘有粗齿，基出脉 3，在叶背微隆起，两面均有毛；叶柄长达 7 cm。气微，味微辛、微苦。

苎花：本品雄花序为圆锥花序，多干缩成条状，花小，淡黄色，花被片 4，雄蕊 4；雌花序为团伞花序，淡绿黄色，花小，花被片 4，紧抱子房，花柱 1。质地柔软。气微香，味微辛、微苦。

| **功能主治** | 苎麻根：甘，寒。归肝、心、膀胱经。凉血止血，清热安胎，利尿，解毒。用于血热妄行所致的咯血，吐血，衄血，血淋，便血，崩漏，紫癜，胎动不安，胎漏下血，小便淋沥，痈疮肿毒，蛇虫咬伤。

苎麻皮：甘，寒。归胃、膀胱、肝经。清热凉血，散瘀止血，解毒利尿，安胎回乳。用于瘀热心烦，天行热病，产后血晕、腹痛，跌打损伤，创伤出血，血淋，小便不通，肛门肿痛，胎动不安，乳房胀痛。

苎麻叶：甘、微苦，寒。归肝、心经。凉血止血，散瘀消肿，解毒。用于咯血，吐血，血淋，尿血，月经过多，外伤出血，跌扑肿痛，脱肛不收，丹毒，疮肿，乳痈，湿疹，蛇虫咬伤。

苎麻梗：甘，微寒。散瘀，解毒。用于金疮折损，痘疮，痈肿，丹毒。

苎花：甘，寒。清心除烦，凉血透疹。用于心烦失眠，口舌生疮，麻疹透发不畅，风疹瘙痒。

| **用法用量** | 苎麻根：内服煎汤，5～30 g；或捣汁。外用适量，鲜品捣敷；或煎汤熏洗。

苎麻皮：内服煎汤，3～15 g；或酒煎。外用适量，捣敷。

苎麻叶：内服煎汤，10～30 g；或研末；或鲜品捣汁。外用适量，研末调敷；或鲜品捣敷。

苎麻梗：内服煎汤，6～15 g；或入丸、散剂。外用适量，研末调敷；或鲜品捣敷。

苎花：内服煎汤，6～15 g。

荨麻科 Urticaceae 苎麻属 Boehmeria

小赤麻 Boehmeria spicata (Thunb.) Thunb.

| 药 材 名 | 小赤麻（药用部位：全草或叶）、小赤麻根（药用部位：根）。

| 形态特征 | 多年生草本或亚灌木。茎高 40 ~ 100 cm，常分枝，疏被短伏毛或近无毛。叶对生，薄草质，卵状菱形或卵状宽菱形，长 2.4 ~ 7.5 cm，宽 1.5 ~ 5 cm，先端长骤尖，基部宽楔形，边缘每侧在基部之上有（3 ~）4 ~ 7（~ 8）大牙齿（上部牙齿常呈狭三角形），两面疏被短伏毛或近无毛，侧脉 1 ~ 2 对；叶柄长 1 ~ 6.5 cm。穗状花序单生于叶腋，雌雄异株或同株，茎上部为雌性，下部为雄性，雌性部分长 4 ~ 10 cm，雄性部分长约 2.5 cm；雄花无梗，花被片 4，椭圆形，长约 1 mm，下部合生，外面有稀疏短毛，雄蕊 4，花药近圆形，退化雌蕊椭圆形，长约 0.5 mm；雌花花被近狭椭圆形，长约 0.6 mm，齿不明显，外面有短柔毛，果期呈菱状倒卵形或宽菱形，

长约 1 mm，柱头长 1 ~ 1.2 mm。花期 6 ~ 8 月。

| 生境分布 | 生于丘陵或低山草坡、石上、沟边。分布于湖南株洲（荷塘、天元、醴陵）、邵阳（新邵、武冈）、岳阳（云溪）、常德（澧县）、郴州（临武）、怀化（辰溪）等。

| 资源情况 | 野生资源较丰富。药材来源于野生。

| 采收加工 | **小赤麻：** 夏、秋季采收，割取地上部分，鲜用或晒干。
小赤麻根： 秋季采集，洗净，鲜用或晒干。

| 功能主治 | **小赤麻：** 淡、辛，凉。利尿消肿，解毒透疹。用于水肿腹胀，麻疹。
小赤麻根： 辛、微苦，凉。活血消肿，止痛。用于跌打损伤，痔疮肿痛。

| 用法用量 | **小赤麻：** 内服煎汤，6 ~ 15 g。外用适量，鲜品捣敷；或煎汤熏洗。
小赤麻根： 外用适量，鲜品捣敷；或煎汤熏洗。

荨麻科 Urticaceae 苎麻属 *Boehmeria*

悬铃叶苎麻

Boehmeria tricuspis (Hance) Makino

| 药 材 名 | 赤麻（药用部位：茎叶）、山麻根（药用部位：根）。

| 形态特征 | 亚灌木或多年生草本。茎中上部与叶柄和花序轴密被短毛。叶对生，稀互生，纸质，扁五角形或扁圆卵形，茎上部叶常为卵形，长8 ~ 12（ ~ 18）cm，宽 7 ~ 14（ ~ 22）cm，顶部具 3 骤尖或 3浅裂，基部截形、浅心形或宽楔形，边缘有粗牙齿，上面被糙伏毛，下面密被短柔毛，侧脉 2 对；叶柄长 1.5 ~ 6（ ~ 10）cm。穗状花序单生于叶腋，同一株全为雌性或茎上部为雌性、下部为雄性，雌花序分枝呈圆锥状或不分枝，雄花序分枝呈圆锥状；团伞花序直径1 ~ 2.5 mm；雄花花被片 4，椭圆形，长约 1 mm，下部合生，外面上部疏被短毛，雄蕊 4，长约 1.6 mm，花药长约 0.6 mm，退化雌蕊椭圆形，长约 0.6 mm；雌花花被片椭圆形，长 0.5 ~ 0.6 mm，外面

有密柔毛，果期呈楔形至倒卵状菱形，长约 1.2 mm，柱头长 1 ~ 1.6 mm。花期 7 ~ 8 月。

| 生境分布 | 生于低山山谷疏林下、沟边或田边。湖南各地均有分布。

| 资源情况 | 野生资源丰富。药材来源于野生。

| 采收加工 | **赤麻**：夏、秋季采收，洗净，鲜用或晒干。
山麻根：秋季采收，洗净，鲜用或晒干。

| 药材性状 | **山麻根**：本品呈圆柱形，略弯曲，直径 1 ~ 2 cm。表面暗赤色，有较多的点状突起及须根痕。质硬，断面棕白色，有较细密的放射状纹理。水浸后略有黏性。气微，味微辛、微苦、涩。

| 功能主治 | **赤麻**：涩、微苦，平。收敛止血，清热解毒。用于咯血，衄血，尿血，便血，崩漏，跌打损伤，无名肿毒，疮疡。
山麻根：微苦、辛，平。活血止血，解毒消肿。用于跌打损伤，胎漏下血，痔疮肿痛，疖肿。

| 用法用量 | **赤麻**：内服煎汤，6 ~ 15 g。外用适量，捣敷；或研末调涂。
山麻根：内服煎汤，6 ~ 15 g；或浸酒。外用适量，鲜品捣敷；或煎汤洗。

荨麻科 Urticaceae 微柱麻属 Chamabainia

微柱麻 *Chamabainia cuspidata* Wight

| 药 材 名 | 虫蚁菜（药用部位：全草）。

| 形态特征 | 多年生草本。茎直立或渐升，不分枝或分枝，上部有较密的短曲柔毛。叶对生，草质，菱状卵形或卵形，稀狭卵形，长 1 ~ 6.5 cm，宽 0.6 ~ 3 cm，先端通常骤尖，稀短渐尖或急尖，基部宽楔形，下部全缘，上部每侧有 3 ~ 10 小牙齿，两面均有稀疏短柔毛，侧脉约 2 对；叶柄长 2 ~ 10 mm；托叶膜质，斜三角形，常包围团伞花序。团伞花序单性；雄花序苞片卵形、三角形至披针形，长 1 ~ 1.5 mm，雌苞片钻形或狭披针形，长 0.6 ~ 1 mm。雄花花梗长 3 mm，花被片 3 ~ 4，狭椭圆形，合生至中部，先端尾状渐尖，外面上部有疏毛，先端之下有短角状突起，雄蕊 3 ~ 4，长约 2 mm，雌蕊退化；雌花花被片椭圆形或倒卵形，长 0.6 ~ 0.8 mm，顶部有短毛，柱头长约

0.2 mm。瘦果近椭圆球形，长约 1 mm，暗褐色。花期 6 ～ 8 月。

| **生境分布** | 生于海拔 1 000 ～ 2 000 m 的山地林中、灌丛、沟边或石上。分布于湖南张家界（桑植）、郴州（桂东）等。

| **资源情况** | 野生资源稀少。药材来源于野生。

| **采收加工** | 夏、秋季采收，鲜用或晒干。

| **功能主治** | 微酸、苦，平。止血生肌，除湿止痢。用于外伤出血，痢疾，胃腹疼痛。

| **用法用量** | 内服煎汤，10 ～ 20 g。外用适量，捣敷。

水麻
Debregeasia orientalis C. J. Chen

| 药 材 名 |

冬里麻（药用部位：枝、叶）、冬里麻根（药用部位：根或根皮）。

| 形态特征 |

灌木。小枝纤细，暗红色，常被贴生短柔毛。叶纸质或薄纸质，狭披针形或条状披针形，先端渐尖，基部圆形或宽楔形，边缘有细锯齿或牙齿，表面常有泡状隆起，疏生短糙毛，钟乳体点状，背面被白色或灰绿色毡毛，脉上疏生短柔毛，基出脉3；叶柄短；托叶披针形，先端2浅裂，背面疏生短柔毛。花序雌雄异株，稀同株，2回二叉分枝或二叉分枝，具短梗或无梗，球状团伞花簇生于枝顶，苞片宽倒卵形；雄花芽扁球形，花被片4，下部合生，裂片三角状卵形，背面疏生微柔毛，雄蕊4，雌蕊退化，基部密生雪白色绵毛；雌花几无梗，倒卵形，花被薄膜质，倒卵形，先端有4齿，近无毛，柱头画笔头状。瘦果小浆果状，倒卵形，橙黄色。花期3～4月，果期5～7月。

| 生境分布 |

生于海拔300～2100m的溪谷、河流两岸潮湿处。湖南各地均有分布。

| **资源情况** | 野生资源丰富。药材来源于野生。 |

| **采收加工** | 冬里麻：夏、秋季采收，鲜用或晒干。 |

冬里麻根：夏、秋季采收，洗净，鲜用或晒干。

| **药材性状** | 冬里麻：本品嫩茎枝短且细，灰褐色，密生短毛，先端常有小芽。叶皱缩，展平后呈披针形或狭披针形，长 3～16 cm，宽 1～3 cm，先端渐尖，基部楔形或圆形，边缘有细锯齿，上面粗糙，下面密被白色毛，侧脉 5～6 对；叶柄长 0.3～1 cm，有短毛；托叶卵状披针形。气微，味微甜。 |

| **功能主治** | 冬里麻：辛、微苦，凉。疏风止咳，清热透疹，化瘀止血。用于外感咳嗽，咯血，小儿急惊风，麻疹不透，跌打伤肿，妇女腹中包块，外伤出血。 |

冬里麻根：微苦、辛，平。祛风除湿，活血止痛，解毒消肿。用于风湿痹痛，跌打伤肿，骨折，外伤出血，疮痈肿毒。

| **用法用量** | 冬里麻：内服煎汤，15～30 g；或捣汁。外用适量，研末调敷；或鲜品捣敷；或煎汤洗。 |

冬里麻根：内服煎汤，9～15 g。外用适量，研末撒；或鲜品捣敷。

荨麻科 Urticaceae 楼梯草属 Elatostema

短齿楼梯草

Elatostema brachyodontum (Hand.-Mazz.) W. T. Wang

| 药 材 名 | 短齿楼梯草（药用部位：全草）。

| 形态特征 | 多年生草本。茎高 60 ～ 100 cm，上部有短分枝，无毛。叶具短柄或无柄；叶片草质或薄纸质，斜长圆形，有时稍镰状弯曲，长 7 ～ 17 cm，宽 2 ～ 4（～ 5.2）cm，先端突渐尖（渐尖部分全缘），基部在狭侧楔形或钝，在宽侧楔形或宽楔形，边缘下部全缘，其上通常有浅而钝的牙齿，无毛，间或上面散生少数短毛，钟乳体明显，密，长 0.1 ～ 0.2（～ 0.4）mm，叶脉羽状，侧脉每侧 5 ～ 7；叶柄长 1.5 ～ 4 mm，无毛；托叶钻形，长 1.5 ～ 2.5 mm，无毛，早落。花序雌雄同株或异株，单生于叶腋；雄花序具梗；花序梗长 2.5 ～ 6 mm，无毛；花序托初似球形或似无花果的隐头花序，直径

约 1.2 cm，顶部的宽卵形苞片互相覆压，后花序托开展并 2 深裂，近蝶形，宽约 3 cm；小苞片狭披针形，长约 4 mm，无毛；雄花有梗：花被片 5，狭椭圆形，长约 2 mm，下部合生，无毛，外面先端之下有短角状突起；雄蕊 4；退化雌蕊极小；雌花序具极短梗，有多数花；花序托长方形或近方形，长 3 ~ 10 mm，边缘的苞片宽卵形，先端有长 1 ~ 2 mm 的角状突起；小苞片多数，密集，倒梯形，长约 1 mm；雌花无梗或有梗：子房狭卵形，与小苞片近等长。瘦果狭卵球形，长 0.8 ~ 1 mm，约有 6 不明显纵肋。花期 6 ~ 9 月。

| **生境分布** | 生于海拔 500 ~ 1 100 m 的山谷林中或沟边石上。分布于湖南常德（石门）、张家界（桑植）、湘西州（永顺、龙山、凤凰）等。

| **资源情况** | 野生资源稀少。药材来源于野生。

| **采收加工** | 夏、秋季采收，鲜用或晒干。

| **功能主治** | 微苦、辛，凉。祛风湿，散瘀肿，解热毒。用于风湿热痹，目赤肿痛，黄疸，跌打骨折。

| **用法用量** | 内服煎汤，6 ~ 15 g。外用适量，鲜品捣敷。

荨麻科 Urticaceae 楼梯草属 Elatostema

骤尖楼梯草
Elatostema cuspidatum Wight

| 药 材 名 | 骤尖楼梯草（药用部位：全草）。

| 形态特征 | 多年生草本。茎不分枝或少分枝，无毛。叶近无柄；叶片草质，斜椭圆形，长 4.5 ~ 13.5（~ 23）cm，宽 1.8 ~ 5（~ 8）cm，先端骤尖，基部狭侧楔形或钝，宽侧宽楔形、圆形或近耳形，边缘有尖牙齿，无毛或疏被短伏毛，有钟乳体，半离基三出脉，狭侧侧脉约 2，宽侧侧脉 3 ~ 5；托叶膜质，无毛。花序单生于叶腋；雄花序具短梗，花序托近圆形，常 2 浅裂，无毛，苞片 6，扁卵形或正三角形，先端具粗角状突起，有短睫毛，小苞片长圆形，有或无突起；雄花具梗，花被片 4，椭圆形，下部合生，有角状突起；雌花序具极短梗，花序托椭圆形，无毛，苞片多数，扁宽卵形或三角形，有细角

状突起，小苞片多数，狭条形，被短柔毛；雌花花被片不明显。瘦果狭椭圆球形，有纵肋。花期 5 ~ 8 月。

| **生境分布** | 生于海拔 900 ~ 2 100 m 的山谷沟边石隙或林下。分布于湖南永州（东安）、湘西州（古丈、永顺）等。

| **资源情况** | 野生资源稀少。药材来源于野生。

| **功能主治** | 祛风除湿，清热解毒。

荨麻科 Urticaceae 楼梯草属 Elatostema

锐齿楼梯草

Elatostema cyrtandrifolium (Zoll. et Mor.) Miq.

| 药 材 名 | 毛叶楼梯草（药用部位：全草）。

| 形态特征 | 多年生草本。茎分枝或不分枝，疏被短柔毛或无毛。叶具短柄或无柄；叶片草质或膜质，斜椭圆形或斜狭椭圆形，先端长渐尖，基部狭侧楔形，宽侧宽楔形或圆形，边缘有牙齿，上面有少数短硬毛，下面有少数短毛或无毛，有钟乳体，具半离基三出脉或三出脉，每侧侧脉 3 ~ 4；托叶狭披针形或钻形。花序雌雄异株；雄花序单生于叶腋，梗长 6 mm，有短毛，花序托直径 6 mm，2 浅裂，苞片 5，宽卵形，疏被短柔毛，小苞片多数，膜质，船形，无毛，雄花蕾直径 1.2 mm，4 基数，无毛；雌花序近无梗，花序托宽椭圆形或椭圆形，不分裂或 2 浅裂，苞片三角状卵形或宽卵形，多有角状突起，

小苞片多数，条状披针形或匙形，顶部有白色短毛。瘦果褐色，卵球形，有纵肋。花期 4 ~ 9 月。

| 生境分布 | 生于海拔 450 ~ 1 400 m 的山谷溪边石上、山洞或林中。分布于湖南湘西州（龙山）等。

| 资源情况 | 野生资源稀少。药材来源于野生。

| 采收加工 | 夏、秋季采收，鲜用或晒干。

| 功能主治 | 祛风除湿，解毒杀虫。用于风湿痹痛，痈肿，疥疮。

| 用法用量 | 内服煎汤，9 ~ 15 g。外用适量，鲜品捣敷；或煎汤洗。

荨麻科 Urticaceae 楼梯草属 *Elatostema*

宜昌楼梯草

Elatostema ichangense H. Schröter

| 药 材 名 | 宜昌楼梯草（药用部位：根、叶）。

| 形态特征 | 多年生草本。茎不分枝，无毛。叶具短柄或无柄，无毛；叶片草质或薄纸质，斜倒卵状长圆形或斜长圆形，长6～12.4 cm，宽2～3 cm，先端尾状渐尖（渐尖部分全缘），基部狭侧楔形或钝，宽侧钝或圆形，边缘中、下部全缘，上部有浅牙齿，钟乳体密，半离基三出脉或近三出脉，狭侧侧脉1～2，宽侧侧脉约3；叶柄长达1.5 mm；托叶条形或长圆形。雄花序无梗或近无梗，直径3～6 mm，花序托小，苞片6，无毛，雄花花被片5；雌花序有梗，花序托近方形或长方形，长3～8 mm，苞片三角形。瘦果椭圆球形，长约0.6 mm，约有8纵肋。花期8～9月。

| 生境分布 | 生于山地常绿阔叶林中或石上。分布于湖南怀化（中方、辰溪、麻阳）、湘西州（吉首、泸溪、花垣、古丈）等。

| 资源情况 | 野生资源较少。药材来源于野生。

| 采收加工 | 全年均可采收，鲜用或晒干。

| 功能主治 | 微苦，凉。清热解毒，调经止痛。用于痈疽疮毒，月经不调，痛经。

| 用法用量 | 内服煎汤，6 ~ 15 g。外用适量，鲜品捣敷。

荨麻科 Urticaceae 楼梯草属 *Elatostema*

楼梯草 *Elatostema involucratum* Franch. et Sav.

| 药 材 名 | 楼梯草（药用部位：全草。别名：细水麻叶、石边采、赤车使者）、楼梯草根（药用部位：根茎）。

| 形态特征 | 多年生草本。茎不分枝或少分枝，无毛。叶无柄或近无柄；叶片草质，斜倒披针状长圆形或斜长圆形，先端骤尖（骤尖部分全缘），基部狭侧楔形，宽侧圆形或浅心形，边缘基部之上有较多牙齿，上面有少数短糙伏毛，下面无毛或沿脉有短毛，钟乳体密，叶脉羽状，侧脉每侧 5 ~ 8；托叶狭条形或狭三角形，无毛。花序雌雄同株或异株；雄花序有梗，直径 3 ~ 9 mm，花序梗长（4 ~）7 ~ 20（~ 32）mm，无毛，稀有短毛，花序托不明显，苞片少数，狭卵形或卵形，小苞片条形；雄花有梗，花被片 5，椭圆形，下部合生，

先端之下有不明显突起，雄蕊 5；雌花序具极短梗，直径 1.5 ~ 4 (~ 13) mm，花序托通常很小，周围有卵形苞片，小苞片条形，有睫毛。瘦果卵球形，有少数不明显纵肋。花期 5 ~ 10 月。

| **生境分布** | 生于海拔 200 ~ 2 000 m 的山谷沟边石上、林中或灌丛中。湖南各地均有分布。

| **资源情况** | 野生资源丰富。药材来源于野生。

| **采收加工** | 楼梯草：春、夏、秋季采割，洗净，切碎，鲜用或晒干。
楼梯草根：夏、秋季采挖，除去茎叶及须根，洗净，晒干。

| **药材性状** | 楼梯草：本品茎长约 40 cm。叶皱缩，展平后呈斜长椭圆形，先端尖锐，尾状，基部斜，半圆形，边缘中部以上有粗锯齿。聚伞花序常集成头状；雄花 1 ~ 10 簇生，花序有梗；雌花 8 ~ 12 簇生，无梗。瘦果卵形，细小。气微，味微苦。

| **功能主治** | 楼梯草：微苦，微寒。归大肠、肝、脾经。清热解毒，祛风除湿，利水消肿，活血止痛。用于赤白痢疾，高热惊风，黄疸，风湿痹痛，水肿，淋证，经闭，疮肿，痄腮，带状疱疹，毒蛇咬伤，跌打损伤，骨折。
楼梯草根：微辛，微寒；有小毒。活血止痛。用于跌打损伤，筋骨疼痛。

| **用法用量** | 楼梯草：内服煎汤，6 ~ 9 g。外用适量，鲜品捣敷；或捣烂加酒揉擦。
楼梯草根：内服煎汤，6 ~ 9 g；或浸酒。

荨麻科 Urticaceae 楼梯草属 Elatostema

瘤茎楼梯草

Elatostema myrtillus (Lévl.) Hand.-Mazz.

| 药 材 名 | 路郎鸡（药用部位：叶）。

| 形态特征 | 多年生草本。茎常分枝，下部密被锈色小软鳞片，后鳞片呈小瘤状凸起，无毛。叶无柄，无毛；叶片草质，斜狭卵形，长 1.3 ~ 2.8 cm，宽 6 ~ 10 mm，先端渐尖，基部狭侧楔形，宽侧耳形，下部全缘，上部有锯齿，钟乳体密，极明显，基出脉 3，侧脉不明显；托叶钻形。花序雌雄异株或同株，无梗，单生于叶腋；雄花序直径 2 ~ 5 mm，有 1 ~ 6 花，花序托不明显，苞片 6 ~ 8，船状倒卵形或椭圆形，长约 2 mm，边缘上部有短疏毛；雄花有梗，花被片 4 ~ 5，倒卵形，长 1.2 ~ 1.5 mm，下部合生，雄蕊 4 ~ 5，退化雌蕊不存在；雌花序直径约 2 mm，花序托不明显，苞片约 6，近长圆形，长约

1 mm，小苞片条形，长约 1 mm，先端截形，有糙毛；雌花无梗，花被片 4，极小。瘦果狭卵球形，有少数纵肋。花期 5 ～ 10 月。

| **生境分布** | 生于海拔 300 ～ 1 000 m 的石灰岩山谷林中或沟边石上。分布于湖南怀化（麻阳）等。

| **资源情况** | 野生资源稀少。药材来源于野生。

| **采收加工** | 全年均可采集，洗净，鲜用或晒干。

| **功能主治** | 苦，寒。归肝经。清肝解毒，利湿消肿。用于目赤肿痛，湿热黄疸，风湿红肿，骨折。

| **用法用量** | 内服煎汤，6 ～ 15 g。外用适量，鲜品捣敷。

荨麻科 Urticaceae 楼梯草属 Elatostema

长圆楼梯草
Elatostema oblongifolium Fu ex W. T. Wang

| **药材名** | 六月合（药用部位：全草。别名：小水药、水惊风、冷草）。

| **形态特征** | 多年生草本。茎少分枝或不分枝，无毛。叶具短柄或无柄；叶片草质或纸质，斜狭长圆形，长 6 ~ 14 cm，宽 1.4 ~ 3.5 cm，先端渐尖，基部狭侧钝或楔形，宽侧圆形或浅心形，边缘上部至先端有浅钝齿，无毛，钟乳体极密，叶脉羽状，侧脉约 6 对；叶柄及托叶无毛。花序雌雄异株或同株。雄花序具极短梗，聚伞状，无毛或近无毛，分枝下部合生，花序梗长 0.5 ~ 3 mm，苞片卵形、披针形或条形；雄花无毛，花梗长达 3 mm，花被片 5，狭椭圆形，基部合生，无突起，雄蕊 5，雌蕊退化；雌花序具短梗，腋生，近长方形，常 3 ~ 4 深裂，边缘有苞片，花序梗长约 1 mm，苞片及小苞片披针形，有疏睫毛；

雌花花梗长约 0.8 mm，花被小，子房卵形。瘦果椭圆球形或卵球形，有纵肋。花期 4 ~ 5 月。

| **生境分布** | 生于低山山谷阴湿处。分布于湖南邵阳（邵阳）等。

| **资源情况** | 野生资源稀少。药材来源于野生。

| **采收加工** | 夏、秋季采收，鲜用或晒干。

| **功能主治** | 辛、苦，平；有小毒。消肿止痛，清热解毒。用于骨折，扭伤肿痛，疮肿，风热感冒。

| **用法用量** | 内服煎汤，15 ~ 30 g。外用适量，鲜品捣敷。

荨麻科 Urticaceae 楼梯草属 *Elatostema*

钝叶楼梯草
Elatostema obtusum Wedd.

| 药 材 名 | 钝叶楼梯草（药用部位：全草）。

| 形态特征 | 草本。茎分枝或不分枝，有短糙毛。叶无柄或具极短柄；叶片草质，斜倒卵形或斜倒卵状椭圆形，长 0.5 ~ 1.5（~ 3）cm，宽 0.4 ~ 1.2（~ 1.6）cm，先端钝，基部狭侧楔形，宽侧心形或近耳形，边缘有钝齿，无毛或上面疏被短伏毛，有钟乳体，基出脉 3，侧脉不明显；托叶披针状狭条形。花序雌雄异株；雄花序有梗，花 3 ~ 7，花序梗无毛，花序托极小，苞片 2，卵形，有短毛；雄花花梗长达 4 mm，花被片 4，倒卵形，基部合生，外面有疏毛，先端之下有角状突起，雄蕊 4，花药基部叉开，雌蕊退化；雌花序无梗，生于叶腋，花 1（~ 2），苞片 2，狭长圆形、披针形或狭卵形，外面有疏毛，

常骤尖；雌花花被不明显，子房狭长圆形，雄蕊退化，近圆形。瘦果狭卵球形，光滑。花期 6 ～ 9 月。

| 生境分布 | 生于海拔 700 ～ 1 900 m 的山地林下、沟边或石上，常与苔藓同生。分布于湖南郴州（宜章）等。

| 资源情况 | 野生资源稀少。药材来源于野生。

| 功能主治 | 清热解毒，祛瘀止痛。

荨麻科 Urticaceae 楼梯草属 Elatostema

庐山楼梯草

Elatostema stewardii Merr.

| 药 材 名 | 乌骨麻（药用部位：根茎）。

| 形 态 特 征 | 多年生草本。茎不分枝，无毛或近无毛，常具珠芽。叶具短柄；叶片草质或薄纸质，斜椭圆形或斜长圆形，长 7 ～ 12.5 cm，宽 2.8 ～ 4.5 cm，先端骤尖，基部狭侧楔形或钝，宽侧耳形或圆形，边缘有牙齿，无毛或散生短硬毛，钟乳体密，叶脉羽状，狭侧侧脉 4 ～ 6，宽侧侧脉 5 ～ 7；叶柄及托叶无毛。花序雌雄异株，单生于叶腋；雄花序具短梗，花序托小，苞片 6，先端有长角状突起，小苞片膜质，宽条形至狭条形，有疏睫毛；雄花花被片 5，椭圆形，下部合生，外面先端之下有短角状突起，有短睫毛，雄蕊 5，雌蕊退化；雌花序无梗，花序托近长方形，苞片多数，三角形，密被短柔毛，较大

者具角状突起，小苞片密集，匙形或狭倒披针形，边缘上部密被短柔毛。瘦果卵球形，纵肋不明显。花期 7 ～ 9 月。

| **生境分布** | 生于海拔 580 ～ 1 400 m 的山谷沟边或林下。湖南各地均有分布。

| **资源情况** | 野生资源丰富。药材来源于野生。

| **采收加工** | 夏、秋季采集，鲜用或晒干。

| **药材性状** | 本品呈不规则圆柱形，多分枝，长 3 ～ 10 cm。表面淡紫红色，有结节，并有多数须根痕。断面暗紫红色，具 6 ～ 7 维管束。气微，味辛而苦。

| **功能主治** | 苦、辛，温；有毒。活血祛瘀，解毒消肿，止咳。用于跌打扭伤，骨折，闭经，风湿痹痛，疟腮，带状疱疹，疮肿，毒蛇咬伤，咳嗽。

| **用法用量** | 内服煎汤，鲜品 10 ～ 30 g。外用适量，鲜品捣敷。

荨麻科 Urticaceae 楼梯草属 Elatostema

条叶楼梯草

Elatostema sublineare W. T. Wang

| **药 材 名** | 半边山（药用部位：带根全草）。

| **形态特征** | 多年生草本。茎不分枝，上面被白色长柔毛和锈色小鳞片。叶无柄；叶片草质，斜倒披针形或斜条状倒披针形，长 6 ~ 10.5 cm，宽 1.2 ~ 2.2（~ 2.8）cm，先端渐尖（渐尖头全缘或下部有 1 ~ 2 齿），基部狭侧钝，宽侧心形，边缘有小牙齿，上面有疏柔毛，下面沿脉有白色长柔毛，钟乳体密，叶脉羽状，侧脉 5 ~ 6；托叶膜质，无毛或有疏柔毛。雄花序直径约 9 mm，花多数，花序梗长 6 ~ 10 mm，有柔毛，花序托不明显，苞片 6；雄花花被片（4 ~）5，基部合生，外面先端之下有不明显短突起，被长柔毛，雄蕊（4 ~）5，退化雌蕊无；雌花序有短梗或近无梗，花多数，密集，花序托近长方形，

不分裂或 2 裂，苞片多，小苞片密集，条形或匙状条形；雌花有短梗，花被不明显。瘦果椭圆状卵球形，有纵肋。花期 3 ～ 5 月。

| 生境分布 |　生于海拔 400 ～ 850 m 的山谷沟边阴处石上或林下。分布于湖南怀化（会同）、湘西州（古丈、永顺、龙山）、娄底（新化）等。

| 资源情况 |　野生资源稀少。药材来源于野生。

| 采收加工 |　夏、秋季采收，洗净，切段，鲜用或晒干。

| 功能主治 |　微苦、甘，凉。接骨消肿，清肝解毒，利湿。用于跌打伤肿，骨折，关节红肿，火眼，黄疸。

| 用法用量 |　内服煎汤，6 ～ 15 g。外用适量，鲜品捣敷。

荨麻科 Urticaceae 楼梯草属 Elatostema

疣果楼梯草

Elatostema trichocarpum Hand.-Mazz.

| 药 材 名 | 毛果楼梯草（药用部位：全草）。

| 形态特征 | 多年生草本。茎直立或渐升，高 12 ~ 25 cm，无毛或有伏毛，不分枝或分枝。叶具短柄；叶片草质，茎下部叶小，长 8 ~ 10 mm，上部的较大，斜椭圆状卵形或斜椭圆形，长 2 ~ 4.8 cm，宽 1.2 ~ 1.7 cm，先端微尖或微钝，基部在狭侧钝，在宽侧心形或近耳形，边缘下部或中部之下全缘，其上有小牙齿，上面散生少数糙伏毛，下面无毛，钟乳体不明显，长约 0.2 mm，半离基三出脉，侧脉在狭侧约 2，在宽侧约 3；叶柄长 0.5 ~ 2 mm，无毛；托叶钻形，长 0.6 ~ 1 mm，速落。花序雌雄同株或异株，单生于叶腋；雄花序无梗，直径 5 ~ 10 mm；苞片约 12，长圆状三角形，长达 5 mm，在先端之下

有角状突起，有疏柔毛；雄花：花梗长约 5 mm；花被片 4，椭圆形，长约 1.5 mm，下部合生；雄蕊 4；雌花序上部的无梗，下部的具长梗，直径 2 ~ 5 mm，有多数密集的花；花序梗长 2 ~ 12 mm，有短柔毛；花序托小；苞片超过 10，狭卵形至狭披针形，长 1.2 ~ 2 mm；小苞片披针状条形，长约 1 mm，上部有长睫毛；雌花：花被片约 3，披针形，长约 0.3 mm。瘦果狭卵球形，长约 1 mm，有数条不明显的纵肋和不明显的小突起，有疏毛或无毛。花期 5 ~ 6 月。

| **生境分布** | 生于海拔约 1 000 m 的山地阴湿处。分布于湖南张家界（桑植）等。

| **资源情况** | 野生资源稀少。药材来源于野生。

| **功能主治** | 清热解毒，祛瘀止痛。

荨麻科 Urticaceae 大蝎子草属 Girardinia

大蝎子草 Girardinia diversifolia (Link) Friis

| 药 材 名 | 大钱麻（药用部位：全草）。

| 形态特征 | 多年生高大草本，茎多分枝，具 5 棱，生刺毛、细糙毛或柔毛。叶片宽卵形、扁圆形或五角形，基部宽心形或近截形，具（3 ～）5 ～ 7 深裂，边缘有不规则牙齿，上面疏生刺毛和糙伏毛，下面生糙伏毛或短硬毛，脉上疏生刺毛，基生脉 3；叶柄长 3 ～ 15 cm；托叶长圆状卵形，长 10 ～ 30 mm，外面疏生细糙伏毛。花雌雄异株或同株，雌花序生于上部叶腋，雄花序生于下部叶腋，多次二叉分枝，排成总状或近圆锥状，长 5 ～ 11 cm；雌花序总状或近圆锥状，花序轴具糙伏毛和粗毛，小团伞花枝密生刺毛和细粗毛；雄花近无梗，花被片 4，卵形，内凹，外面疏生细糙毛，退化雌蕊杯状；雌花长约

0.5 mm。瘦果近心形，稍扁，长 2.5 ~ 3 mm，成熟时变为棕黑色，表面有粗疣点。花期 9 ~ 10 月，果期 10 ~ 11 月。

| **生境分布** | 生于海拔 500 ~ 1 400 m 的山谷、溪旁、山地林边或疏林下。湖南有广泛分布。

| **资源情况** | 野生资源一般。药材来源于野生。

| **采收加工** | 全年均可采收，以春、夏季采收为多，鲜用或晒干。

| **药材性状** | 本品长 0.5 ~ 2 m，被短毛和锐刺状螫毛。茎有棱。叶皱缩，展平后呈五角形，长、宽均为 8 ~ 15 cm，基部宽心形或近截形，掌状 3 深裂，边缘有粗锯齿，两面均有毛；叶柄长 3 ~ 15 cm；托叶长圆状卵形，合生。气微，味苦。

| **功能主治** | 微苦、辛，凉；有小毒。祛风除湿，利湿解毒。用于咳嗽痰多，风湿痹痛，跌打疼痛，头痛，皮肤瘙痒，水肿，疮毒，蛇咬伤。

| **用法用量** | 内服煎汤，9 ~ 15 g；或捣汁饮。外用适量，煎汤熏洗。

荨麻科 Urticaceae 大蝎子草属 Girardinia

红火麻

Girardinia suborbiculata C. J. Chen subsp. *triloba* (C. J. Chen) C. J. Chen

| 药 材 名 |　蝎子草（药用部位：全草。别名：红霍毛草）。

| 形态特征 |　一年生草本。茎高 30 ~ 100 cm，麦秆色或紫红色，疏生刺毛和细糙伏毛，几不分枝。叶二型，大多呈倒梯形，中部 3 裂，裂片三角形，中央 1 裂片长 3 ~ 7 cm，侧面 2 裂片长 1.5 ~ 3 cm，边缘具多数较整齐的牙齿，有时下部的为重牙齿，中下部的齿较大，基部截形或心形；茎、叶柄和下面的叶脉常带紫红色。花雌雄同株，雌花序单个或雌雄花序成对生于叶腋；雄花序穗状，长 1 ~ 2 cm；雌花序短穗状，花序轴密生粗毛；团伞花序枝密生刺毛，连同主轴生近贴生的短硬毛；雄花具梗，花被片 4，退化雌蕊杯状；雌花近无梗，花被片大者近盔状，先端 3 齿，外面疏生短刚毛，花被片小者呈条形，有时败育。瘦果宽卵形，双凸透镜状，长约 2 mm，成熟时呈灰褐色，

有不规则粗疣点。花期 7 ~ 9 月，果期 9 ~ 11 月。

| **生境分布** | 生于海拔 300 ~ 1 300 m 的山坡林下、溪边阴湿处和住宅旁。分布于湖南怀化（辰溪）等。

| **资源情况** | 野生资源稀少。药材来源于野生。

| **采收加工** | 夏、秋季采收，多鲜用。

| **功能主治** | 辛，温；有毒。止痛。用于风湿痹痛。

| **用法用量** | 外用适量，用鲜品在痛处刷打数次，致局部发红、发热、起疙瘩。

| **附 注** | 本种的拉丁学名在 FOC 中被修订为 *Girardinia diversifolia* (Link) Friis subsp. *triloba* (C. J. Chen) C. J. Chen et Friis。

荨麻科 Urticaceae 糯米团属 Gonostegia

糯米团

Gonostegia hirta (Bl.) Miq.

| 药 材 名 |

糯米藤（药用部位：带根全草。别名：糯米条、糯饭藤）。

| 形态特征 |

多年生草本。茎不分枝或分枝，上部四棱形，有短柔毛。叶对生，草质或纸质，宽披针形至狭披针形、狭卵形，长（1～）3～10 cm，宽（0.7～）1.2～2.8 cm，先端渐尖，基部浅心形或圆形，全缘，上面稍粗糙，有稀疏短伏毛或近无毛，下面沿脉有疏毛或近无毛，基出脉3～5；叶柄长1～4 mm；托叶钻形。团伞花序腋生，直径2～9 mm，苞片三角形；雄花花梗长1～4 mm，花蕾直径约2 mm，在内折线上有稀疏长柔毛，花被片5，分生，倒披针形，先端短骤尖，雄蕊5，花丝条形，长2～2.5 mm，花药长约1 mm，退化雌蕊圆锥状；雌花花被菱状狭卵形，先端有2小齿，有疏毛，果期呈卵形，长约1.6 mm，有10纵肋，柱头长约3 mm，有密毛。瘦果卵球形，长约1.5 mm，白色或黑色，有光泽。花期5～9月。

| 生境分布 |

生于丘陵或低山林中、灌丛、沟边草地。湖

南各地均有分布。

| 资源情况 | 野生资源丰富。药材来源于野生。

| 采收加工 | 全年均可采收，鲜用或晒干。

| 药材性状 | 本品根粗壮，肉质，圆锥形，有支根；表面浅红棕色；不易折断，断面略粗糙，呈浅棕黄色。茎黄褐色。叶多破碎，暗绿色，粗糙有毛，润湿展平后，3 基脉明显，背面网脉明显。有时可见簇生的花或瘦果，果实卵形，先端尖，约具 10 细纵棱。气微，味淡。

| 功能主治 | 甘、微苦，凉。清热解毒，健脾消积，利湿消肿，散瘀止血。用于乳痈，肿毒，痢疾，食积腹痛，疳积，带下，水肿，小便不利，痛经，跌打损伤，咯血，吐血，外伤出血。

| 用法用量 | 内服煎汤，10 ~ 30 g，鲜品加倍。外用适量，捣敷。

荨麻科 Urticaceae 艾麻属 Laportea

珠芽艾麻
Laportea bulbifera (Sieb. et Zucc.) Wedd.

| 药 材 名 |

野绿麻（药用部位：全草）、野绿麻根（药用部位：根）。

| 形态特征 |

多年生草本。茎不分枝或少分枝，具5纵棱，有短柔毛和刺毛；珠芽1~3生于叶腋或无珠芽。叶卵形至披针形，长（6~）8~16 cm，宽（2.5~）3.5~8 cm，先端渐尖，基部宽楔形或圆形，边缘自基部以上有牙齿或锯齿，上面生糙伏毛和刺毛，下面生短柔毛和刺毛，钟乳体细点状，基出脉3，侧脉4~6对；叶柄长1.5~10 cm；托叶长圆状披针形，先端2浅裂，背面肋上生糙毛。雄花序具短梗，分枝多；雌花序长10~25 cm，花序梗长5~12 cm，分枝较短；雄花具短梗或无梗，花被片5，长圆状卵形，内凹，外面近先端无角状突起物，有微毛，雄蕊5，退化雌蕊倒梨形，小苞片三角状卵形；雌花具梗，花被片4。瘦果圆状倒卵形或近半圆形，扁平，长2~3 mm，光滑，有紫褐色细斑点。花期6~8月，果期8~12月。

| 生境分布 | 生于海拔 1 000 ～ 2 100 m 的山坡林下或林缘路边半阴坡湿润处。分布于湖南湘西州（吉首、龙山）、怀化（通道）等。

| 资源情况 | 野生资源较少。药材来源于野生。

| 采收加工 | **野绿麻**：夏、秋季采挖，洗净，鲜用或晒干。
野绿麻根：秋季采挖根，除去茎、叶及泥土，鲜用或晒干。

| 药材性状 | **野绿麻根**：本品根茎连接成团块状，大小不等，灰棕色或棕褐色，上面有多数茎的残基和孔洞。根簇生于根茎周围，呈长圆锥形或细长纺锤形，扭曲，长6 ～ 20 cm，直径 3 ～ 6 mm。表面灰棕色至红棕色，具细纵皱纹，有纤细的须根或须根痕。质坚硬，不易折断，断面纤维性，浅红棕色。气微，味微苦、涩。

| 功能主治 | **野绿麻**：健脾消积。用于疳积。
野绿麻根：辛，温。祛风除湿，活血止痛。用于风湿痹痛，肢体麻木，跌打损伤，骨折疼痛，月经不调，劳伤乏力，肾炎性水肿。

| 用法用量 | **野绿麻**：内服煎汤，9 ～ 15 g，鲜品 50 g；或浸酒。
野绿麻根：内服煎汤，9 ～ 15 g，鲜品 30 g；或浸酒。外用适量，煎汤洗。

荨麻科 Urticaceae 艾麻属 Laportea

艾麻

Laportea cuspidata (Wedd.) Friis

| 药 材 名 | 红线麻（药用部位：根。别名：红头麻、苛麻）。

| 形态特征 | 多年生草本。茎不分枝或分枝，具 5 纵棱，有时带紫红色，疏生刺毛和短柔毛。有时木质珠芽数枚生于叶腋。叶近膜质至纸质，卵形、椭圆形或近圆形，长 7 ~ 22 cm，宽 3.5 ~ 17 cm，先端长尾状，基部心形或圆形，边缘具锐牙齿，两面疏生刺毛和短柔毛，钟乳体细点状，基出脉 3，侧脉 2 ~ 4 对；叶柄长 3 ~ 14 cm；托叶卵状三角形，先端 2 裂。雄花序圆锥状，长 8 ~ 17 cm；雌花序长穗状，生于茎梢叶腋，小团伞花簇着生于单一的序轴上，花序梗较短，长 2 ~ 8 cm，疏生刺毛和短柔毛；雄花具短梗或近无梗，直径约 1.5 mm，花被片 5，狭椭圆形，疏生微毛，雄蕊 5，花丝下部贴生于花被片，退化雌蕊倒圆锥形；雌花具梗，花被片 4。瘦果卵形，

歪斜，长近 2 mm，绿褐色，光滑。花期 6 ~ 7 月，果期 8 ~ 9 月。

| **生境分布** | 生于海拔 800 ~ 1 900 m 的山坡林下或沟边。分布于湖南常德（汉寿）、怀化（通道、洪江）等。

| **资源情况** | 野生资源较少。药材来源于野生。

| **采收加工** | 夏、秋季采挖，除去茎叶及须根，洗净，鲜用或晒干。

| **功能主治** | 辛、苦，寒；有小毒。祛风除湿，通经活络，消肿，解毒。用于风湿痹痛，肢体麻木，腰腿疼痛，水肿，淋巴结结核，蛇咬伤。

| **用法用量** | 内服煎汤，6 ~ 12 g；或浸酒。外用适量，捣敷；或煎汤洗。

假楼梯草 Lecanthus peduncularis (Wall. ex Royle) Wedd.

药材名

籰管草（药用部位：全草）。

形态特征

草本。茎常分枝，上部有短柔毛。同对叶常不等大，卵形，稀卵状披针形，长 4 ~ 15 cm，宽 2 ~ 6.5 cm，先端渐尖，基部稍偏斜，圆形，有时宽楔形，边缘有牙齿或锯齿，上面疏生透明硬毛，下面疏生短柔毛，钟乳体条形，基出脉 3；叶柄长 2 ~ 8 cm，疏生短柔毛；托叶膜质，长圆形或狭卵形，先端钝。花序单生于叶腋，具盘状花序托；雄花序托盘状，直径 8 ~ 18 mm，花序梗长 5 ~ 20 cm；雌花序托盘直径 5 ~ 10 mm，花序梗长 3 ~ 12 cm，总苞片膜质，卵形或近三角形；雄花具梗，花被片 5，外面近先端常有角状突起，雄蕊 5，退化雌蕊近圆锥形；雌花具短梗，花被片（3 ~）4（~ 5），长圆状倒卵形。瘦果椭圆状卵形，长 0.8 ~ 1 mm，表面散生疣点，上部背腹侧有略隆起的脊 1。花期 7 ~ 8 月，果期 9 ~ 10 月。

生境分布

生于海拔 1 300 ~ 1 900 m 的山谷林下阴湿处。分布于湖南张家界（武陵源）、永州（东安）、怀化（洪江）、湘西州（吉首、古丈、永顺）等。

| **资源情况** | 野生资源一般。药材来源于野生。

| **采收加工** | 全年均可采挖，洗净，鲜用或晒干。

| **功能主治** | 甘，寒。润肺止咳。用于肺热咳嗽，阴虚久咳，咯血。

| **用法用量** | 内服煎汤，6 ~ 15 g。

荨麻科 Urticaceae 花点草属 Nanocnide

花点草 *Nanocnide japonica* Bl.

| 药 材 名 | 幼油草（药用部位：全草。别名：花点草）。

| 形态特征 | 多年生小草本。茎自基部分枝，常半透明，黄绿色，有时上部带紫色，被微硬毛。叶三角状卵形或近扇形，长 1.5 ~ 3（~ 4）cm，宽 1.3 ~ 2.7（~ 4）cm，先端钝圆，基部宽楔形、圆形或近截形，边缘具圆齿或粗牙齿，疏生短柔毛，钟乳体短杆状，基出脉 3 ~ 5；托叶膜质，宽卵形，具缘毛。雄花序为多回二歧聚伞花序，直径 1.5 ~ 4 cm，具长梗，花序梗被毛；雌花序密集成团伞花序，直径 3 ~ 6 mm，具短梗；雄花具梗，紫红色，直径 2 ~ 3 mm，花被 5 深裂，裂片卵形，背面近中部有横向的鸡冠状突起物，其上缘生长毛，雄蕊 5，退化雌蕊宽倒卵形；雌花长约 1 mm，花被绿色，4 深裂。瘦果卵形，黄褐色，长约 1 mm，有疣点状突起。花期 4 ~ 5 月，果期 6 ~ 7 月。

| **生境分布** | 生于海拔 100 ～ 1 600 m 的山谷林下和石缝阴湿处。分布于湖南张家界（武陵源、永定、慈利）、怀化（洪江、会同）、郴州（汝城）、益阳（桃江）、娄底（新化）等。 |

| **资源情况** | 野生资源一般。药材来源于野生。 |

| **采收加工** | 全年均可采收，除去杂质，洗净，鲜用或晒干。 |

| **功能主治** | 淡，凉。清热解毒，止咳，止血。用于黄疸，肺结核咯血，潮热，痔疮，痱子。 |

| **用法用量** | 内服煎汤，30 ～ 60 g。外用适量，煎汤洗。 |

荨麻科 Urticaceae 花点草属 Nanocnide

毛花点草 *Nanocnide lobata* Wedd.

| 药 材 名 | 雪药（药用部位：全草。别名：连钱草、波丝草、水麻菜）。

| 形态特征 | 一年生或多年生草本。茎分枝，常半透明，有时下部带紫色，被微硬毛。叶膜质，宽卵形至三角状卵形，长 1.5 ~ 2 cm，宽 1.3 ~ 1.8 cm，先端钝或锐尖，基部近截形至宽楔形，边缘具粗齿；茎下部叶扇形，先端钝或圆形，基部近截形或浅心形，疏生小刺毛和短柔毛，脉上密生短柔毛，基出脉 3 ~ 5，钟乳体短杆状；叶柄长或短于叶片，被短柔毛；托叶膜质，具缘毛。雄花序常生于枝上部叶腋，具短梗；雌花序生于叶腋，具短梗或无梗，花多数；雄花淡绿色，直径 2 ~ 3 mm，花被（4 ~）5 深裂，背面上部有鸡冠状突起，其边缘疏生白色小刺毛，雄蕊（4 ~）5，长 2 ~ 2.5 mm，退化雌蕊宽倒卵形；雌花长 1 ~ 1.5 mm，花被片绿色，4 深裂，宿存。瘦果卵形，

压扁，长约 1 mm，有疣点状突起。花期 4 ~ 6 月，果期 6 ~ 8 月。

| **生境分布** | 生于海拔 25 ~ 1 400 m 的山谷溪旁、石缝、路旁阴湿地和草丛中。湖南各地均有分布。

| **资源情况** | 野生资源丰富。药材来源于野生。

| **采收加工** | 春、夏季采集，鲜用或晒干。

| **药材性状** | 本品干品皱缩成团。根细长，棕黄色。茎纤细，多扭曲，直径约 1 mm，枯绿色或灰白色，被有白色柔毛。叶皱缩卷褶，多脱落，完整叶三角状卵形或宽卵形，枯绿色。有的可见圆球状淡棕绿色花序。气微，味淡。

| **功能主治** | 苦，凉。清热解毒，消肿散结，止血。用于肺热咳嗽，瘰疬，咯血，烫火伤，痈肿，跌打损伤，蛇咬伤，外伤出血。

| **用法用量** | 内服煎汤，15 ~ 30 g。外用适量，鲜品捣敷；或浸菜油、麻油外搽。

荨麻科 Urticaceae 紫麻属 *Oreocnide*

紫麻

Oreocnide frutescens (Thunb.) Miq.

药材名

紫麻（药用部位：全株。别名：水苎麻、野麻、水麻叶）。

形态特征

灌木，稀小乔木，高 1 ~ 3 m。小枝褐紫色或淡褐色，上部常有粗毛或近贴生的柔毛，稀有灰白色毡毛。叶常生于枝的上部，草质，偶为纸质，卵形或狭卵形，稀倒卵形，长 3 ~ 15 cm，宽 1.5 ~ 6 cm，边缘自下部以上有锯齿或粗牙齿，上面常疏生糙伏毛，有时近平滑，下面常被灰白色毡毛；叶柄长 1 ~ 7 cm，被粗毛；托叶条状披针形，长约 10 mm，背面中肋疏生粗毛。花序呈簇生状。雄花花被片 3，下部合生，长卵圆形，内弯，外面上部有毛，雄蕊 3，退化雌蕊棒状，长约 0.6 mm，被白色绵毛；雌花无梗，长 1 mm。瘦果卵球状，长约 1.2 mm；宿存花被深褐色，外面疏生微毛；内果皮稍呈骨质，表面有多数细注点；花托浅盘状，成熟时则常呈壳斗状，包围大部分果实。花期 3 ~ 5 月，果期 6 ~ 10 月。

生境分布

生于海拔 300 ~ 1 500 m 的山谷、溪边、林缘半阴湿处或石缝。湖南各地均有分布。

| 资源情况 | 野生资源较丰富。药材来源于野生。

| 采收加工 | 夏、秋季采收，洗净，鲜用或晒干。

| 药材性状 | 本品全株有毛，长达 1 m。茎上有棱槽。叶皱缩，展平后呈卵状长圆形或卵状披针形，长 4 ～ 12 cm，宽 1.7 ～ 5 cm，先端渐尖，基部楔形，边缘有锯齿；叶柄长 1 ～ 6 cm。果实卵形。气微，味微甜。

| 功能主治 | 甘，平。清热解毒，行气活血，透疹。用于感冒发热，跌打损伤，牙痛，麻疹不透，肿疡。

| 用法用量 | 内服煎汤，30 ～ 60 g。外用适量，捣敷；或煎汤含漱。

荨麻科 Urticaceae 紫麻属 Oreocnide

倒卵叶紫麻

Oreocnide obovata (C. H. Wright) Merr.

|药材名|

癞皮根（药用部位：全株或根。别名：地道杜）。

|形态特征|

直立灌木或攀缘状灌木，高 1.5 ~ 3 m。枝灰褐色，被粗毛和短柔毛，后渐脱落。叶倒卵形或狭倒卵形，稀倒披针形，长 7 ~ 17 cm，宽 3 ~ 9 cm，边缘自下部以上有牙齿或钝锯齿，基出脉 3，侧脉 2 ~ 3（~ 4）对，最下面 1 对自叶中下部伸出，其余各对在近边缘处彼此环结；叶柄长 1 ~ 7 cm，被短粗毛和短柔毛；托叶条形，长 7 ~ 10 mm，下面中肋上疏生短粗毛。花序长 0.8 ~ 1.5 cm，花序梗被短粗毛，团伞花簇直径 3 ~ 4 mm；雄花花被片 3，稀 2，卵形，长约 0.7 mm，外面生微毛，雄蕊 3，稀 2，退化雌蕊棒状，长 0.4 mm，被绵毛，小苞片卵形，长 0.5 mm，中肋疏生微毛；雌花卵形，长约 1 mm。瘦果卵形，稍压扁，长 1 ~ 1.2 mm，外面生微毛，肉质花托盘状，生于果实基部。花期 12 月至翌年 2 月，果期 5 ~ 8 月。

| **生境分布** | 生于海拔 200 ~ 1 400 m 的山谷、水旁林下。分布于湖南常德（安乡）、永州（零陵、双牌、道县）等。 |

| **资源情况** | 野生资源较少。药材来源于野生。 |

| **采收加工** | 夏、秋季采挖，鲜用或晒干。 |

| **功能主治** | 辛，温。发表透疹，祛风渗湿，活血散瘀。用于麻疹，水痘，风湿痹痛，跌打损伤，骨折。 |

| **用法用量** | 内服煎汤，3 ~ 9 g。外用适量，鲜品捣敷。 |

荨麻科 Urticaceae 赤车属 Pellionia

短叶赤车

Pellionia brevifolia Benth.

| **药 材 名** | 猴接骨草（药用部位：全草。别名：山椒草）。

| **形态特征** | 小草本。茎平卧，长 12 ~ 30 cm，下部节上生根，分枝，有反曲或近开展的短糙毛，毛长 0.3 ~ 1 mm。叶具短柄；叶片草质，斜椭圆形或斜倒卵形，长 5 ~ 32 mm，宽 4 ~ 20 mm，先端钝或圆形，基部在狭侧钝或楔形，在宽侧耳形，边缘在狭侧中部之上，在宽侧基部之上有稀疏浅钝齿，上面无毛或疏被短伏毛，下面沿脉有短毛，钟乳体不明显，稀疏，长约 0.2 mm，半离基三出脉，侧脉在狭侧 1 ~ 2，在宽侧 2 ~ 3；叶柄长 1.52 mm；托叶钻形，长 1.12 ~ 2 mm。花序雌雄异株或同株；雄花序有长梗，直径 8 ~ 15 mm；花序梗长 2.8 ~ 4 cm，与花序分枝均有开展的短毛；苞片披针状条形，长约 3 mm，有疏睫毛；雄花：花被片 5，椭圆形，长约 2 mm，稍不等

大，在外面先端之下有长约 0.2 mm 的短角状突起，无毛；雄蕊 5；雌花序具短梗或无梗，直径 2.5 ～ 4 mm，有多数密集的花；花序梗长 1 ～ 3（～ 10）mm；苞片狭条形，长 2.5 ～ 2.8 mm，上部有疏睫毛；雌花：花被片 5，不等大，2 船状狭长圆形，长约 1 mm，顶部有长约 2 mm 的长角状突起，3 狭披针形，长 1.2 ～ 1.8 mm，无突起，边缘有稀疏短毛。瘦果狭卵球形，长约 1.2 mm，有小瘤状突起。花期 5 ～ 7 月。

| **生境分布** | 生于海拔 350 ～ 1 500 m 的山地林中、山谷溪边或石边。分布于湖南张家界（桑植）、邵阳（新宁）等。

| **资源情况** | 野生资源稀少。药材来源于野生。

| **采收加工** | 全年均可采收，洗净，鲜用或晒干。

| **功能主治** | 苦，温。活血散瘀，消肿止痛。用于跌打损伤，骨折。

| **用法用量** | 内服煎汤，3 ～ 9 g。外用适量，捣敷。

荨麻科 Urticaceae 赤车属 Pellionia

赤车

Pellionia radicans (Sieb. et Zucc.) Wedd.

| 药 材 名 | 赤车使者（药用部位：全草。别名：岩下青、半边山、见血清）。

| 形态特征 | 多年生草本。茎下部卧地，在节处生根，上部渐升，长 20 ～ 60 cm，常分枝。叶片草质，斜狭菱状卵形或披针形，长（1.2 ～）2.4 ～ 5（～ 8）cm，先端渐尖，基部窄侧钝，宽侧耳形上部具小齿，半离基三出脉，侧脉 2 ～ 4 对；托叶钻形，长 1 ～ 4.2 mm。花序雌雄异株；雄花序为稀疏的聚伞花序，长 1 ～ 5（～ 8）cm，苞片狭条形或钻形，长 1.5 ～ 2 mm；雄花花被片 5，椭圆形，顶部有角状突起，雄蕊 5；雌花序有多数密集的花，花序梗长 0.5 ～ 3（～ 25）mm，有少数极短的毛，苞片条状披针形，长约 1.6 mm；雌花花被片 5，果期长约 0.8 mm，其中 3 花被片较大，船状长圆形，顶部有角状突起，2 花被片较小，狭长圆形，平，无突起，子房与花被片近等长。

瘦果近椭圆状球形，有小瘤状突起。花期 5 ~ 10 月。

| **生境分布** | 生于海拔 200 ~ 1 500 m 的山地和山谷林下、灌丛中阴湿处或溪边。湖南各地均有分布。

| **资源情况** | 野生资源丰富。药材来源于野生。

| **采收加工** | 夏、秋季采收，洗净，鲜用或晒干。

| **药材性状** | 本品根茎呈圆柱形，细长，长短不一，直径约 1 mm，表面棕褐色。叶互生，皱缩卷曲，多破碎，完整叶展平后呈狭卵形或卵形，基部不对称，上表面绿色，下表面灰绿色，质脆易碎。有的可见小花序。气微，味微苦、涩。

| **功能主治** | 辛、甘，温。祛瘀消肿，解毒止痛。用于扭挫伤，牙痛，疔毒，毒蛇咬伤。

| **用法用量** | 内服煎汤，15 ~ 30 g。外用适量，鲜品捣敷；或研末调敷。

赫麻科 Urticaceae 赤车属 Pellionia

蔓赤车
Pellionia scabra Benth.

| 药 材 名 | 蔓赤车（药用部位：全草。别名：毛赤车、入脸麻、接骨仙子）。

| 形态特征 | 亚灌木。茎直立或渐升，高（30～）50～100 cm，被短糙毛，通常分枝。叶草质，斜狭菱状倒披针形或长圆形，长 3.2～8.5（～10）cm，宽（0.7～）1.3～3.2（～4）cm，先端渐尖，边缘下部全缘，上面有少数贴伏的短硬毛，半离基三出脉，叶脉近羽状；托叶钻形，长 1.5～3 mm。花雌雄异株；雄花为稀疏的聚伞花序，花序梗长 0.3～3.6 cm，花序梗与花序分枝有短毛，苞片条状披针形；雄花花被片 5，基部合生，其中 3 花被片较大，顶部有角状突起，2 花被片较小，无突起，雄蕊 5，退化雌蕊钻形；雌花序近无梗或有梗，直径 2～8（～14）mm，花序梗长 1～4 mm，密被短毛，苞片条形，有疏毛，雌花花被片 4～5，其中 2～3 花被片较大，船形，外面

顶部有角状突起，退化雄蕊极小。瘦果近椭圆球形，长约 0.8 mm，有小瘤状突起。花期春季至夏季。

| **生境分布** | 生于海拔 1 200 m 以下的沟边或林下。分布于湘西北、湘中、湘东、湘南等。

| **资源情况** | 野生资源丰富。药材来源于野生。

| **采收加工** | 全年均可采收，洗净，多鲜用。

| **功能主治** | 淡，凉。归肝、胃经。清热解毒，散瘀消肿，凉血止血。用于目赤肿痛，疟腮，带状疱疹，牙痛，扭挫伤，妇女经闭，疮疖肿痛，烧伤，毒蛇咬伤，外伤出血。

| **用法用量** | 内服煎汤，30 ~ 60 g。外用适量，鲜品捣敷；或捣汁涂。

荨麻科 Urticaceae 冷水花属 Pilea

圆瓣冷水花

Pilea angulata (Bl.) Bl.

| 药 材 名 | 圆瓣冷水花（药用部位：全草。别名：走马胎）。

| 形态特征 | 草本，无毛。茎肉质，高 30 ~ 100（~ 200）cm，直径 3 ~ 9 mm，干时多少有棱，几不分枝。叶同对的近等大，草质，卵状椭圆形、卵状或长圆状披针形，长 7 ~ 23 cm，宽 3 ~ 7 cm，先端渐尖，基部圆形，稀微缺，边缘有粗锯齿或粗牙齿状锯齿，干时上面深绿色，下面浅绿色，钟乳体纺锤状条形，长约 0.4 mm，两面散生，不甚明显，基出脉 3，其侧生的 2 脉稍弧曲，伸达上部与侧脉环结，侧脉多数，上部的 3 ~ 4 对彼此网结，下部的数对斜展；叶柄长 2 ~ 9 cm；托叶大，带绿色，长圆形，长 1 ~ 2.5 cm，先端钝圆，半宿存。花雌雄异株；花序聚伞圆锥状，常成对生于叶腋，雄花序长 1 ~ 2 cm，

雄花密集生于花枝上，但不呈头状花簇；雌花序长 2 ~ 5 cm，常疏散；雄花具梗，在芽时长约 2 mm；花被片常草质，带绿色，4 裂，裂片常倒卵状长圆形，先端锐尖，背面近先端有 1 长喙，外面有钟乳体；雄蕊 4，药隔红色；退化雌蕊小，圆锥形，基部周围有白色绵毛。瘦果圆卵形，先端歪斜，长 1.2 ~ 1.6 mm，初时绿褐色光滑，成熟时变黑褐色，具短刺状突起物；宿存花被片膜质，带绿色，3 浅裂，近等大，合生至上部成杯状，裂片近半圆形或宽卵形，先端钝，长及果实的 1/3 ~ 1/2。花期 6 ~ 9 月，果期 9 ~ 11 月。

| 生境分布 | 生于海拔 800 ~ 1 800 m 的山坡阴湿处。分布于湖南张家界（桑植）、湘西州（凤凰）、邵阳（武冈、新宁）等。

| 资源情况 | 野生资源稀少。药材来源于野生。

| 采收加工 | 夏、秋季采收，鲜用或晒干。

| 功能主治 | 辛，温。祛风通络，活血止痛。用于风湿痹痛，跌打损伤。

| 用法用量 | 内服煎汤，6 ~ 15 g。

荨麻科 Urticaceae 冷水花属 Pilea

长柄冷水花

Pilea angulata subsp. *petiolaris* (Sieb. et Zucc.) C. J. Chen

药材名

长柄冷水花（药用部位：全草）。

形态特征

草本，无毛。茎肉质，高 30～100（～200）cm，直径 3～9 mm，干时多少有棱，几不分枝。叶同对的近等大，草质，卵状椭圆形、卵状或长圆状披针形，长 7～23 cm，宽 3～7 cm，先端渐尖，基部圆形，稀微缺，边缘有粗锯齿或粗牙齿状锯齿，干时上面深绿色，下面浅绿色，钟乳体纺锤状条形，长约 0.4 mm，两面散生，不甚明显，基出脉 3，其侧生的 2 脉稍弧曲，伸达上部与侧脉环结，侧脉多数，上部的 3～4 对彼此网结，下部的数对斜展；叶柄长 2～9 cm；托叶大，带绿色，长圆形，长 1～2.5 cm，先端钝圆，半宿存。雌雄同株（雄花序生下部）；雄花序聚伞总状，有少数分枝，长 1～5 cm，花簇头状，稀疏地着生于花枝上，有时紧缩成簇生状；雄花无梗或具短梗，花被片长圆形，外面近先端有较短的角状突起；叶常膜质，边缘（包括先端）有较钝的牙齿状锯齿，有时有重锯齿。花期 7～10 月，果期 9～12 月。

生境分布	生于海拔 750 ～ 1 100 m 的山坡林下阴湿处。分布于湖南张家界（桑植）等。
资源情况	野生资源稀少。药材来源于野生。
采收加工	夏、秋季采收，鲜用或晒干。
功能主治	辛，温。祛风通络，活血止痛。用于风湿痹痛，跌打损伤。
用法用量	内服煎汤，6 ～ 15 g。

荨麻科 Urticaceae 冷水花属 Pilea

湿生冷水花 *Pilea aquarum* Dunn

| **药 材 名** | 四轮草（药用部位：全草）。

| **形态特征** | 草本，具匍匐根茎。茎肉质，带红色，高 10 ~ 30 cm，地上茎不分枝或少分枝。叶膜质，宽椭圆形或卵状椭圆形，长 1.5 ~ 6 cm，先端锐尖、钝尖或渐尖，边缘下部以上有钝圆齿，两面有短毛或近无毛，基出脉 3，侧脉数对不明显；叶柄长 0.5 ~ 3.5 cm；托叶薄膜质，褐色，近心形，先端锐尖，长 3 ~ 5 mm，宿存。花雌雄异株；雄花序聚伞圆锥状，连同花序梗长 2 ~ 7 cm；雌花序聚伞状，无梗，密集成簇生状，或具短梗，长不过 10 mm；雄花具短梗或无梗，花被片 4，外面近先端处有明显的短角突起，近无毛，雄蕊 4，退化雌蕊圆锥形；雌花小，无梗，花被片 3，不等大，退化雄蕊 3。瘦果

近圆形，双凸透镜状，先端歪斜，长约 0.7 mm，绿褐色，表面有细疣点。花期 3 ~ 5 月，果期 4 ~ 6 月。

| 生境分布 | 生于海拔 350 ~ 1 500 m 的溪谷边。分布于湖南郴州（桂阳）、永州（江永、新田）、娄底（冷水江）、株洲（渌口）等。

| 资源情况 | 野生资源丰富。药材来源于野生。

| 采收加工 | 夏、秋季采收，鲜用或晒干。

| 功能主治 | 淡，凉。清热解毒。用于疮疖。

| 用法用量 | 内服煎汤，15 ~ 30 g。外用适量，捣敷。

荨麻科 Urticaceae 冷水花属 Pilea

短角湿生冷水花 Pilea aquarum Dunn subsp. brevicornuta (Hayata) C. J. Chen

| 药 材 名 | 短角冷水花（药用部位：全草）。

| 形态特征 | 多年生草本，茎地下部分匍匐，地上部分高 10 ～ 50 cm。叶卵状披针形或椭圆状披针形，有时卵形，先端渐尖，边缘有圆齿状锯齿。花雌雄异株或同株，雌聚伞花序具梗，一般 5 ～ 15（～ 30）mm；瘦果成熟时有短刺状突起。花期（2 ～）3 ～ 5 月，果期 5 ～ 6 月。

| 生境分布 | 生于海拔 200 ～ 800 m 的山谷、溪边阴处或半阴处潮湿的草丛中。分布于湖南邵阳（新宁）、张家界（慈利）、怀化（洪江）等。

| 资源情况 | 野生资源稀少。药材来源于野生。

| **功能主治** | 消炎止痛。

荨麻科 Urticaceae 冷水花属 Pilea

花叶冷水花 *Pilea cadierei* Gagnep. et Guill.

| 药 材 名 |

花叶冷水花（药用部位：全草。别名：金边山羊血）。

| 形态特征 |

多年生草本，或为半灌木，无毛。茎肉质，下部多少木质化，高 15 ~ 40 cm。叶多汁，干时变为纸质，倒卵形，长 2.5 ~ 6 cm，宽 1.5 ~ 3 cm，先端骤凸，基部楔形或钝圆，中央或边缘有 2 条间断白斑，钟乳体梭形，两面明显，基出脉 3；叶柄长 0.7 ~ 1.5 cm；托叶草质，早落。花雌雄异株；雄花序头状，常成对生于叶腋，花序梗长 1.5 ~ 4 cm，团伞花簇直径 6 ~ 10 mm，外层苞片扁圆形，长约 3 mm，内层苞片圆卵形，稍小；雄花倒梨形，长约 2.5 mm，梗长 2 ~ 3 mm，花被片 4，合生至中部，近兜状，外面近先端处有长角状突起，外面密布钟乳体，内面下部疏生绵毛，雄蕊 4，退化雌蕊圆锥形，不明显；雌花长约 1 mm，花被片 4，近等长，略短于子房。花期 9 ~ 11 月。

| 生境分布 |

栽培于公园、庭院，喜湿润、肥沃的土壤。湖南有广泛栽培。

| **资源情况** | 栽培资源一般。药材来源于栽培。

| **采收加工** | 夏、秋季采收，鲜用或晒干。

| **功能主治** | 淡，凉。清热解毒，利尿。用于疔疮肿毒，小便不利。

| **用法用量** | 内服煎汤，9 ～ 20 g。外用适量，捣敷。

荨麻科 Urticaceae 冷水花属 Pilea

波缘冷水花 *Pilea cavaleriei* Lévl.

| 药 材 名 | 石油菜（药用部位：全草。别名：石苋菜、岩鸡心草、肥奴奴草）。

| 形态特征 | 草本。根茎匍匐，地上茎直立，多分枝，高 5 ~ 30 cm，节间较长，上部节间密集，密布杆状钟乳体。叶集生于枝顶部，宽卵形、菱状卵形或近圆形，长 8 ~ 20 mm，宽 6 ~ 18 mm，在近叶柄处常有不对称的小耳突，钟乳体仅分布于叶上面，基出脉 3；叶柄长 5 ~ 20 mm；托叶三角形，宿存。雌雄同株；聚伞花序密集成近头状，雄花序梗长 1 ~ 2 cm，雌花序梗长 0.2 ~ 1 cm，稀近无梗，苞片三角状卵形；雄花具短梗或无梗，淡黄色，花被片 4，倒卵状长圆形，内弯，外面近先端几乎无短角突起，雄蕊 4，花丝下部贴生于花被，退化雌蕊小，长圆锥形；雌花近无梗或具短梗，长约 0.5 mm，花被

片 3，退化雄蕊不明显。瘦果卵形，稍扁，先端稍歪斜，长约 0.7 mm，光滑。花期 5 ～ 8 月，果期 8 ～ 10 月。

| 生境分布 | 生于海拔 200 ～ 1 500 m 的林下、石上阴处。湖南各地均有分布。

| 资源情况 | 野生资源较丰富。药材来源于野生。

| 采收加工 | 全年均可采收，洗净，鲜用或晒干。

| 功能主治 | 微苦、凉。清肺止咳，利水消肿，解毒止痛。用于肺热咳嗽，肺结核，肾炎性水肿；外用于烫火伤，跌打损伤，疮疖肿毒。

| 用法用量 | 内服煎汤，15 ～ 30 g，鲜品加倍。外用适量，鲜品捣敷。

荨麻科 Urticaceae 冷水花属 Pilea

石油菜 *Pilea cavaleriei* Lévl. subsp. *valida* C. J. Chen

| 药 材 名 | 石油菜（药用部位：全草。别名：石苋菜、岩鸡心草、肥奴奴草）。

| 形态特征 | 多年生草本。茎肉质，粗壮，高达 40 cm。叶对生；叶片宽卵形或近圆形，长、宽均为 1 ~ 1.8 cm，先端钝或近圆形，基部宽楔形或圆形，全缘或稍呈波状，钟乳体密生，基生脉 3，在上面略下陷，在下面平坦；叶柄长 0.5 ~ 2 cm。雌雄同株；雄花序的总花梗长达 1.8 cm，雄花密集，直径约 2 mm，花被片 4，雄蕊 4，与花被裂片对生；雌花序无梗或梗极短，长 3 mm，花被片约 3，长约 0.2 mm，其中 1 花被片较大，柱头画笔头状，白色，透明。瘦果扁，卵形，长约 0.8 mm，光滑。花期 3 ~ 4 月，果期 4 ~ 6 月。

| 生境分布 | 生于海拔 300 ~ 1 300 m 的岗地、丘陵岗地或低山。分布于湖南郴

州（宜章、临武、北湖）、永州（新田）、怀化（通道）、湘西州（吉首、花垣、古丈）、常德（津市）等。

| 资源情况 | 野生资源较丰富。药材来源于野生。

| 采收加工 | 全年均可采收，洗净，鲜用或晒干。

| 功能主治 | 微苦，凉。清肺止咳，利水消肿，解毒止痛。用于肺热咳嗽，肺结核，肾炎性水肿；外用于烫火伤，跌打损伤，疮疖肿毒。

| 用法用量 | 内服煎汤，15 ~ 30 g，鲜品加倍。外用适量，捣敷。

荨麻科 Urticaceae 冷水花属 Pilea

山冷水花 *Pilea japonica* (Maxim.) Hand.-Mazz.

| 药 材 名 |

苔水花（药用部位：全草。别名：小麻叶、水麻叶、柴芐麻）。

| 形态特征 |

草本。茎肉质，无毛，高 30（~ 60）cm。叶对生，茎顶部的叶密集，近轮生，菱状卵形或卵形，长 1 ~ 6（~ 10）cm，先端常锐尖，有时钝尖或粗尾状渐尖，基部楔形，两面生极稀疏的短毛，基出脉 3，钟乳体细形；托叶膜质，半宿存。花单性，雌雄同株，常混生，或异株；雄聚伞花序具细梗，常为头状或近头状，长 1 ~ 1.5 cm；雌聚伞花序连同总梗长 1 ~ 3（~ 5）cm，团伞花簇常为头状或近头状，苞片卵形；雄花具梗，花被片 5，其中 2 花被片较长，雄蕊 5，退化雌蕊明显，长圆锥状；雌花具梗，花被片 5，其中 2 ~ 3 花被片在背面常有龙骨状突起，先端生稀疏短刚毛，子房卵形，退化雄蕊明显，鳞片状。瘦果卵形，稍扁，长 1 ~ 1.4 mm，成熟时呈灰褐色，外面有疣状突起。花期 7 ~ 9 月，果期 8 ~ 11 月。

| 生境分布 |

生于海拔 800 ~ 1 600 m 的山坡林下或山谷

湿地。湖南有广泛分布。

| **资源情况** | 野生资源一般。药材来源于野生。

| **采收加工** | 夏、秋季采收，洗净，晒干或鲜用。

| **功能主治** | 甘，凉。清热解毒，利水通淋，止血。用于小便淋痛，尿血，喉痛，乳蛾，小儿胎毒，丹毒，赤白带下，阴痒。

| **用法用量** | 内服煎汤，6 ~ 9 g，鲜品 15 ~ 30 g。

荨麻科 Urticaceae 冷水花属 Pilea

大叶冷水花 *Pilea martini* (Lévl.) Hand.-Mazz.

| 药 材 名 | 到老嫩（药用部位：全草。别名：大水边麻）。

| 形态特征 | 多年生草本，高达 1 m。茎肉质，节间中部稍膨大，无毛或上部有短柔毛。叶卵形、窄卵形或卵状披针形，长 7 ～ 20 cm，先端长渐尖，基部圆形或浅心形，有锯齿状牙齿，上面疏生透明硬毛，钟乳体线形，基出脉 3，侧脉多数；叶柄长 1 ～ 8 cm，无毛或疏生柔毛；托叶披针形，长 4 ～ 8 mm，褐色。花雌雄异株，稀同株；花序聚伞圆锥状，单生于叶腋，长 4 ～ 10 cm，有时雌花序呈聚伞总状，长 1 ～ 2 cm；雄花花被片 4，长圆状卵形，其中 2 花被片近先端有短角。瘦果窄卵圆形，先端歪斜，带绿褐色，光滑。

| 生境分布 | 生于海拔 1 100 ～ 1 700 m 的阴湿山地、沟旁及岩壁上。分布于湖南

郴州（北湖、临武）等。

| **资源情况** | 野生资源稀少。药材来源于野生。

| **采收加工** | 夏、秋季采收，洗净，鲜用或晒干。

| **功能主治** | 淡，凉。清热解毒，祛瘀止痛，利尿消肿。用于无名肿毒，跌打损伤，骨折，小便不利，水肿。

| **用法用量** | 内服煎汤，5 ~ 15 g。外用适量，捣敷。

荨麻科 Urticaceae 冷水花属 Pilea

小叶冷水花 *Pilea microphylla* (L.) Liebm.

| 药 材 名 | 透明草（药用部位：全草。别名：小叶冷水花、玻璃草）。

| 形态特征 | 纤细草本，无毛，铺散或直立。茎肉质，多分枝，高 3 ～ 17 cm，直径 1 ～ 1.5 mm，密布条形钟乳体。同对叶不等大，倒卵形至匙形，长 3 ～ 7 mm，宽 1.5 ～ 3 mm，先端钝，基部楔形或渐狭，全缘，干时呈细蜂巢状，钟乳体条形，叶脉羽状，中脉稍明显，在近先端消失，侧脉数对，不明显；叶柄长 1 ～ 4 mm；托叶三角形，长约 0.5 mm。雌雄同株，有时同序，聚伞花序密集成近头状，长 1.5 ～ 6 mm；雄花具梗，花被片 4，卵形，外面近先端有短角状突起，雄蕊 4，退化雌蕊不明显；雌花较雄花小，花被片 3，果时中间的 1 花被片呈长圆形，退化雄蕊不明显。瘦果卵形，长约 0.4 mm，成熟时

变为褐色，光滑。花期夏、秋季，果期秋季。

| 生境分布 | 生于湿墙上或村舍旁。分布于湖南株洲（芦淞、茶陵、渌口）、湘潭（湘潭）、永州（江华）、怀化（新晃）、张家界（慈利）等。

| 资源情况 | 野生资源一般。药材来源于野生。

| 采收加工 | 夏、秋季采收，洗净，鲜用或晒干。

| 功能主治 | 淡、涩，凉。清热解毒。用于痈疮肿痛，丹毒，无名肿毒，烫火伤，毒蛇咬伤。

| 用法用量 | 内服煎汤，5 ~ 15 g。外用适量，鲜品捣敷；或绞汁涂。

荨麻科 Urticaceae　冷水花属 Pilea

念珠冷水花 *Pilea monilifera* Hand.-Mazz.

| 药 材 名 |　念珠冷水花（药用部位：全草）。

| 形态特征 |　草本，具匍匐根茎。茎肉质，高 50 ～ 150 cm，直径 4 ～ 8 mm，无毛，节间多少膨大，单一或有少数分枝。叶近膜质，同对的不等大，椭圆形、卵状椭圆形或卵状长圆形，常不对称，长 5 ～ 13 cm，宽 3 ～ 7 cm，先端渐尖或尾状渐尖，基部圆形或浅心形，边缘在基部全缘，在其以上有粗圆齿状锯齿或牙齿状锯齿，上面深绿色，疏生白色硬毛，下面浅绿色，无毛，钟乳体条形，长约 0.3 mm，在下面较明显，基出脉 3，其侧出的 1 对弧曲，伸达近先端的齿尖，侧脉多数，整齐横向，细脉末端和近齿尖处有腺点；叶柄长 1 ～ 5 cm，先端有短柔毛；托叶狭三角形，长 1 ～ 2 mm，早落。雌雄异株或同株；雄花序单个生于叶腋，长 3 ～ 10 cm，团伞花簇 2 ～ 8 稀疏着生于单一的序轴上，

呈串珠状排列，花序轴无毛或疏生短柔毛；雌花序长 1 ~ 3.5 cm，团伞花簇数个，呈串珠状着生于序轴上或密集排列成穗状，有时有少数分枝；雄花具梗，在芽时三角状卵形，长 2 ~ 2.5 mm；花被片 4，不等大，三角状卵形，先端常收缩成喙状，基部内凹或膨大成兜状，大的花被片 2，长 1.5 ~ 2 mm，小的花被片 2，长 1.2 ~ 1.5 mm，有时近等大，中肋明显，外面有钟乳体，疏生短毛或无毛；雄蕊 4；退化雌蕊极小，不明显；雌花近无梗，长约 1 mm；花被片 3，不等大，果时中间 1 近长圆状帽形，增厚，长 0.5 ~ 1 mm，侧生 2 小，膜质，三角形，长约 0.2 mm；退化雄蕊长圆形，长约 0.4 mm。瘦果卵形，几不歪斜，扁，长约 1.8 mm，成熟时褐色，光滑，有稀疏的钟乳体。花期 6 ~ 8 月，果期 7 ~ 9 月。

| **生境分布** | 生于海拔 800 ~ 1 800 m 的山谷林下阴湿处。分布于湖南常德（石门）、张家界（桑植）等。

| **资源情况** | 野生资源稀少。药材来源于野生。

| **功能主治** | 清热解毒，利湿。

荨麻科 Urticaceae 冷水花属 Pilea

冷水花 *Pilea notata* C. H. Wright

| 药 材 名 | 冷水花（药用部位：全草。别名：紫色冷草、水麻叶）。

| 形态特征 | 多年生草本，具匍匐茎。茎肉质，中部稍膨大，高 25 ~ 70 cm，密布条形钟乳体。叶纸质，狭卵形、卵状披针形或卵形，长 4 ~ 11 cm，先端尾状渐尖或渐尖，基部圆形，边缘有齿，基出脉 3；叶柄长 17 cm，常无毛，稀有短柔毛；托叶长圆形，长 8 ~ 12 mm，脱落。花雌雄异株；雄花序聚伞总状，长 2 ~ 5 cm，有少数分枝，团伞花簇疏生于花枝上；雌聚伞花序较短而密集；雄花花被片绿黄色，4 深裂，卵状长圆形，先端锐尖，外面近先端处有短角状突起，雄蕊 4，花药白色或带粉红色，花丝与药隔红色；退化雌蕊小，圆锥状。瘦果小，圆卵形，先端歪斜，成熟时呈绿褐色，有明显刺

状突起；宿存花被片 3 深裂，卵状长圆形，先端钝，长约为果实的 1/3。花期 6 ~ 9 月，果期 9 ~ 11 月。

| **生境分布** | 生于海拔 350 ~ 1 400 m 的林下或沟旁阴湿处。湖南各地均有分布。

| **资源情况** | 野生资源丰富。药材来源于野生。

| **采收加工** | 夏、秋季采收，鲜用或晒干。

| **功能主治** | 淡、微苦，凉。清热利湿，退黄，消肿散结，健脾和胃。用于湿热黄疸，赤白带下，淋浊，尿血，小儿夏季热，疟母，消化不良，跌打损伤，外伤感染。

| **用法用量** | 内服煎汤，15 ~ 30 g；或浸酒。外用适量，捣敷。

盾叶冷水花 *Pilea peltata* Hance

| 药 材 名 | 背花疮（药用部位：全草。别名：独色草、四季青、大石芥）。

| 形态特征 | 肉质草本，无毛。茎高 5 ～ 27 cm，直径 1.5 ～ 4 mm，叶常集生于茎先端，下部裸露，节间短 1 ～ 4 cm，长 1 ～ 4 cm，不分枝。叶肉质，在同对稍不等大，常盾状着生，近圆形，稀扁圆形，长 1 ～ 4.5（～ 7）cm，宽 1 ～ 3.5（～ 4）cm，先端锐尖或钝，基部心形、微缺或圆形，稀截形，边缘自下部有时自基部以上有数枚圆齿，两面干时常带蓝绿色，干时下面呈蜂窠状，钟乳体细杆状，长约 0.2 mm，在上面较明显，基出脉 3，侧出的 1 对弧曲达中上部，外向的二级脉 5 ～ 7 对，其最下的 2 对较明显，侧脉数对，斜展，常不明显，细脉末端常有腺点；叶柄长 0.6 ～ 4.5 cm；托叶三角形，长约 1 mm，宿存。雌雄同株或异株；团伞花序由数朵花紧缩而成，

数个稀疏着生于单一的序轴上，呈串珠状，雄花序长 3 ～ 4 cm，其中花序梗长 1 ～ 1.7 cm，雌花序长 1 ～ 2.5 cm，其中花序梗长 0.5 ～ 1 cm；苞片披针形，长约 0.4 mm。雄花具短梗或无梗，淡黄绿色，在芽时长约 1.5 mm；花被片 4，幼时帽状，先端有一长而稍扁的角状突起，成熟时变兜形，外面近先端有角状突起，外面上部有明显的钟乳体；雄蕊 4，花丝下部与花被片贴生；退化子房极小，长圆形；雌花近无梗；花被片 3，不等大，果时中间 1 花被片船形，长及果实的近 1/2，侧生的 2 花被片卵形，比中间的 1 花被片短 1 ～ 2 倍；退化雄蕊长圆形，与短的花被片近等长。瘦果卵形，果时扁，先端歪斜，长约 0.6 mm，棕褐色，光滑，边缘内有 1 圈不明显的条纹。花期 6 ～ 8 月，果期 8 ～ 9 月。

| **生境分布** | 生于海拔 100 ～ 500 m 的石灰岩山上石缝或灌丛下阴处。分布于湖南永州（江华）、郴州（宜章）等。

| **资源情况** | 野生资源稀少。药材来源于野生。

| **采收加工** | 夏季采收，鲜用或晒干。

| **功能主治** | 辛、淡，凉。清热解毒，祛痰化瘀。用于肺热咳喘，肺痨久咳，咯血，疮疡肿毒，跌打损伤，外伤出血，疳积。

| **用法用量** | 内服煎汤，5 ～ 15 g。外用适量，捣敷。

荨麻科 Urticaceae 冷水花属 *Pilea*

矮冷水花
Pilea peploides (Gaudich.) Hook. et Arn.

| 药 材 名 | 矮冷水花（药用部位：全草。别名：圆叶豆瓣草、坐镇草、苦水花）。

| 形态特征 | 一年生草本，常丛生。茎肉质，带红色，高 3 ~ 20 cm，不分枝或有少数分枝。叶膜质，常集生于茎顶与枝，菱状圆形，稀扁圆状菱形或三角状卵形，长 3.5 ~ 18 mm，先端钝，稀近锐尖，基部楔形，稀近圆形，全缘或波状，稀上部有不明显的钝齿，两面生紫褐色斑点，钟乳体条形，基出脉 3；叶柄长 3 ~ 20 mm；托叶三角形。雌雄同株，雌花序与雄花序常同生或单生于叶腋，有时混生；聚伞花序密集成头状；雄花具梗，淡黄色，花被片 4，卵形，外面近先端无短角状突起，雄蕊 4，退化雌蕊不明显；雌花具短梗，淡绿色，花被片 2，腹生的 1 花被片较大，近船形或倒卵状长圆形，退化雄

蕊长圆形。瘦果卵形，先端稍歪斜，成熟时呈黄褐色，光滑。花期 4 ~ 7 月，
果期 7 ~ 8 月。

| 生境分布 |　生于海拔 200 ~ 950 m 的山坡石缝阴湿处或长苔藓的岩石上。湖南各地均有
分布。

| 资源情况 |　野生资源较丰富。药材来源于野生。

| 采收加工 |　夏、秋季采收，鲜用或晒干。

| 功能主治 |　辛，微寒。清热解毒，祛瘀止痛。用于跌打损伤，骨折，痈疖肿毒。

| 用法用量 |　外用适量，捣敷。

荨麻科 Urticaceae 冷水花属 Pilea

石筋草
Pilea plataniflora C. H. Wright

| 药 材 名 | 石筋草（药用部位：全草或根。别名：石芹草、石稔草、石头花）。

| 形态特征 | 多年生草本。茎肉质，高 10 ~ 70 cm，常被灰白色蜡质。叶卵形、卵状披针形、椭圆状披针形、卵状或倒卵状长圆形，长 1 ~ 15 cm，先端尾状渐尖或长尾状渐尖，基部偏斜，圆形或浅心形，全缘，有时呈波状，干后呈细蜂窠状，疏生腺点，钟乳体梭形，在上面明显，基出脉 3（~ 5），侧脉多数；托叶三角形，长 1 ~ 2 mm。花雌雄同株或异株，有时雌雄同序，花序聚伞圆锥状，少分枝；雄花序稍长于叶或与叶近等长，花序梗长，团伞花序疏生于花枝；雌花序异株时常呈聚伞圆锥状，花序梗长，团伞花序密生于花枝，同株时少分枝，呈总状；雄花花被片 4，合生至中部，倒卵形，外面近先

端有短角突起；雌花花被片 3。瘦果卵形，先端稍歪斜，有疣点。花期（4 ~）
6 ~ 9 月，果期 7 ~ 10 月。

| **生境分布** | 生于海拔 200 ~ 1 400 m 的半阴坡路边、灌丛中、石上或石缝内，有时生于疏林下湿润处。分布于湖南郴州（汝城）、湘西州（吉首、古丈、永顺）等。

| **资源情况** | 野生资源稀少。药材来源于野生。

| **采收加工** | 全草，夏、秋季采收，洗净，鲜用或晒干。根，秋、冬季采挖，洗净，晒干。

| **功能主治** | 辛、酸，微温。舒筋活络，利尿，解毒。用于风寒湿痹，筋骨疼痛，手足麻木，跌打损伤，水肿，小便不利，癃闭，黄疸，痢疾，疮疡肿毒，烫伤。

| **用法用量** | 内服煎汤，6 ~ 15 g；或浸酒。外用适量，捣敷。

| 荨麻科 | Urticaceae | 冷水花属 | Pilea

透茎冷水花

Pilea pumila (L.) A. Gray

| 药 材 名 | 透茎冷水花（药用部位：全草或根茎。别名：美豆、直苎麻、肥肉草）。

| 形态特征 | 一年生草本。茎肉质，高 5 ~ 50 cm，无毛。叶近膜质，同对叶近等大，菱状卵形或宽卵形，长 1 ~ 9 cm，先端渐尖、锐尖或微钝，基部常呈宽楔形，其上有牙齿或牙状锯齿，稀近全缘，两面疏生透明硬毛，钟乳体条形，基出脉 3，侧脉不明显；叶柄长 0.5 ~ 4.5 cm；托叶卵状长圆形，长 2 ~ 3 mm。花雌雄同株，常同序；雄花常生于花序的下部，花序呈蝎尾状，密集，长 0.5 ~ 5 cm，雄花花被片 2，稀 3 ~ 4，近船形，外面近先端有短角，雄蕊 2，稀 3 ~ 4，退化雌蕊不明显；雌花花被片 3。瘦果扁，三角状卵形，成熟时常有隆起

的褐色或深棕色斑点。花期6～8月，果期8～10月。

| **生境分布** | 生于海拔400～2 000 m的山坡林下或岩石缝阴湿处。分布于湖南株洲（醴陵）、衡阳（衡南）、常德（鼎城）、郴州（宜章、嘉禾）、怀化（辰溪）等。

| **资源情况** | 野生资源一般。药材来源于野生。

| **采收加工** | 夏、秋季采收，洗净，鲜用或晒干。

| **功能主治** | 甘，寒。清热，利尿，解毒。用于尿路感染，急性肾小球肾炎，子宫内膜炎，子宫脱垂，赤白带下，跌打损伤，痈肿初起，蛇虫咬伤。

| **用法用量** | 内服煎汤，15～30 g。外用适量，捣敷。

荨麻科 Urticaceae 冷水花属 Pilea

镰叶冷水花 *Pilea semisessilis* Hand.-Mazz.

| 药 材 名 | 镰叶冷水花（药用部位：全草）。

| 形态特征 | 多年生草本，根茎匍匐。茎肉质，纤细，高25～60 cm，直径2～4 mm，无毛，干时常变蓝绿色，节间稍膨大，不分枝或有少数分枝。叶近膜质，在同对的不等大，叶片不对称，常为镰状披针形，有时为卵状披针形或卵形（尤其幼时），长（2.5～）5～14 cm，宽（1～）1.5～5 cm，下部的和幼株的叶更小，卵形，先端锐尖，成熟植株上部的叶先端长尾状渐尖，基部微缺或浅心形，稀圆形，边缘自基部至先端尾部有锐锯齿或浅锯齿，上面疏生透明硬毛，后脱落，干后常变蓝绿色，下面无毛或有时在脉上疏生短柔毛，钟乳体条形，在上面长0.1～0.2 mm，在下面较明显，长0.3～0.4 mm，基出脉3，其侧出的1对伸达先端的齿尖，二级脉多数，近横向平行展开，

外向的沿锯齿外缘伸达齿尖；叶柄在同对的极不等长，长的长 1 ~ 4 cm，短的长 1 cm 至无柄，无毛；托叶卵状三角形，稀长圆形，长 2 ~ 5 mm，宿存。花雌雄同株或异株，聚伞状圆锥花序单生于叶腋；雄花序与叶近等长，花序梗长 27 cm；雌花序分枝较少，长 1.5 ~ 4 cm，花序梗长 1 ~ 3 cm；雄花几无梗，在芽时长约 1 mm；花被片 4，长圆状椭圆形，先端锐尖；雄蕊 4；退化雌蕊不明显；雌花长约 0.8 mm；花被片 3，不等大，果时中央的 1 船形，长约为果实长的 1/2，侧生的 2 三角状卵形，较长的 1 短 1/3 ~ 1/2。瘦果宽卵形，扁，先端几不偏斜，长 1 mm，光滑，初时淡绿色，成熟时变土褐色。花期 7 ~ 9 月，果期 9 ~ 10 月。

| **生境分布** | 生于海拔 1 000 ~ 1 500 m 的山谷林下或山坡路边草丛中。分布于湖南郴州、邵阳（武冈）等。

| **资源情况** | 野生资源稀少。药材来源于野生。

| **功能主治** | 消炎止痛。

荨麻科 Urticaceae 冷水花属 Pilea

厚叶冷水花
Pilea sinocrassifolia C. J. Chen

| **药 材 名** | 石芫茜（药用部位：全草）。

| **形态特征** | 平卧草本，无毛。茎肉质，纤细，干时密布杆状钟乳体，多分枝。叶同对的近等大，肉质，双凸透镜状，干时变平，脆纸质，近圆形或扇状圆形，长 4 ~ 8.5 mm，先端圆形，基部近截形，全缘反卷，上面绿色，下面干时变糠皮状或不规则的皱纹，钟乳体仅在上面明显，梭形，长 0.4 ~ 0.5 mm，基出脉 3，在两面不明显，其侧出的 1 对达中部，侧脉 2 ~ 4 对，极不明显；叶柄长 0.2 ~ 0.6 mm；托叶三角形，长约 1 mm，宿存。雌雄同株；雄聚伞花序由少数几朵花密集成头状，花序梗长 2 ~ 5 mm；苞片明显，卵状披针形，长约 0.8 mm；雄花大，淡黄绿色，具梗，在芽时长约 2 mm；花被片 4，倒卵状长圆形，内凹，外面近先端有 2 明显的囊状突起；雄蕊 4；

退化雌蕊短圆柱状。花期 11 月～翌年 3 月。

| **生境分布** | 生于山坡水边阴处石上。分布于湖南郴州（宜章）、张家界（永定）等。

| **资源情况** | 野生资源稀少。药材来源于野生。

| **采收加工** | 秋、冬季采收，鲜用或晒干。

| **功能主治** | 微苦，凉。清热解毒。用于热毒疮疡，热结便秘。

| **用法用量** | 内服煎汤，6 ～ 15 g。

粗齿冷水花

Pilea sinofasciata C. J. Chen

| 药 材 名 | 紫绿草（药用部位：全草。别名：水麻、扇花冷水花、走马胎）。

| 形态特征 | 草本。茎肉质，高 25 ~ 100 cm。同对叶近等大，椭圆形、卵形、椭圆状或长圆状披针形，稀卵形，长 4 ~ 17 cm，先端常长尾状渐尖，基部楔形或钝圆形，边缘在基部以上有粗大的牙齿或牙齿状锯齿，上面沿着中脉常有 2 条白斑带，钟乳体蠕虫形，常围着细脉增大的结节点排成星状，基出脉 3；叶柄长 1 ~ 5 cm，有短毛；托叶三角形，长约 2 mm，宿存。花雌雄异株或同株；花序聚伞圆锥状，花梗比叶柄短；雄花花被片 4，合生至中下部，椭圆形，其中 2 花被片在近先端处有不明显的短角状突起，雄蕊 4，退化雌蕊小，圆锥状；雌花花被片 3，退化雄蕊长圆形。瘦果圆卵形，先端歪斜，成熟时外

面常有细疣点，宿存花被片在下部合生，宽卵形，先端钝圆，边缘膜质。花期 6 ~ 7 月，果期 8 ~ 10 月。

| **生境分布** | 生于海拔 700 ~ 2 100 m 的山坡林下阴湿处。湖南各地均有分布。

| **资源情况** | 野生资源较丰富。药材来源于野生。

| **采收加工** | 夏、秋季采收。

| **功能主治** | 辛，平。清热解毒，祛风止痛，理气止血。用于胃气痛，乳蛾，鹅口疮，消化不良，风湿关节痛。

| **用法用量** | 内服煎汤，15 ~ 25 g。

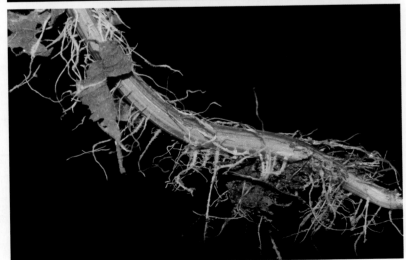

荨麻科 Urticaceae 冷水花属 Pilea

纤细冷水花
Pilea gracilis Hand.-Mazz.

| 药 材 名 | 疣果冷水花（药用部位：全草。别名：土甘草、铁杆水草、红水疳叶）。

| 形态特征 | 纤细草本，根茎匍匐。茎肉质，高 6 ~ 30 cm，直径 1 ~ 2.5 mm，无毛，几不分枝。叶同对的不等大，卵形、狭卵形或长圆状卵形，长 1.2 ~ 5（~ 10）cm，宽 0.8 ~ 2.5（~ 4）cm，茎下部的更小，卵圆形，先端锐尖或渐尖，基部稍偏斜，外侧的圆形，内侧的楔形，边缘下部以上有锯齿，上面疏生透明粗毛，下面无毛，钟乳体蠕虫状，长 2 ~ 3 mm，在下面较明显，基出脉 3，其侧生的 2 脉弧曲，伸达上部齿尖或与侧脉网结，在下面多少隆起，在上面平坦，侧脉多数，斜展呈网状，在叶下部的不明显，上部的较明显；叶柄纤细，长 0.3 ~ 2（~ 3）cm；托叶极小，三角形，长 1 ~ 2 mm。雌雄异

株或同株；雄花序聚伞圆锥状，雌花序多回 2 歧聚伞状，较叶柄短。雄花具短梗，在芽时长 1 mm；花被片 4，椭圆形，先端钝，内凹；雄蕊 4；退化雌蕊小，圆锥形。瘦果小，圆卵形，先端歪斜，长约 0.7 mm，表面有疣点，宿存花被片 3，常近等大，长圆状卵形，先端锐尖，长为果实的 1/3 ～ 1/2。花期 7 ～ 8 月，果期 9 ～ 10 月。

| 生境分布 | 生于海拔 800 ～ 1 600 m 的常绿阔叶混交林下阴湿处或长苔藓的石上。分布于湖南怀化（洪江、会同）、邵阳（武冈、新宁）等。

| 资源情况 | 野生资源稀少。药材来源于野生。

| 采收加工 | 夏、秋季采收，洗净，鲜用或晒干。

| 功能主治 | 淡、微甘，凉。清热解毒，消肿。用于疔疮痈肿，水肿。

| 用法用量 | 内服煎汤，6 ～ 15 g。外用适量，鲜品捣敷。

荨麻科 Urticaceae 雾水葛属 Pouzolzia

雾水葛

Pouzolzia zeylanica (L.) Benn.

| 药 材 名 |

雾水葛（药用部位：带根全草。别名：地消散、脓见消、啜脓膏）。

| 形态特征 |

多年生草本。茎直立或渐升，高 12 ~ 40 cm，常下部分枝，有短伏毛或混有开展疏柔毛。叶对生；叶片草质，卵形或宽卵形，长 1.2 ~ 3.8 cm，先端短渐尖或微钝，基部圆形，全缘，两面疏被伏毛，侧脉 1 对；叶柄长 0.3 ~ 1.6 cm。团伞花序常两性，直径 1 ~ 2.5 mm；苞片三角形，长 2 ~ 3 mm，先端骤尖，背面有毛；雄花花被片 4，长约 1.5 mm，基部稍合生，外有疏毛，雄蕊 4，长约 1.8 mm，花药长约 0.5 mm，退化雌蕊狭倒卵形，长约 0.4 mm；雌花花被椭圆形或近菱形，长约 0.8 mm，先端有 2 小齿，密被柔毛，果期呈菱状卵形，长约 1.5 mm，柱头长 1.2 ~ 2 mm。瘦果卵球形，长约 1.2 mm，淡黄白色，有光泽。花期秋季，果期秋季。

| 生境分布 |

生于海拔 300 ~ 800 m 的草地、田边、灌丛、疏林或沟边。湖南各地均有分布。

| **资源情况** | 野生资源丰富。药材来源于野生。

| **采收加工** | 全年均可采收，洗净，鲜用或晒干。

| **药材性状** | 本品根系细小，主茎短，分枝较多，疏被毛，红棕色。叶草质而脆，易碎，叶柄纤细。气微，味淡。

| **功能主治** | 甘、淡，寒。清热解毒，消肿排脓，利水通淋。用于疮疡痈疽，乳痈，风火牙痛，痢疾，泄泻，小便淋痛，白浊。

| **用法用量** | 内服煎汤，15～30 g，鲜品加倍。外用适量，捣敷；或捣汁含漱。

荨麻科 Urticaceae 雾水葛属 *Pouzolzia*

多枝雾水葛

Pouzolzia zeylanica (L.) Benn. var. *microphylla* (Wedd.) W. T. Wang

| 药 材 名 | 石珠（药用部位：全草。别名：雾水葛、石珠仔）。

| 形态特征 | 多年生草本或亚灌木，常铺地，长 40 ~ 100（~ 200）cm。末回小枝常多数，互生，长 2 ~ 10 cm，生长约 5 mm 的小叶。茎下部叶对生，上部叶互生，叶片草质，卵形、狭卵形至披针形，长 1.2 ~ 3.8 cm，先端短渐尖或微钝，基部圆，全缘，两面被疏伏毛，侧脉 1 对；叶柄长 0.3 ~ 1.6 cm。团伞花序常两性，直径 1 ~ 2.5 mm；苞片三角形，长 2 ~ 3 mm，先端骤尖，背面有毛；雄花花被片 4，长约 1.5 mm，基部稍合生，外有疏毛，雄蕊 4，长约 1.8 mm，花药长约 0.5 mm，退化雌蕊狭倒卵形，长约 0.4 mm；雌花花被椭圆形或近菱形，长约 0.8 mm，先端有 2 小齿，密被柔毛，果期呈菱状卵

形，长约 1.5 mm，柱头长 1.2 ~ 2 mm。瘦果卵球形，长约 1.2 mm，淡黄白色，有光泽。花果期秋季。

| 生境分布 | 生于海拔约 500 m 的草地、田边、丘陵或低山疏林中。分布于湖南娄底（冷水江）等。

| 资源情况 | 野生资源稀少。药材来源于野生。

| 采收加工 | 夏、秋季采收，去杂质，鲜用或晒干。

| 功能主治 | 甘、苦，凉。解毒消肿，接骨。用于痈肿，梅毒，肺结核，骨折。

| 用法用量 | 内服煎汤，10 ~ 15 g，鲜品 15 ~ 30 g。外用适量，鲜品捣敷。

荨麻科 Urticaceae 荨麻属 Urtica

荨麻 *Urtica fissa E. Pritz.*

| 药 材 名 |　荨麻（药用部位：全草。别名：活麻草、白活麻）、荨麻根（药用部位：根）。

| 形态特征 |　多年生草本，有横走的根茎。茎自基部多出，高 40 ～ 100 cm，四棱形，密生刺毛并被微柔毛。叶近膜质，宽卵形、椭圆形、五角形或近圆形，长 5 ～ 15 cm，先端渐尖或锐尖，基部截形或心形，边缘有 5 ～ 7 对浅裂片或掌状 3 深裂（每裂片又分 2 ～ 4 对不整齐小裂片）；叶柄长 2 ～ 8 cm；托叶合生。雌雄同株，花序圆锥状，有时近穗状，花序轴被微柔毛并疏生刺毛；雄花具短梗，花被片 4，在中下部合生；雌花小，几乎无梗。瘦果近圆形，近双凸透镜状，长约 1 mm，表面有褐红色的细疣点，宿存花被片 4，内面 2 花被片近圆形，与果实近等大，外面 2 花被片近圆形，较内面花被片短，

边缘薄，外面被细硬毛。花期 8 ~ 10 月，果期 9 ~ 11 月。

| **生境分布** | 生于海拔 500 ~ 2 000 m 的山坡、路旁或住宅旁半阴湿处。湖南各地均有分布。

| **资源情况** | 野生资源丰富。药材来源于野生。

| **采收加工** | **荨麻**：夏、秋季采收，除去杂质，鲜用或晒干。
荨麻根：夏、秋季采挖，除去杂质，洗净，晒干或鲜用。

| **药材性状** | **荨麻**：本品为长短不等的段，茎长 1.4 ~ 3.8 cm，直径 1.5 ~ 4 mm，绿色至红紫色，有钝棱，疏生螫毛和短柔毛，节上有对生叶，叶绿色，皱缩易碎。花序穗状，皱缩，数个腋生，具短总梗。瘦果密集，宽卵形，稍扁，长约 1.5 mm。体轻，质软。气微，味淡、微辛。

| **功能主治** | **荨麻**：苦、辛，温；有毒。祛风通络，平肝定惊，消积通便，解毒。用于风湿痹痛，产后抽风，小儿惊风，脊髓灰质炎后遗症，高血压，消化不良，大便不通，荨麻疹，跌打损伤，蛇虫咬伤。
荨麻根：苦、辛，温；有小毒。用于风湿痹痛，荨麻疹，湿疹，高血压。

| **用法用量** | **荨麻**：内服煎汤，5 ~ 10 g。外用适量，捣汁擦；或捣敷；或煎汤洗。
荨麻根：内服煎汤，15 ~ 30 g；或浸酒。外用适量，煎汤洗。

荨麻科 Urticaceae 荨麻属 *Urtica*

宽叶荨麻
Urtica laetevirens Maxim.

| **药 材 名** | 宽叶荨麻（药用部位：全草或根、种子。别名：螫麻、哈拉海）。

| **形态特征** | 多年生草本，根茎匍匐。茎高 30 ~ 100 cm，四棱形，近无刺毛或有稀疏刺毛和糙毛。叶近膜质，卵形或披针形，长 4 ~ 10 cm，先端短渐尖，基部圆形或宽楔形，具牙齿，两面疏生刺毛和糙毛，基出脉 3，侧出的 1 对脉伸达叶上部齿尖，侧脉 2 ~ 3 对；叶柄长 1.5 ~ 7 cm；托叶每节 4，离生或有时上部稍合生。雌雄同株，稀异株；雄花序近穗状，生于上部叶腋，长达 8 cm；雌花序近穗状，生于下部叶腋，稀簇生状，小团伞花簇稀疏着生于花序轴；雄花花被片 4，近中部合生；雌花具短梗。瘦果卵形，长近 1 mm，先端稍钝，成熟时呈灰褐色，稍有疣点；宿存花被片 4，基部合生，疏生微糙毛，内面 2 花被片椭圆状卵形，与果实近等大，外面 2 花被片狭卵形或

倒卵形，伸达内面花被片中下部。花期 6 ~ 8 月，果期 8 ~ 9 月。

| **生境分布** | 生于海拔 800 ~ 1 300 m 的山谷溪边或山坡林下阴湿处。分布于湖南永州（冷水滩）、怀化（辰溪）等。

| **资源情况** | 野生资源稀少。药材来源于野生。

| **采收加工** | 全草，夏季茎叶茂盛时割取，除去杂质，切段，鲜用或晒干。根、种子，秋、冬季采收。

| **功能主治** | 苦、辛，温；有小毒。祛风定惊，消积通便。用于风湿关节痛，产后抽风，小儿惊风，大便不通，脊髓灰质炎后遗症，消化不良；外用于荨麻疹初起，蛇咬伤。

| **用法用量** | 内服煎汤，5 ~ 10 g。外用适量，捣汁外搽；或煎汤洗。

山龙眼科 Proteaceae 山龙眼属 Helicia

网脉山龙眼

Helicia reticulata W. T. Wang

| 药 材 名 |

网脉山龙眼（药用部位：枝、叶。别名：亮光子、苦锯子、仇木）。

| 形态特征 |

乔木或灌木，高 3 ～ 10 m。小枝无毛。叶革质或近革质，长圆形、卵状长圆形、倒卵形或倒披针形，长（5.5 ～）7 ～ 27 cm，先端短渐尖、急尖或钝，基部楔形，边缘疏生锯齿或细齿，中脉和 6 ～ 10（～ 12）对侧脉在两面隆起；叶柄长 0.5 ～ 1.5（～ 3）cm。总状花序腋生或生于小枝已落叶腋部，长（7 ～）10 ～ 15 cm，花序轴和花梗初被短毛，后无毛；花梗常双生，长（2 ～）3 ～ 5 mm，基部和下半部彼此贴生；苞片披针形，长 1.5 ～ 2 mm；小苞片长约 0.5 mm；花被管长 13 ～ 16 mm，白色或浅黄色；花盘 4 裂；子房无毛。果实椭圆状，长 1.5 ～ 1.8 cm，先端具短尖；果皮干后呈革质，厚约 1 mm，黑色。花期 5 ～ 7 月，果期 10 ～ 12 月。

| 生境分布 |

生于海拔 300 ～ 1 500 m 的山地湿润常绿阔叶林中。分布于湖南永州（江永）、湘西州

（永顺）、郴州（桂东）等。

| **资源情况** | 野生资源较少。药材来源于野生。

| **采收加工** | 枝，秋、冬季采收，切段，晒干。叶，夏、秋季采收，洗净，鲜用或晒干。

| **功能主治** | 止血。用于外伤出血。

| **用法用量** | 外用适量，捣敷；或干叶研末调涂。

铁青树科 Olacaceae 青皮木属 Schoepfia

华南青皮木
Schoepfia chinensis Gardn. et Champ.

| 药 材 名 | 碎骨仔树（药用部位：根、树枝、叶。别名：华青皮木、退骨王、香芙木）。

| 形态特征 | 落叶小乔木，高 2 ~ 6 m。小枝干后呈黑褐色，有白色皮孔。叶纸质或坚纸质，长椭圆形、椭圆形或卵状披针形，长 5 ~ 9 cm，先端渐尖、锐尖或钝尖，叶脉红色，侧脉 3 ~ 5 对；叶柄红色，长 3 ~ 6 mm。花 2 ~ 3（~ 4），无梗，排成短穗状或近似头状花序式的螺旋状聚伞花序，有时花单生；花萼筒大部分与子房合生，上端有 4 ~ 5 小萼齿，无副萼；花冠管状，黄白色或淡红色，具 4 ~ 5 小裂齿；雄蕊着生在花冠管上，花冠内部着生雄蕊处的下部各有 1 束短毛；子房半埋在花盘中。果实椭圆形或长圆形，长 0.7 ~ 1

（～ 1.2）cm，成熟时几全部为增大成壶状的花萼筒所包围；花萼筒红色或紫红色，基部为略膨大的基座所承托。花、叶同放。花期 2 ～ 4 月，果期 4 ～ 6 月。

| **生境分布** | 生于海拔 1 700 m 以下的山谷、溪边密林或疏林中。分布于湖南郴州（桂阳、临武）、永州（江永、新田）、湘西州（永顺）等。

| **资源情况** | 野生资源一般。药材来源于野生。

| **采收加工** | 全年均可采收根、树枝，夏、秋季采收叶，鲜用，或切碎，晒干。

| **功能主治** | 甘、淡，凉。清热利湿，活血止痛。用于黄疸，热淋，风湿痹痛，跌打损伤，骨折。

| **用法用量** | 内服煎汤，15 ～ 60 g。外用适量，鲜品捣敷；或煎汤洗。

铁青树科 Olacaceae 青皮木属 Schoepfia

青皮木

Schoepfia jasminodora Sieb. et Zucc.

| **药 材 名** | 脆骨风（药用部位：全株。别名：鸡白柴、茶条树、万把刀）。

| **形态特征** | 落叶小乔木或灌木，高 3 ~ 14 m。新枝红色，老枝灰褐色。叶纸质，卵形或长卵形，长 3.5 ~ 7（~ 10）cm，先端近尾状或长尖，基部圆形，侧脉 4 ~ 5 对，略呈红色；叶柄长 2 ~ 3 mm，红色。花无梗，（2 ~ ）3 ~ 9 花排成穗状花序式的螺旋状聚伞花序，总花梗长 1 ~ 2.5 cm，红色；花萼筒杯状，无副萼；花冠钟形或宽钟形，白色或浅黄色，先端具 4 ~ 5 小裂齿，裂片外卷，雄蕊着生在花冠管上，花冠内面着生雄蕊处的下部各有 1 束短毛；子房半埋在花盘中；柱头通常伸出花冠管外。果实椭圆状或长圆形，长 1 ~ 1.2 cm，成熟时几全部为增大成壶状的花萼筒所包围；花萼筒紫红色，基部为

略膨大的基座所承托。花、叶同放。花期 3 ~ 5 月，果期 4 ~ 6 月。

| **生境分布** | 生于海拔 500 ~ 1 000 m 的山谷、沟边、山坡、路旁密林或疏林中。湖南有广泛分布。

| **资源情况** | 野生资源一般。药材来源于野生。

| **采收加工** | 夏、秋季采收，洗净，切段，晒干。

| **功能主治** | 甘、微涩，平。祛风除湿，散瘀止痛。用于风湿痹痛，腰痛，产后腹痛，跌打损伤。

| **用法用量** | 内服煎汤，30 ~ 60 g。外用适量，鲜叶捣敷。

檀梨
Pyrularia edulis (Wall.) A. DC.

| 药 材 名 | 檀梨皮（药用部位：茎皮）、檀梨子（药用部位：种子）。

| 形态特征 | 小乔木或灌木，高 3 ~ 10 m。树皮灰色或灰黄色；芽被灰白色绢毛。叶纸质或带肉质，通常光滑，无泡状隆起，卵状长圆形，稀倒卵状长圆形，连叶柄长 7 ~ 15 cm，先端渐尖或短尖，基部阔楔形至近圆形，侧脉 4 ~ 6 对，被长柔毛；叶柄长 6 ~ 8 mm。雄花集成总状花序，长 1.3 cm；花序长 2.5 ~ 5（~ 7.5）cm，顶生或腋生；花梗长 6 mm，无苞片；花被管长圆状倒卵形，花被裂片 5（~ 6），三角形，外被长柔毛；花盘 5（~ 6）裂；雌花或两性花单生，子房棒状，被短柔毛；花柱短。核果梨形，长 3.8 ~ 5 cm，先端近截形，有脐状突起；外果皮肉质并有黏胶质；种子近球形，胚乳油质；果柄粗壮，

长 1.2 cm。果期 8 ～ 10 月。

| **生境分布** | 生于海拔 1 000 ～ 1 200 m 的常绿阔叶林中。分布于湖南怀化（鹤城）、郴州（桂东）等。

| **资源情况** | 野生资源稀少。药材来源于野生。

| **功能主治** | **檀梨皮：** 用于跌打损伤。

　　　　　　　檀梨子： 用于烫火伤。

檀香科 Santalaceae 百蕊草属 Thesium

百蕊草 *Thesium chinense* Turcz.

| **药 材 名** | 百蕊草（药用部位：全草。别名：青天白、疳积草）、百蕊草根（药用部位：根）。

| **形态特征** | 多年生柔弱草本，高 15 ～ 40 cm，全株多少被白粉，无毛。茎细长，簇生，基部以上疏分枝，斜升，有纵沟。叶线形，长 1.5 ～ 3.5 cm，宽 0.5 ～ 1.5 mm，先端急尖或渐尖，具单脉。花单一，5 基数，腋生；花梗较短或极短，长 3 ～ 3.5 mm；苞片 1，线状披针形，小苞片 2，线形，长 2 ～ 6 mm，边缘粗糙；花被绿白色，长 2.5 ～ 3 mm，花被管呈管状，花被裂片先端锐尖，内弯，内面微毛不明显；雄蕊不外伸；子房无梗，花柱很短。坚果椭圆形或近球形，长、宽均为 2 ～ 2.5 mm，淡绿色，表面有明显隆起的网脉，先端的宿存花被近球形，长约 2 mm；果柄长约 3.5 mm。花期 4 ～ 5 月，果期 6 ～ 7 月。

| **生境分布** | 生于海拔 500 ～ 2 100 m 的沙地边缘或草地。湖南各地均有分布。

| **资源情况** | 野生资源较丰富。药材来源于野生。

| **采收加工** | 百蕊草：春、夏季采收，去净泥土，晒干。
百蕊草根：夏、秋季采挖，洗净，晒干。

| **药材性状** | 百蕊草：本品多分枝，长 20 ～ 40 cm。根圆锥形，直径 1 ～ 4 mm；表面棕黄色，有纵皱纹，具细支根。茎丛生，纤细，长 12 ～ 30 cm，暗黄绿色，具纵棱；质脆，易折断，断面中空。叶互生，线状披针形，长 1 ～ 3 cm，宽 0.5 ～ 1.5 mm，灰绿色。小花单生于叶腋，近无梗。坚果近球形，直径约 2 mm，表面灰黄色，有网状雕纹，有宿存叶状小苞片 2。气微，味淡。

| **功能主治** | 百蕊草：辛、微苦，寒。清热解毒，利湿，解毒。用于风热感冒，中暑，肺痈，乳蛾，淋巴结结核，乳痈，疖肿，淋证，黄疸，腰痛，遗精。
百蕊草根：辛，平。行气活血，通乳。用于月经不调，乳汁不下。

| **用法用量** | 百蕊草：内服煎汤，9 ～ 30 g；或研末；或浸酒。外用适量，研末调敷。
百蕊草根：内服煎汤，3 ～ 10 g。

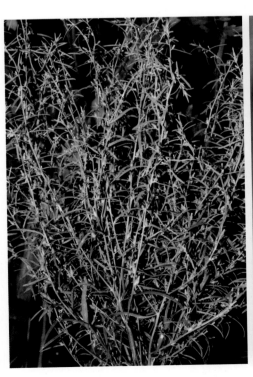

桑寄生科 Loranthaceae 栗寄生属 *Korthalsella*

栗寄生
Korthalsella japonica (Thunb.) Engl.

| 药 材 名 | 栗寄生（药用部位：枝叶。别名：枬寄生、螃蟹脚、吊兰）。

| 形态特征 | 亚灌木，高 5 ~ 15 cm；小枝扁平，通常对生，节间狭倒卵形至倒卵状披针形，长 7 ~ 17 mm，宽 3 ~ 6 mm，干后中肋明显。叶退化成鳞片状，成对合生呈环状。花淡绿色，有具节的毛围绕于基部；雄花：花蕾时近球形，长约 0.5 mm，萼片 3，三角形；聚药雄蕊扁球形；花梗短；雌花：花蕾时椭圆状，花托椭圆状，长约 0.5 mm；萼片 3，阔三角形，小；柱头乳头状。果实椭圆状或梨形，长约 2 mm，直径约 1.5 mm，淡黄色。花果期几全年。

| 生境分布 | 生于海拔 150 ~ 1 700 m 的山地常绿阔叶林中，常寄生于壳斗科栎属、柯属或山茶科、樟科、桃金娘科、山矾科、木犀科等植物上。

分布于湖南张家界（桑植）等。

| **资源情况** | 野生资源稀少。药材来源于野生。

| **采收加工** | 夏、秋季采收，扎成束，晾干。

| **功能主治** | 苦、甘，微温。归肝、肾经。祛风湿，补肝肾，行气活血，止痛。用于风湿痹痛，肢体麻木，腰膝酸痛，头晕目眩，跌打损伤。

| **用法用量** | 内服煎汤，9 ~ 15 g。

桑寄生科 Loranthaceae **桑寄生属** *Loranthus*

檞树桑寄生

Loranthus delavayi Van Tiegh.

| 药 材 名 | 檞树桑寄生（药用部位：带叶茎枝。别名：桑树寄生、桑寄生）。

| 形态特征 | 灌木，高 0.5 ~ 1 m，全株无毛。小枝淡黑色，具散生皮孔，有时具白色蜡被。叶对生或近对生，纸质或革质，卵形至长椭圆形，稀长圆状披针形，长（5 ~）6 ~ 10 cm，宽（2.5 ~）3 ~ 3.5 cm，先端圆钝或钝尖，基部阔楔形，稀楔形，稍下延；侧脉 5 ~ 6 对，明显；叶柄长 0.5 ~ 1 cm。雌雄异株；穗状花序，1 ~ 3 花序腋生或生于小枝已落叶叶腋，长 1 ~ 4 cm，具花 8 ~ 16，花单性，对生或近对生，黄绿色；苞片杓状，长约 0.5 mm；花托杯状，长约 1 mm，副萼环状；花瓣 6；雄花：花蕾时棒状，花瓣匙状披针形，长 4 ~ 5 mm，上半部反折；花丝着生于花瓣中部，长 1 ~ 2 mm，花药长 1 ~ 1.5 mm，4 室；不育雌蕊的花柱纤细或柱状，长 1.5 ~ 2 mm，先端渐尖或 2

浅裂，稀急尖；雌花：花蕾时柱状，花瓣披针形，长 2.5 ~ 3 mm，开展；不育雄蕊长 1 ~ 1.5 mm，花药线状；花柱柱状，长约 2.5 mm，6 棱，柱头头状。果实椭圆状或卵球形，长约 5 mm，直径 4 mm，淡黄色，果皮平滑。花期 1 ~ 3 月，果期 9 ~ 10 月。

| 生境分布 | 生于海拔（200 ~ ）500 ~ 1 800 m 的山谷、山地常绿阔叶林中，常寄生于壳斗科植物上，稀寄生于云南油杉、梨树等植物上。分布于湖南张家界（桑植）、怀化（沅陵、新晃、芷江、通道）、邵阳（新宁、城步）、永州（江华）、株洲（炎陵）、湘西州（龙山）等。

| 资源情况 | 野生资源稀少。药材来源于野生。

| 采收加工 | 夏、秋季采收，扎成束，晾干。

| 功能主治 | 苦、甘，微温。祛风湿，补肝肾，续骨。用于风湿痹痛，腰膝疼痛，骨折。

| 用法用量 | 内服煎汤，15 ~ 30 g。

桑寄生科 Loranthaceae 鞘花属 Macrosolen

鞘花

Macrosolen cochinchinensis (Lour.) Van Tiegh.

| 药 材 名 | 杉寄生（药用部位：带叶茎枝。别名：枫木寄生、龙眼寄生、发冷果寄生）。

| 形态特征 | 灌木，高 0.5 ~ 1.3 m，全株无毛。小枝灰色，具皮孔。叶革质，阔椭圆形至披针形，有时卵形，长 5 ~ 10 cm，宽 2.5 ~ 6 cm，先端急尖或渐尖，基部楔形或阔楔形，中脉在上面扁平，在下面凸起，侧脉 4 ~ 5 对，在下面明显或两面均不明显；叶柄长 0.5 ~ 1 cm。总状花序，1 ~ 3 花序腋生或生于小枝已落叶腋部，花序梗长 1.5 ~ 2 cm，具花 4 ~ 8；花梗长 4 ~ 6 mm，苞片阔卵形，长 1 ~ 2 mm，小苞片 2，三角形，长 1 ~ 1.5 mm，基部彼此合生，花托椭圆状，长 2 ~ 2.5 mm；副萼环状，长约 0.5 mm；花冠橙色，长 1 ~ 1.5 cm，花冠管膨胀，具 6 棱，裂片 6，披针形，长约 4 mm，反折；花丝长

约 2 mm，花药长 1 mm；花柱线状，柱头头状。果实近球形，长约 8 mm，直径 7 mm，橙色，果皮平滑。花期 2 ～ 6 月，果期 5 ～ 8 月。

| **生境分布** | 生于海拔 20 ～ 1 600 m 的平原或山地常绿阔叶林中，常寄生于壳斗科、山茶科、桑科植物或枫香、油桐、杉树等多种植物上。分布于湖南邵阳（新宁）等。

| **资源情况** | 野生资源稀少。药材来源于野生。

| **采收加工** | 全年均可采收，扎成束，或切碎，晒干。

| **药材性状** | 本品为带叶茎枝，圆柱形，分枝多，节部膨大，长 20 ～ 30 cm，粗枝直径 1 ～ 1.5 cm，细枝或枝梢直径 2 ～ 3 mm，表面粗糙，无毛，淡褐色或灰褐色，有多数细小、点状、黄褐色或红褐色皮孔和突起的纵条纹，或下陷的裂纹，节部有凸起的枝痕和叶痕，质坚脆，易折断，折断面不平坦，皮部薄，棕褐色，与木部紧密相接，木部宽阔，几占茎半径的 5/6，深黄色，髓射线明显，呈放射状，中央髓部淡黄色或棕褐色。叶常卷曲或破碎，完整叶片阔椭圆形至披针形，长 5 ～ 10 cm，宽 2.5 ～ 6 cm，先端渐尖，基部楔形，黄绿色至茶褐色，全缘，两面均光滑无毛，略有光泽，主脉明显，侧脉羽状，亚革质而韧脆，叶柄短。气微，味淡、微涩。

| **功能主治** | 甘、苦，平。祛风湿，补肝肾，活血止痛，止咳，止痢。用于风湿痹痛，腰膝酸痛，头晕目眩，脱发，跌打损伤，痔疮肿痛，咳嗽，咯血，痢疾。

| **用法用量** | 内服煎汤，9 ～ 15 g。

桑寄生科 Loranthaceae 梨果寄生属 Scurrula

红花寄生 *Scurrula parasitica* L.

药 材 名

红花寄生（药用部位：全株。别名：红花寄、柏寄生、桃树寄生）。

形态特征

灌木，高 0.5 ~ 1 m。嫩枝、叶密被锈色星状毛，后无毛，小枝灰褐色，具皮孔。叶对生或近对生，厚纸质，卵形至长卵形，长 5 ~ 8 cm，先端钝，基部阔楔形，侧脉 5 ~ 6 对，在两面均明显；叶柄长 5 ~ 6 mm。总状花序，1 ~ 2（~ 3）花腋生或生于小枝已落叶腋部，各部分被褐色毛，花序梗和花序轴共长 2 ~ 3 mm，具花 3 ~ 5（~ 6）；花红色，密集；花梗长 2 ~ 3 mm；苞片三角形；花托陀螺状，长 2 ~ 2.5 mm；副萼环状，全缘；花冠花蕾时呈管状，长 2 ~ 2.5 cm，稍弯，下部膨胀，顶部椭圆状，开花时 4 裂，裂片披针形，长 5 ~ 8 mm，反折。果实梨形，长约 10 mm，下半部骤狭，呈长柄状，红黄色，果皮平滑。花果期 10 月至翌年 1 月。

生境分布

生于海拔 20 ~ 2 100 m 的沿海平原或山地常绿阔叶林中，寄生于柚树、橘树、柠檬、黄皮、桃树、梨树或山茶科、大戟科、夹竹桃科、榆科、无患子科植物上。湖南各地均有分布。

| **资源情况** | 野生资源丰富。药材来源于野生。

| **采收加工** | 全年均可采收，切片，晒干。

| **药材性状** | 本品带叶茎枝圆柱形，多分枝，长 3 ~ 5 cm，直径约 1 cm，细枝和枝梢直径 2 ~ 3 mm，表面粗糙，老枝红褐色或深褐色，小枝及枝梢赭红色，幼枝有的有棕褐色星状毛，表面有众多点状和黄褐色或灰褐色横向皮孔，以及不规则、粗而密的纵纹；质坚脆，易折断，断面不平坦，皮部菲薄，赭褐色，易与木部分离，木部宽阔，淡黄色或土黄色，有放射状纹理，髓部深黄色。叶对生或近对生，易脱落；叶片多破碎、卷缩，完整者呈卵形至长卵形，长 5 ~ 8 cm，宽 2 ~ 4 cm，黄褐色或茶褐色，侧脉明显，两面均光滑无毛，全缘，厚纸质而脆，嫩叶有的有棕褐色星状毛；叶柄长约 5 mm，有的有未脱落的花果。花蕾管状，顶部长圆形，急尖，开放时先端 4 裂，裂片反折，可见 4 雄蕊及花柱。果实梨形，先端钝圆，下半部渐狭，呈长柄状。气清香，味微涩而苦。

| **功能主治** | 辛、苦，平。祛风湿，强筋骨，活血解毒。用于风湿痹痛，腰膝酸痛，胃痛，乳少，跌打损伤，疮疡肿毒。

| **用法用量** | 内服煎汤，30 ~ 60 g。外用嫩枝叶适量，捣敷。

桑寄生科 Loranthaceae 钝果寄生属 Taxillus

广寄生

Taxillus chinensis (DC) Danser

| 药 材 名 |

桑寄生（药用部位：带叶茎枝。别名：茑、寓木、桑上寄生）。

| 形态特征 |

灌木，高 0.5 ~ 1 m。嫩枝、叶密被锈色星状毛，有时具疏生叠生星状毛，稍后绒毛呈粉状脱落，枝、叶变无毛；小枝灰褐色，具细小皮孔。叶对生或近对生，厚纸质，卵形至长卵形，长（2.5 ~）3 ~ 6 cm，宽（1.5 ~）2.5 ~ 4 cm，先端圆钝，基部楔形或阔楔形；侧脉 3 ~ 4 对，略明显；叶柄长 8 ~ 10 mm。伞形花序，1 ~ 2 腋生或生于小枝已落叶腋部，具花 1 ~ 4，通常 2，花序和花被星状毛，总花梗长 2 ~ 4 mm；花梗长 6 ~ 7 mm；苞片鳞片状，长约 0.5 mm；花褐色，花托椭圆状或卵球形，长 2 mm；副萼环状；花冠花蕾时管状，长 2.5 ~ 2.7 cm，稍弯，下半部膨胀，顶部卵球形，裂片 4，匙形，长约 6 mm，反折；花丝长约 1 mm，花药长 3 mm，药室具横隔；花盘环状；花柱线状，柱头头状。果实椭圆状或近球形，果皮密生小瘤体，具疏毛，成熟果实浅黄色，长 8 ~ 10 mm，直径 5 ~ 6 mm，果皮变平滑。花果期 4 月~翌年 1 月。

| 生境分布 | 生于海拔 20 ~ 400 m 的平原或低山常绿阔叶林中，常寄生于桑树、桃树、李树、龙眼、荔枝、杨桃、油茶、油桐、橡胶树、榕树、木棉或马尾松、水松等多种植物上。分布于湖南怀化（通道）、邵阳（新宁）、永州（江华）等。

| 资源情况 | 野生资源稀少。药材来源于野生。

| 采收加工 | 冬季至翌年春季采割，除去粗茎，切段或蒸后干燥。

| 药材性状 | 本品为带叶茎枝，呈圆柱形，有分枝，长 30 ~ 40 cm，粗枝直径 0.5 ~ 1 cm，细枝或枝梢直径 2 ~ 3 mm。表面粗糙，嫩枝先端被有锈色毛绒，呈红褐色或灰褐色，有多数圆点状、黄褐色或灰黄色皮孔和纵向细皱纹，粗枝表面红褐色或灰褐色，有凸起的枝痕和叶痕。质坚脆，易折断，断面不平坦，皮部薄，深棕褐色，易与木部分离；木部宽阔，几占茎的大部，淡红棕色；髓射线明显，放射状；髓部小形，色稍深。叶易脱落，仅少数残留茎上，叶片常卷缩、破碎，完整者卵形至长卵形，长 3 ~ 6 cm，宽 2.5 ~ 4 cm，先端圆钝，基部楔形或阔楔形，茶褐色或黄褐色，全缘，侧脉 3 ~ 4 对，略明显，幼叶有锈色绒毛，近革质而脆，易破碎；叶柄长 0.5 ~ 1 cm。花、果常脱落；花蕾管状，稍弯，顶部卵圆形，被锈色绒毛。浆果椭圆状或近球形，浅黄色，密生小瘤体。气微，味淡、微涩。

| 功能主治 | 苦、甘，平。归肝、肾经。补肝肾，强筋骨，祛风湿，安胎。用于腰膝酸痛，筋骨痿弱，肢体偏枯，风湿痹痛，头昏目眩，胎动不安，崩漏下血。

| 用法用量 | 内服煎汤，10 ~ 15 g；或入丸、散剂；或浸酒；或捣汁服。外用适量，捣敷。

桑寄生科 Loranthaceae 钝果寄生属 *Taxillus*

锈毛钝果寄生

Taxillus levinei (Merr.) H. S. Kiu

药材名

锈毛钝果寄生（药用部位：带叶茎枝。别名：李寄生、板栗寄生、梨寄生）。

形态特征

灌木，高 0.5 ~ 2 m。嫩枝、叶、花序和花密被锈色或褐色叠生星状毛和星状毛；小枝具散生皮孔。叶互生或近对生，革质；叶片卵形，长 4 ~ 8（~ 10）cm，先端圆钝，基部近圆形，上面无毛，下面被绒毛，侧脉 4 ~ 6 对，在叶上面明显。伞形花序 1 ~ 2 腋生或生于小枝已落叶腋部；花 1 ~ 3，红色；总花梗长 2.5 ~ 5 mm；苞片三角形，长 0.5 ~ 1 mm；花托卵球形，长约 2 mm；副萼环状，稍内卷；花冠花蕾时呈管状，长（1.8 ~）2 ~ 2.2 cm，稍弯，冠管膨胀，顶部卵球形，裂片 4，匙形，长 5 ~ 7 mm，反折；雄蕊 4；花盘环状；花柱线状，柱头头状。浆果卵球形，长约 6 mm，直径约 4 mm，两端圆钝，黄色，果皮具颗粒状体，被星状毛。花期 9 ~ 12 月，果期翌年 4 ~ 5 月。

生境分布

生于海拔 200 ~ 1 200 m 的山地或山谷常绿

阔叶林中，常寄生于油茶、樟树或壳斗科植物上。分布于湖南株洲（茶陵）、郴州（苏仙、桂阳）、永州（冷水滩、蓝山）、湘西州（凤凰）等。

| **资源情况** | 野生资源一般。药材来源于野生。

| **采收加工** | 全年均可采收，扎成束，晾干或鲜用。

| **药材性状** | 本品茎枝圆柱形，灰褐色或暗褐色，皮孔多纵裂，嫩枝、幼叶和花被有锈色茸毛。叶片长椭圆形，长 3 ~ 8 cm，宽 1.2 ~ 3.2 cm，中脉在下面凸起，侧脉不显著，叶背密被锈色茸毛。革质。有时可见卵球形浆果，黄色，表面皱缩，具颗粒，密被茸毛。气微，味微苦、涩。

| **功能主治** | 苦，凉。归肺、肝经。清肺止咳，祛风湿。用于肺热咳嗽，风湿腰腿痛，疮疖。

| **用法用量** | 内服煎汤，10 ~ 15 g；或浸酒。外用适量，捣敷。

桑寄生科 Loranthaceae 钝果寄生属 Taxillus

毛叶钝果寄生 *Taxillus nigrans* (Hance) Danser

| 药 材 名 |

毛叶钝果寄生（药用部位：全株。别名：借母怀胎）。

| 形态特征 |

灌木，高 0.5 ~ 1.5 m。嫩枝、叶、花序和花密被灰黄色、黄褐色或褐色叠生星状毛和星状毛；小枝灰褐色或暗黑色，无毛。叶对生或互生，革质，长椭圆形、长圆形或长卵形，长 6 ~ 8.5（~ 11）cm，先端圆钝或急尖，基部楔形至圆形，侧脉 4 ~ 5 对；叶柄长 5 ~ 8 mm，被绒毛。总状花序 1 ~ 3（~ 5）簇生于叶腋或小枝已落叶腋部，花密集成伞形，总花梗和花序轴长 2 ~ 3（~ 4）mm；苞片三角形；花红黄色；花托卵球形；副萼环状，全缘，稍内卷；花冠花蕾时呈管状，长 1.2 ~ 1.8 cm，微弯或近直立，冠管稍膨胀，顶部卵球形，裂片 4，匙形，稍开展或反折。果实椭圆形，长约 7 mm，直径约 4 mm，两端圆钝，淡黄色，果皮粗糙，具疏生星状毛。花期 8 ~ 11 月，果期翌年 4 ~ 5 月。

| 生境分布 |

生于海拔 300 ~ 1 300 m 的山地、丘陵或河谷盆地阔叶林中，寄生于樟树、桑树、油茶或栎属、柳属植物上。湖南有广泛分布。

| **资源情况** | 野生资源一般。药材来源于野生。

| **功能主治** | 祛风除湿，安胎下乳，止咳化痰，安神镇痛。

桑寄生科 Loranthaceae 钝果寄生属 *Taxillus*

桑寄生
Taxillus chinensis (Lecomte) Danser

| 药 材 名 | 桑寄生（药用部位：带叶茎枝。别名：寄生、桑上寄生）。

| 形态特征 | 灌木，高 0.5 ~ 1 m。嫩枝、叶密被褐色或红褐色星状毛，有时散生叠生星状毛；小枝黑色，无毛，具散生皮孔。叶近对生或互生，革质，卵形、长卵形或椭圆形，长 5 ~ 8 cm，先端圆钝，基部近圆形，上面无毛，下面被绒毛，侧脉 4 ~ 5 对，叶上面明显；叶柄长 6 ~ 12 mm，无毛。总状花序生于叶腋，具花（2 ~）3 ~ 4（~ 5），花密集成伞形，花序和花均密被褐色星状毛；苞片卵状三角形，长约 1 mm；花红色；花托椭圆状；副萼环状，4 齿；花冠花蕾时呈管状，稍弯，下半部膨胀，顶部椭圆状，裂片 4，披针形，长 6 ~ 9 mm，反折，开花后毛稀疏；花柱线状，柱头圆锥状。果实椭圆形，长

6 ~ 7 mm，直径 3 ~ 4 mm，两端均圆钝，黄绿色；果皮具颗粒状体，被疏毛。花期 6 ~ 8 月。

| **生境分布** | 生于平原或低山常绿阔叶林中，寄生于桑树、桃树、李树、龙眼、荔枝、阳桃、油茶、油桐、橡胶树、榕树、木棉、马尾松或水松等多种植物上。湖南各地均有分布。

| **资源情况** | 野生资源丰富。药材来源于野生。

| **采收加工** | 冬季至次春采割，除去粗茎，切段，干燥，或蒸后干燥。

| **药材性状** | 本品茎枝呈圆柱形，长 3 ~ 4 cm，直径 0.2 ~ 1 cm；表面红褐色或灰褐色，具细纵纹，并有多数细小且凸起的棕色皮孔，嫩枝有的可见棕褐色茸毛；质坚硬，断面不整齐，皮部红棕色，木部色较浅。叶多卷曲，具短柄；叶片展平后呈卵形或椭圆形，长 3 ~ 8 cm，宽 2 ~ 5 cm，表面黄褐色，幼叶被细茸毛，先端钝圆，基部圆形或宽楔形，全缘，革质。气微，味涩。

| **功能主治** | 苦、甘，平。祛风湿，补肝肾，强筋骨，安胎。用于风湿痹痛，腰膝酸软，筋骨无力，崩漏经多，妊娠漏血，胎动不安，头晕目眩。

| **用法用量** | 内服煎汤，9 ~ 15 g。

桑寄生科 Loranthaceae 钝果寄生属 *Taxillus*

灰毛桑寄生
Taxillus sutchunensis (Lecomte) Danser var. *duclouxii* (Lecomte) H. S. Kiu

| 药 材 名 | 灰毛桑寄生（药用部位：全株）。

| 形态特征 | 灌木，高 0.5 ~ 1 m。嫩枝、叶、花序和花密被灰色星状毛，有时散生叠生星状毛。叶近对生或互生，革质；叶片卵形或长卵形，长 5 ~ 8 cm，先端圆钝，基部近圆形，下面被灰色绒毛，侧脉 6 ~ 7 对；叶柄长 6 ~ 12 mm，无毛。总状花序 1 ~ 3 生于小枝已落叶腋部或叶腋，具花 3 ~ 5，花密集成伞形，花序和花密被褐色星状毛，总花梗和花序轴长 1 ~ 2（~ 3）mm；苞片卵状三角形；花红色，花托椭圆状；副萼环状，具 4 齿；花冠花蕾时呈管状，长 2.2 ~ 2.8 cm，稍弯，下部膨胀，顶部椭圆状，裂片 4，披针形，长 6 ~ 9 mm，反折，开花后毛稀疏；花丝长约 2 mm，花药长 3 ~ 4 mm，药室常具横隔；

柱头圆锥状。果实椭圆形，长 6 ~ 7 mm，黄绿色，果皮具颗粒状体，被疏毛。花期 4 ~ 7 月。

| **生境分布** | 生于海拔 600 ~ 1 600 m 的山地阔叶林中，寄生于青冈树、栗、梨树、油茶、油桐或柳属等植物上。分布于湖南邵阳（武冈）、张家界（慈利）等。

| **资源情况** | 野生资源稀少。药材来源于野生。

| **功能主治** | 消肿止痛，祛风湿，安胎。用于疮疖，风湿筋骨痛，胎动不安。

桑寄生科 Loranthaceae 大苞寄生属 Tolypanthus

大苞寄生

Tolypanthus maclurei (Merr.) Danser

| 药 材 名 | 大苞寄生（药用部位：全株。别名：榔榆寄生、柑寄生、野梨树寄生）。

| 形态特征 | 灌木，高 0.5 ~ 1 m。幼枝、叶密被黄褐色或锈色星状毛，后毛脱落。叶薄革质，互生或近对生，或 3 ~ 4 叶簇生于短枝，长圆形或长卵形，长 2.5 ~ 7 cm，先端急尖或钝，基部楔形或圆钝；叶柄长 2 ~ 7 mm。密簇聚伞花序 1 ~ 3 生于小枝已落叶腋部或腋生，具花 3 ~ 5；花梗长约 1 mm；苞片长卵形，淡红色，先端渐尖，基部圆钝或浅心形，具直出脉 3 ~ 7；花红色或橙色；花托卵球形，被黄褐色或锈色绒毛；副萼杯状，长约 1 mm，具 5 浅齿；花冠长 2 ~ 2.8 cm，疏生星状毛，冠管上半部膨胀，具 5 纵棱，纵棱之间具横皱纹，

裂片狭长圆形，反折；花丝长 2 ~ 2.5 mm，花药长 1.5 ~ 2 mm。果实椭圆形，长 8 ~ 10 mm，黄色，具星状毛，宿存副萼长约 1 mm。花期 4 ~ 7 月，果期 8 ~ 10 月。

| **生境分布** | 生于海拔 150 ~ 1 200 m 的山地、山谷或溪畔常绿阔叶林中，寄生于油茶、檵木、柿树、紫薇或杜鹃属、杜英属、冬青属等植物上。分布于湖南郴州（汝城）、永州（道县、蓝山）、湘西州（保靖）等。

| **资源情况** | 野生资源较少。药材来源于野生。

| **采收加工** | 夏、秋季采收，扎成束，晾干。

| **功能主治** | 苦、甘，微温。补肝肾，强筋骨，祛风除湿。用于头目眩晕，腰膝酸痛，风湿麻木。

| **用法用量** | 内服煎汤，15 ~ 30 g。

桑寄生科 Loranthaceae　槲寄生属 *Viscum*

扁枝槲寄生

Viscum articulatum Burm. f.

| **药 材 名** | 枫香寄生（药用部位：全株）。

| **形态特征** | 亚灌木，高 0.3 ~ 0.5 m，直立或披散。茎基部近圆柱状，枝和小枝均扁平；枝交叉对生或二叉分枝，节间长 1.5 ~ 2.5 cm，宽 2 ~ 3 mm，稀长 3 ~ 4 cm，宽 3.5 mm，干后边缘薄，具纵肋 3，中肋明显。叶退化，呈鳞片状。聚伞花序 1 ~ 3 腋生，总花梗几无，总苞舟形，长约 1.5 mm，具花 1 ~ 3，中央 1 花为雌花，侧生的为雄花，通常仅具 1 雌花或 1 雄花；雄花花蕾时呈球形，长 0.5 ~ 1 mm，萼片 4，花药圆形，贴生于萼片下半部；雌花花蕾时呈椭圆形，长 1 ~ 1.5 mm，基部具环状苞片，花托卵球形，萼片 4，三角形，长约 0.5 mm，柱头垫状。果实呈球形，直径 3 ~ 4 mm，白色或青白色，果皮平滑。花果期几全年。

| **生境分布** | 生于海拔 50 ～ 1 700 m 的南亚热带季风雨林中，常寄生于桑寄生科的鞘花、五蕊寄生、广寄生、小叶梨果寄生等植物的茎上，也寄生于壳斗科、大戟科、樟科、檀香科植物上。分布于湖南邵阳（邵阳）、永州（江永）等。 |

| **资源情况** | 野生资源稀少。药材来源于野生。 |

| **采收加工** | 夏、秋季采收，扎成束，晾干。 |

| **药材性状** | 本品茎呈圆柱形，直径约 1 cm，小枝扁平，长节片状，节间长 1.5 ～ 2.5 cm，宽 2 ～ 3 mm，具纵肋 3，边缘薄。果实圆球形，直径 2 ～ 3 mm，黄棕色或暗棕色。 |

| **功能主治** | 辛、苦，平。归肺、脾、肾经。祛风除湿，舒筋活血，止咳化痰，止血。用于风湿痹痛，腰膝酸软，跌打疼痛，劳伤咳嗽，崩漏带下，产后血气虚。 |

| **用法用量** | 内服煎汤，10 ～ 15 g；或炖肉，30 ～ 60 g；或浸酒。外用适量，煎汤洗；或研末调敷。 |

桑寄生科 Loranthaceae 槲寄生属 Viscum

槲寄生 *Viscum coloratum* (Kom.) Nakai

| 药 材 名 |

槲寄生（药用部位：带叶茎枝。别名：北寄生、冬青、桑寄生）。

| 形态特征 |

灌木，高 0.3 ～ 0.8 m。茎、枝均为圆柱状，2 歧或 3 歧，稀多歧分枝，节稍膨大，小枝节间长 5 ～ 10 cm。叶对生，稀 3 叶轮生，厚革质或革质，长椭圆形至椭圆状披针形，长 3 ～ 7 cm，先端圆形或圆钝，基部渐狭，基出脉 3 ～ 5；叶柄短。雌雄异株，花序顶生或腋生于茎叉状分枝处；雄花序聚伞状，总苞舟形，常具 3 花，中央花具 2 苞片或无；雄花花蕾时呈卵球形，萼片 4，卵形；雌花序聚伞式穗状，总花梗长 2 ～ 3 mm 或几无，具花 3 ～ 5，顶生花具 2 苞片或无，交叉对生花各具 1 苞片，苞片阔三角形；雌花花蕾时呈长卵状球形，花托卵球形，萼片 4，柱头乳头状。果实呈球形，直径 6 ～ 8 mm，具宿存花柱，成熟时呈淡黄色或橙红色。花期 4 ～ 5 月，果期 9 ～ 11 月。

| 生境分布 |

生于海拔 500 ～ 2 000 m 的阔叶林中，寄生于榆树、杨树、柳树、桦树、栎树、梨树、李、苹果、枫杨、赤杨或椴属植物上。分布于湖南岳阳（临湘）、常德（桃源、临澧）、张家界（桑植）、永州（蓝山）、湘西州（永顺）、衡阳（衡东）等。

| **资源情况** | 野生资源一般。药材来源于野生。

| **采收加工** | 冬季至次春采割，除去粗茎，切段，干燥，或蒸后干燥。

| **药材性状** | 本品茎枝呈圆柱形，2 ~ 5 叉状分枝，长约 30 cm，直径 0.3 ~ 1 cm；表面黄绿色、金黄色或黄棕色，有纵皱纹；节膨大，节上有分枝或枝痕；体轻，质脆，易折断，断面不平坦，皮部黄色，木部色较浅，射线放射状，髓部常偏向一边。叶对生于枝梢，易脱落，无柄，叶片呈长椭圆状披针形，长 2 ~ 7 cm，宽 0.5 ~ 1.5 cm，先端钝圆，基部楔形，全缘；表面黄绿色，有细皱纹，主脉 5，中间 3 主脉明显；革质。气微，味微苦，嚼之有黏性。

| **功能主治** | 苦，平。归肝、肾经。祛风湿，补肝肾，强筋骨，安胎元。用于风湿痹痛，腰膝酸软，筋骨无力，崩漏经多，妊娠漏血，胎动不安，头晕目眩。

| **用法用量** | 内服煎汤，9 ~ 15 g。

桑寄生科 Loranthaceae 槲寄生属 *Viscum*

枫香槲寄生
Viscum liquidambaricolum Hayata

| 药 材 名 | 枫香寄生（药用部位：带叶茎枝。别名：吊杀猢狲、枫上寄生、铁角狲儿）。

| 形态特征 | 灌木，高 0.5 ~ 0.7 m。茎基部近圆柱状，枝和小枝均扁平；枝交叉对生或二叉分枝，节间长 2 ~ 4 cm，宽 4 ~ 6（~ 8）mm，干后边缘肥厚，纵肋 5 ~ 7，明显。叶退化成鳞片状。聚伞花序，1 ~ 3 花序腋生，总花梗几无，总苞舟形，长 1.5 ~ 2 mm，具花 1 ~ 3，通常仅具 1 雌花或雄花，或中央 1 为雌花，侧生的为雄花；雄花花蕾时近球形，长约 1 mm，萼片 4；花药圆形，贴生于萼片下半部；雌花花蕾时椭圆状，长 2 ~ 2.5 mm，花托长卵球形，长 1.5 ~ 2 mm，基部具杯状苞片或无；萼片 4，三角形，长 0.5 mm；柱头乳头状。浆果椭圆形，长 5 ~ 7 mm，直径约 4 mm，有时卵球形，长 6 mm，

直径约 5 mm，成熟时橙红色或黄色，果皮平滑。花果期 4 ～ 12 月。

| **生境分布** | 生于海拔 200 ～ 750 m（西南地区 1 100 ～ 1 800 m) 的山地阔叶林中或常绿阔叶林中。寄生于枫香树、油桐树、柿树或壳斗科等多种植物上。分布于湖南邵阳（城步）、怀化（会同）等。

| **资源情况** | 野生资源稀少。药材来源于野生。

| **采收加工** | 夏、秋季采收，扎成束，晾干。

| **药材性状** | 本品嫩枝交叉对生或二叉分枝，扁平，呈长节片状，较肥厚，节部明显，节间长 2 ～ 4 cm，宽 4 ～ 6 mm，表面黄绿色或黄褐色，光滑无毛，具光泽，有明显的纵肋 5 ～ 7 和不规则的纵皱纹，边缘较厚，节部可见鳞片状叶芽和花芽。质较脆，易折断，断面不平坦，纤维性，黄绿色，髓部不明显。有时可见果实，果实椭圆形，长 5 ～ 7 mm，直径约 4 mm，橙红色或黄色，表面平滑。气微，味淡。此外，尚有部分老枝入药，枝圆柱形，直径 0.5 ～ 1.5 cm，表面黄褐色或黄棕色。

| **功能主治** | 辛、苦，平。归肺、脾、肾经。祛风除湿，舒筋活血，止咳化痰，止血。用于风湿痹痛，腰膝酸软，跌打疼痛，劳伤咳嗽，崩漏带下，产后血气虚。

| **用法用量** | 内服煎汤，10 ～ 15 g；或炖肉服，30 ～ 60 g；或浸酒。外用适量，煎汤洗；或研末调敷。

蛇菰科 Balanophoraceae 蛇菰属 Balanophora

红冬蛇菰 *Balanophora harlandii* Hook. f.

| 药 材 名 | 葛蕈（药用部位：全草。别名：蛇菰、螺丝起）。

| 形态特征 | 草本，高 2.5 ~ 9 cm。根茎苍褐色，扁球形或近球形，干时脆壳质，直径 2.5 ~ 5 cm，分枝或不分枝，表面粗糙，密被小斑点，呈脑状折皱。花茎长 2 ~ 5.5 cm，淡红色；鳞苞片 5 ~ 10，多少肉质，红色或淡红色，长圆状卵形，长 1.3 ~ 2.5 cm，宽约 8 mm，聚生于花茎基部，呈总苞状。花雌雄异株（序）；花序近球形或卵圆状椭圆形；雄花序轴有凹陷的蜂窠状洼穴；雄花 3 数，直径 1.5 ~ 3 mm，花被裂片 3，阔三角形，聚药雄蕊有 3 花药，花梗初时很短，后渐伸长达 5 mm，自洼穴伸出；雌花的子房黄色，卵形，通常无子房梗，着生于附属体基部或花序轴表面，花柱丝状，附属体暗褐色，倒圆

锥形或倒卵形，先端截形或中部凸起，无梗或有极短的梗，长约 0.8 mm，宽约 0.6 mm。花期 9 ～ 11 月。

| **生境分布** | 生于海拔 600 ～ 2 100 m 的荫蔽林，喜较湿润的腐殖质土壤。分布于湖南邵阳（武冈）、怀化（通道）、常德（石门）、张家界（慈利）等。

| **资源情况** | 野生资源较少。药材来源于野生。

| **采收加工** | 秋、冬季采收，除去杂质，阴干或鲜用。

| **功能主治** | 苦、涩，寒。归肺、大肠经。凉血止血，清热解毒。用于咳嗽咯血，血崩，肠风下血，痔疮肿痛，梅毒，疔疮，小儿阴茎肿。

| **用法用量** | 内服煎汤，9 ～ 15 g。外用适量，捣敷；或研末敷。

蛇菰科 Balanophoraceae 蛇菰属 *Balanophora*

筒鞘蛇菰 *Balanophora involucrata* Hook. f.

| **药 材 名** | 寄生黄（药用部位：全草）。

| **形态特征** | 草本，高 5 ~ 15 cm。根茎肥厚，干时呈脆壳质，近球形，不分枝或偶分枝，直径 2.5 ~ 5.5 cm，黄褐色，很少呈红棕色，表面密被颗粒状小疣瘤和浅黄色或黄白色星芒状皮孔，先端裂鞘 2 ~ 4 裂，裂片呈不规则三角形或短三角形，长 1 ~ 2 cm。花茎长 3 ~ 10 cm，直径 0.6 ~ 1 cm，大部分呈红色，小部分呈黄红色；鳞苞片 2 ~ 5，轮生，基部连合，呈筒鞘状，先端离生，呈撕裂状，常包着花茎至中部。花雌雄异株或异序；花序均呈卵球形，长 1.4 ~ 2.4 cm，直径 1.2 ~ 2 cm；雄花较大，直径约 4 mm，3 数，花被裂片卵形或短三角形，宽不到 2 mm，开展，聚药雄蕊无梗，呈扁盘状，花药横裂，

具短梗；雌花子房卵圆形，有细长的花柱和子房梗，附属体倒圆锥形，先端截形或略呈圆形，长约 0.7 mm。花期 7 ～ 8 月。

| 生境分布 | 多生于阔叶林中，常寄生于杜鹃花属植物的根上。分布于湖南株洲（攸口）等。

| 资源情况 | 野生资源稀少。药材来源于野生。

| 采收加工 | 秋季采收，洗净，晒干。

| 功能主治 | 苦、涩，寒。润肺止咳，行气健胃，清热利湿，凉血止血，补肾涩精。用于肺热咳嗽，脘腹疼痛，黄疸，痔疮肿痛，跌打损伤，咯血，月经不调，崩漏，外伤出血，头昏，遗精。

| 用法用量 | 内服煎汤，9 ～ 15 g；或炖肉；或浸酒。

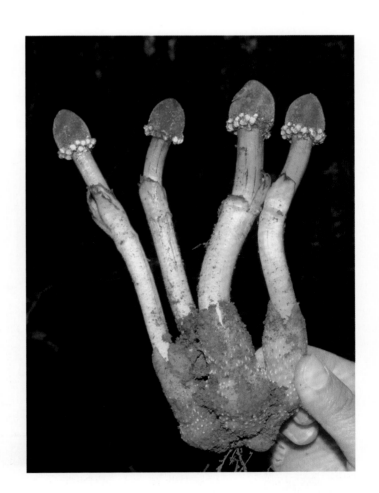

蛇菰科 Balanophoraceae 蛇菰属 Balanophora

疏花蛇菰 *Balanophora laxiflora* Hemsl.

| 药 材 名 | 鹿仙草（药用部位：全草。别名：不上莲、通天蜡烛、石上莲）。

| 形态特征 | 草本，高 10 ~ 20 cm；全株鲜红色至暗红色，有时转紫红色。根茎分枝，分枝近球形，长 1 ~ 3 cm，宽 1 ~ 2.5 cm，表面密被粗糙小斑点和明显淡黄白色星芒状皮孔；花茎长 5 ~ 10 cm；鳞苞片椭圆状长圆形，先端钝，互生，8 ~ 14，长 2 ~ 2.5 cm，宽 1 ~ 1.5 cm，基部几全包着花茎。花雌雄异株（序）；雄花序圆柱状，长 3 ~ 18 cm，宽 0.5 ~ 2 cm，先端渐尖；雄花近辐射对称，疏生于雄花序上，花被裂片通常 5（有时 4 或 6），近圆形，长 2 ~ 3 mm，先端尖或稍钝圆；聚药雄蕊近圆盘状，有时向两侧稍延展，中部呈脐状突起，直径 4.5 ~ 6 mm，花药 5，小药室 10；无梗或近无梗；雌花序卵圆

形至长圆状椭圆形，向先端渐尖，长 2 ～ 6 cm，宽 0.8 ～ 2 cm；子房卵圆形，
宽约 0.5 mm，具细长的花柱和具短子房柄，聚生于附属体的基部附近；附属体
棍棒状或倒圆锥尖状，先端平截或先端中部稍隆起，中部以下骤狭成针尖状，
长约 1 mm。花期 9 ～ 11 月。

| **生境分布** | 生于海拔 660 ～ 1 700 m 的密林中。分布于湖南常德（石门）、湘西州（永顺）、
邵阳（新宁、武冈）等。

| **资源情况** | 野生资源稀少。药材来源于野生。

| **采收加工** | 夏、秋季采收，除去杂质，鲜用或晒干。

| **功能主治** | 苦，凉。益肾养阴，清热止血。用于肾虚腰痛，虚劳出血，痔疮出血。

| **用法用量** | 内服煎汤，9 ～ 15 g。外用适量，捣敷；或研末敷。

蛇菰科 Balanophoraceae 蛇菰属 Balanophora

杯茎蛇菰
Balanophora subcupularis Tam

| 药 材 名 | 杯茎蛇菰（药用部位：全草）。

| 形态特征 | 草本，高 2 ~ 8 cm。根茎淡黄褐色，直径 1.5 ~ 3 cm，通常呈杯状，常有不规则纵纹，密被颗粒状小疣瘤和淡黄色星芒状小皮孔，先端裂鞘 5 裂，裂片近圆形或三角形，边缘啮蚀状。花茎长 1.5 ~ 3 cm，常被鳞苞片遮盖；鳞苞片 3 ~ 8，互生，肉质，阔卵形或卵圆形。花雌雄同株或同序；花序卵形或卵圆形，长约 1.5 cm，先端圆形；雄花生于花序基部，近辐射对称，花被 4 裂，裂片披针形或披针状椭圆形，长 1 mm，开展，中部以上内曲，先端锐尖，聚药雄蕊近圆盘状，有同型、短裂的花药，药室 12 ~ 16，花梗短棒状，近四棱形，长 0.8 mm；雌花子房卵圆形或近圆形，直径约 0.1 mm，有子房梗，子房着生于附属体基部，附属体棍棒状，长 0.5 mm，先端钝，中部

以下渐狭。花期 9 ～ 11 月。

| **生境分布** | 生于海拔 650 ～ 1 450 m 的密林中。分布于湖南郴州（宜章、桂东）、株洲（炎陵）。

| **资源情况** | 野生资源稀少。药材来源于野生。

| **功能主治** | 苦、涩，凉。归肺经。清热凉血，消肿解毒。

蓼科 Polygonaceae 金线草属 Antenoron

金线草

Antenoron filiforme (Thunb.) Roberty et Vautier

| 药 材 名 | 金线草（药用部位：全草）、金线草根（药用部位：根茎）。

| 形态特征 | 多年生草本。根茎粗壮。茎直立，高 50 ~ 80 cm，具糙伏毛，有纵沟，节部膨大。叶椭圆形或长椭圆形，长 6 ~ 15 cm，宽 4 ~ 8 cm，先端短渐尖或急尖，基部楔形，全缘，两面均具糙伏毛；叶柄长 1 ~ 1.5 cm，具糙伏毛；托叶鞘筒状，膜质，褐色，长 5 ~ 10 mm，具短缘毛。总状花序呈穗状，通常数个，顶生或腋生，花序轴延伸，花稀疏排列；花梗长 3 ~ 4 mm；苞片漏斗状，绿色，边缘膜质，具缘毛；花被 4 深裂，红色，花被片卵形，果时稍增大；雄蕊 5；花柱 2，果时伸长，硬化，长 3.5 ~ 4 mm，先端呈钩状，宿存，伸出花被之外。瘦果卵形，双凸透镜状，褐色，有光泽，长约 3 mm，包于宿存花被内。花期 7 ~ 8 月，果期 9 ~ 10 月。

| **生境分布** | 生于山地林缘、路旁阴湿处。湖南各地均有分布。

| **资源情况** | 野生资源丰富。药材来源于野生。

| **采收加工** | 金线草：夏、秋季采收，晒干或鲜用。
金线草根：夏、秋季采挖，晒干或鲜用。

| **药材性状** | 金线草：本品根茎为不规则结节状条块，长 2 ~ 15 cm，节部略膨大；表面红褐色，有细纵皱纹，并具众多根痕及须根，先端有茎痕或茎残基；质坚硬，不易折断，断面不平坦，粉红色，髓部色稍深。茎圆柱形，不分枝或上部分枝，有长糙伏毛。叶多卷曲，具柄；叶片展开后呈宽卵形或椭圆形，先端短渐尖或急尖，基部楔形成近圆形；托叶鞘膜质，筒状，先端截形，有条纹，叶的两面及托叶鞘均被长糙伏毛。气微，味涩、微苦。

| **功能主治** | 金线草：辛、苦，凉；有小毒。凉血止血，清热利湿，散瘀止痛。用于咯血，吐血，便血，血崩，泄泻，痢疾，胃痛，经期腹痛，产后血瘀腹痛，跌打损伤，风湿痹痛，痈肿。
金线草根：苦、辛，微寒。凉血止血，散瘀止痛，清热解毒。用于咳嗽，咯血，吐血，崩漏，月经不调，痛经，脘腹疼痛，泄泻，痢疾，跌打损伤，风湿痹痛，瘰疬，痈疽肿毒，烫火伤，毒蛇咬伤。

| **用法用量** | 金线草：内服煎汤，9 ~ 30 g。外用适量，煎汤洗；或捣敷。
金线草根：内服煎汤，15 ~ 30 g；或浸酒；或炖肉。外用适量，捣敷；或磨汁涂。

| **附　　注** | 本种的正名是金线草 *Persicaria filiformis* (Thunb.) Nakai。

蓼科 Polygonaceae 金线草属 Antenoron

短毛金线草 Antenoron neofiliforme (Nakai) H. Hara

| 药 材 名 | 金线草根（药用部位：根茎。别名：血经草、重杨柳、蟹壳草）。

| 形态特征 | 多年生直立草本，高 50 ~ 100 cm。根茎横走，粗壮，扭曲，茎节膨大。叶互生，有短柄；托叶鞘筒状，抱茎，膜质；叶片椭圆形或长圆形，长 6 ~ 15 cm，宽 3 ~ 6 cm，先端长渐尖，基部楔形，全缘，两面疏生短糙伏毛，散布棕色斑点。穗状花序顶生或腋生；花小，红色；苞片有睫毛；花被 4 裂；雄蕊 5；柱头 2 歧，先端钩状。瘦果卵圆形，棕色，表面光滑。花期秋季，果期冬季。

| 生境分布 | 生于山地林缘、路旁阴湿处。湖南各地均有分布。

| 资源情况 | 野生资源丰富。药材来源于野生。

| **采收加工** | 夏、秋季采收，晒干或鲜用。

| **药材性状** | 本品根茎为不规则结节状条块，长 2 ~ 15 cm，节部略膨大；表面红褐色，有细纵皱纹，并具众多根痕及须根，先端有茎痕或茎残基；质坚硬，不易折断，断面不平坦，粉红色，髓部色稍深。茎圆柱形，不分枝或上部分枝，茎枝无毛或疏生短伏毛。叶片长椭圆形或椭圆形，先端长渐尖，略弯曲，有短糙伏毛；托叶鞘膜质，筒状，先端截形，有条纹，疏生短糙伏毛或近无毛。气微，味涩、微苦。

| **功能主治** | 辛，凉。凉血止血，祛瘀止痛。用于风湿关节痛，胃痛，咯血，吐血，产后血瘀腹痛，跌打损伤。

| **用法用量** | 内服煎汤，9 ~ 30 g。外用适量，煎汤洗；或捣敷。

蓼科 Polygonaceae 蓼属 Polygonum

拳参
Polygonum bistorta L.

|药材名|

拳参（药用部位：根茎。别名：紫参、牡蒙、众戎）。

|形态特征|

多年生草本。根茎肥厚，直径 1 ~ 3 cm，弯曲，黑褐色。茎直立，高 50 ~ 90 cm，不分枝，无毛，通常 2 ~ 3 自根茎发出。基生叶宽披针形或狭卵形，纸质，长 4 ~ 18 cm，宽 2 ~ 5 cm；先端渐尖或急尖，基部截形或近心形，沿叶柄下延成翅，两面无毛或下面被短柔毛，边缘外卷，微呈波状，叶柄长 10 ~ 20 cm；茎生叶披针形或线形，无柄；托叶筒状，膜质，下部绿色，上部褐色，先端偏斜，开裂至中部，无缘毛。总状花序呈穗状，顶生，长 4 ~ 9 cm，直径 0.8 ~ 1.2 cm，紧密；苞片卵形，先端渐尖，膜质，淡褐色，中脉明显，每苞片内含 3 ~ 4 花；花梗细弱，开展，长 5 ~ 7 mm，比苞片长；花被 5 深裂，白色或淡红色，花被片椭圆形，长 2 ~ 3 mm；雄蕊 8，花柱 3，柱头头状。瘦果椭圆形，两端尖，褐色，有光泽，长约 3.5 mm，具稍长于宿存的花被。花期 6 ~ 7 月，果期 8 ~ 9 月。

| **生境分布** | 生于海拔 1 200 ～ 2 000 m 的山顶草甸。分布于湖南怀化（洪江），邵阳（城步）、永州（宁远、蓝山）等。 |

| **资源情况** | 野生资源稀少。药材来源于野生。 |

| **采收加工** | 春、秋季采挖，去掉茎、叶及须根，洗净，晒干或切片，晒干，亦可鲜用。 |

| **药材性状** | 本品呈扁圆柱形，弯曲成虾状，长 4 ～ 15 cm，直径 1 ～ 2.5 cm。表面紫埚色或紫黑色，稍粗糙，有较密环节及残留须根或根痕，一面隆起，另一面较平坦或略具凹槽。质硬，断面近肾形，浅棕红色，黄白色维管束细点排成断续环状。气微，味苦、涩。 |

| **功能主治** | 苦，微寒；有小毒。归肺、肝、大肠经。清热利湿，凉血止血，解毒散结。用于肺热咳嗽，热病惊痫，血痢，热泻，吐血，衄血，痔疮出血，痈肿疮毒。 |

| **用法用量** | 内服煎汤，3 ～ 12 g；或入丸、散剂。外用适量，捣敷；或煎汤含漱、熏洗。 |

| **附　注** | 本种在 FOC 中被修订为蓼科 Polygonaceae 拳参属 *Bistorta* 拳参 *Bistorta officinalis* Raf.。 |

蓼科 Polygonaceae 荞麦属 *Fagopyrum*

金荞麦 *Fagopyrum dibotrys* (D. Don) Hara

| 药 材 名 | 金荞麦（药用部位：根茎。别名：苦荞头、荞子七、荞麦三七）、金荞麦茎叶（药用部位：茎、叶）。

| 形态特征 | 多年生草本。根茎木质化，黑褐色。茎直立，高 50 ~ 100 cm，分枝，具纵棱，无毛，有时一侧沿棱被柔毛。叶三角形，长 4 ~ 12 cm，宽 3 ~ 11 cm，先端渐尖，基部近戟形，全缘，两面具乳头状突起或被柔毛；叶柄长可达 10 cm；托叶鞘筒状，膜质，褐色，长 5 ~ 10 mm，偏斜，先端截形，无缘毛。花序伞房状，顶生或腋生；苞片卵状披针形，先端尖，边缘膜质，长约 3 mm，每苞内具 2 ~ 4 花；花梗中部具关节，花梗与苞片近等长；花被 5 深裂，白色，花被片长椭圆形，长约 2.5 mm；雄蕊 8，比花被短；花柱 3，柱头头状。瘦果宽卵形，具 3 锐棱，黑褐色，无光泽，长 6 ~ 8 mm，比宿存花

被长 2 ~ 3 倍。花期 7 ~ 9 月，果期 8 ~ 10 月。

| **生境分布** | 生于海拔 250 ~ 2 100 m 的山谷湿地、山坡灌丛。栽培于山坡。湖南各地均有分布。

| **资源情况** | 野生资源丰富。栽培资源一般。药材来源于野生和栽培。

| **采收加工** | **金荞麦**：冬季采挖，除去茎及须根，洗净，晒干。
金荞麦茎叶：夏季采集，鲜用或晒干。

| **药材性状** | **金荞麦**：本品为不规则团块或呈圆柱状，常有瘤状分枝，先端有的有茎残基，长 3 ～ 15 cm，直径 1 ～ 4 cm。表面棕褐色，有横向环节及纵皱纹，密布点状皮孔，并有凹陷的圆形根痕及残存须根。质坚硬，不易折断，断面淡黄白色或淡棕红色，有放射状纹理，中央髓部色较深。气微，味微涩。 |

金荞麦茎叶：本品茎圆柱形，具纵棱，枯绿色或微带淡紫红色，节明显，可见灰白色膜质叶鞘，断面多中空。叶互生，多皱缩，完整叶片展平后呈戟状三角形，长、宽相等，先端渐尖，基部呈心状或戟形，基出脉 7，全缘，质脆，易碎。气微，味微苦、涩。

| **功能主治** | **金荞麦**：微辛、涩，凉。清热解毒，排脓祛瘀。用于肺脓肿，麻疹病毒肺炎，扁桃体周围脓肿。 |

金荞麦茎叶：苦、辛，凉。清热解毒，健脾利湿，祛风通络。用于肺痈，咽喉肿痛，肝炎腹胀，消化不良，痢疾，痈疽肿毒，瘰疬，蛇虫咬伤，风湿痹痛，头风。

| **用法用量** | **金荞麦**：15 ～ 45 g，用水或黄酒隔水密闭炖服。 |

金荞麦茎叶：内服煎汤，9 ～ 15 g，鲜品 30 ～ 60 g。外用适量，捣敷；或研末调敷。

蓼科 Polygonaceae 荞麦属 Fagopyrum

荞麦
Fagopyrum esculentum Moench

| 药 材 名 | 荞麦（药用部位：种子。别名：花麦、三角麦）、荞麦秸（药用部位：茎、叶）、荞麦叶（药用部位：叶）。

| 形态特征 | 一年生草本。茎直立，高 30 ~ 90 cm，上部分枝，绿色或红色，具纵棱，无毛或于一侧沿纵棱具乳头状突起。叶三角形或卵状三角形，长 2.5 ~ 7 cm，宽 2 ~ 5 cm，先端渐尖，基部心形，两面沿叶脉具乳头状突起，下部叶具长叶柄，上部叶较小，近无柄；托叶鞘膜质，短筒状，长约 5 mm，先端偏斜，无缘毛，易破裂、脱落。花序总状或伞房状，顶生或腋生，花序梗一侧具小突起；苞片卵形，长约 2.5 mm，绿色，边缘膜质，每苞内具 3 ~ 5 花；花梗比苞片长，无关节；花被 5 深裂，白色或淡红色，花被片椭圆形，长 3 ~ 4 mm；

雄蕊 8，比花被短；花药淡红色；花柱 3，柱头头状。瘦果卵形，具 3 锐棱，先端渐尖，长 5 ～ 6 mm，暗褐色，无光泽，比宿存花被长。花期 5 ～ 9 月，果期 6 ～ 10 月。

| 生境分布 | 生于荒地、路边。栽培于山区田间。湖南各地均有分布。

| 资源情况 | 野生资源丰富。药材来源于野生和栽培。

| 采收加工 | 荞麦：霜降前后种子成熟时收割，打下种子，除去杂质，晒干。
荞麦秸：夏、秋季采收，洗净，鲜用或晒干。
荞麦叶：夏、秋季采收，洗净，鲜用或晒干。

| **药材性状** | **荞麦秸**：本品茎枝长短不一，多分枝，绿褐色或黄褐色，节间有细条纹，节部略膨大；断面中空。叶多皱缩或破碎，完整叶展开后呈三角形或卵状三角形，长 2.5 ～ 7 cm，宽 2 ～ 5 cm，先端狭渐尖，基部心形，叶耳三角状，具尖头，全缘，两面无毛，纸质；叶柄长短不一；有的可见筒状托叶鞘，托叶鞘先端截形或斜截形，褐色，膜质。气微，味淡、略涩。

| **功能主治** | **荞麦**：甘、微酸，寒。健脾消积，下气宽肠，解毒敛疮。用于肠胃积滞，泄泻，痢疾，绞肠痧，带下，自汗，盗汗，疱疹，丹毒，痈疽，发背，瘰疬，烫火伤。
荞麦秸：酸，寒。下气消积，清热解毒，止血，降血压。用于噎食，消化不良，痢疾，带下，痈肿，烫伤，咯血，紫癜，高血压，糖尿病并发视网膜炎。
荞麦叶：酸，寒。利耳目，下气，止血，降血压。用于眼目昏糊，耳鸣重听，嗳气，紫癜，高血压。

| **用法用量** | **荞麦**：内服入丸、散剂；或制面食服。外用适量，研末撒或调敷。
荞麦秸：内服煎汤，10 ～ 15 g。外用适量，烧灰淋汁，熬膏涂；或研末调敷。
荞麦叶：内服煎汤，5 ～ 10 g，鲜品 30 ～ 60 g。

蓼科 Polygonaceae 荞麦属 Fagopyrum

细柄野荞麦 *Fagopyrum gracilipes* (Hemsl.) Damm. ex Diels

| 药 材 名 | 细梗荞麦（药用部位：全草）、细梗荞麦子（药用部位：种子）。

| 形态特征 | 一年生草本。茎直立，高 20 ~ 70 cm，自基部分枝，具纵棱，疏被短糙伏毛。叶卵状三角形，长 2 ~ 4 cm，先端渐尖，基部心形，两面疏生短糙伏毛；下部叶叶柄长 1.5 ~ 3 cm，具短糙伏毛，上部叶叶柄较短或近无梗；托叶鞘膜质，偏斜。花序总状，腋生或顶生，极稀疏，间断，长 2 ~ 4 cm，花序梗细弱，俯垂；苞片漏斗状，上部近缘处膜质，中下部草质，绿色，每苞内具 2 ~ 3 花；花梗细弱，长 2 ~ 3 mm，比苞片长，顶部具关节；花被 5 深裂，淡红色，椭圆形，长 2 ~ 2.5 mm，背部具绿色脉，果时花被稍增大；雄蕊 8，比花被短；花柱 3，柱头头状。瘦果宽卵形，长约 3 mm，具 3 锐

棱，有时沿棱生狭翅，有光泽，突出花被之外。花期 6 ~ 9 月，果期 8 ~ 10 月。

| 生境分布 | 生于海拔 300 ~ 880 m 的山坡草地、山谷湿地、田埂、路旁。分布于湖南湘西州（泸溪）等。

| 资源情况 | 野生资源稀少。药材来源于野生。

| 功能主治 | **细梗荞麦**：清热解毒，活血散瘀，健脾利湿。
细梗荞麦子：开胃，宽肠。

蓼科 Polygonaceae 荞麦属 Fagopyrum

苦荞麦
Fagopyrum tataricum (L.) Gaertn.

| 药 材 名 | 苦荞麦（药用部位：块根及根茎。别名：乔叶七、野兰荞、万年荞）。

| 形态特征 | 一年生草本。茎直立，高 30 ~ 70 cm，分枝，绿色或微呈紫色，有细纵棱，一侧具乳头状突起。叶宽三角形，长 2 ~ 7 cm，两面沿叶脉具乳头状突起，下部叶具长叶柄，上部叶较小，具短柄；托叶鞘偏斜，膜质，黄褐色，长约 5 mm。花序总状，顶生或腋生，花排列稀疏；苞片卵形，长 2 ~ 3 mm，每苞内具 2 ~ 4 花，花梗中部具关节；花被 5 深裂，白色或淡红色；花被片椭圆形，长约 2 mm；雄蕊 8，比花被短；花柱 3，短，柱头头状。瘦果长卵形，长 5 ~ 6 mm，黑褐色，无光泽，比宿存花被长，具 3 棱及 3 纵沟，上部棱角锐利，

下部棱角圆钝，有时具波状齿。花期6～9月，果期8～10月。

| 生境分布 | 生于海拔 500～2 100 m 的田边、路旁、山坡、河谷。栽培于山区田间。湖南有广泛分布。

| 资源情况 | 野生资源一般。栽培资源丰富。药材来源于野生和栽培。

| 采收加工 | 秋季采挖，洗净，晒干。

| 功能主治 | 甘、苦，平。健胃顺气，除湿止痛。用于胃痛，消化不良，痢疾，劳伤，腰腿痛。

| 用法用量 | 内服煎汤，15～25 g。

蓼科 Polygonaceae 蓼属 Polygonum

两栖蓼

Polygonum amphibium L.

| 药 材 名 | 两栖蓼（药用部位：全草。别名：小黄药、水荭、天蓼）。

| 形态特征 | 多年生草本。根茎横走。水生者茎漂浮，无毛，节部生不定根；叶长圆形或椭圆形，浮于水面，长 5 ~ 12 cm，宽 2.5 ~ 4 cm，先端钝或微尖，基部近心形，全缘，无毛，叶柄长 0.5 ~ 3 cm，托叶鞘筒状，薄膜质，长 1 ~ 1.5 cm，先端截形，无缘毛。陆生者茎直立，不分枝或自基部分枝，高 40 ~ 60 cm；叶披针形或长圆状披针形，长 6 ~ 14 cm，宽 1.5 ~ 2 cm，先端急尖，基部近圆形，两面被短硬伏毛，全缘，具缘毛，叶柄长 3 ~ 5 mm，托叶鞘筒状，膜质，长 1.5 ~ 2 cm，疏生长硬毛，先端截形，具短缘毛。总状花序穗状，顶生或腋生，长 2 ~ 4 cm，苞片宽漏斗状；花被片 5 深裂，长椭圆形，

长 3 ~ 4 mm；雄蕊 5，比花被短；花柱 2，比花被长，柱头头状。瘦果近圆形，双凸透镜状，黑色，有光泽，包于宿存花被内。花期 7 ~ 8 月，果期 8 ~ 9 月。

| 生境分布 | 生于海拔 50 ~ 2 100 m 的湖泊边缘浅水中、沟边及田边湿地。分布于湖南岳阳（汨罗）。

| 资源情况 | 野生资源稀少。药材来源于野生。

| 采收加工 | 夏、秋季采收，洗净，鲜用或晾干。

| 药材性状 | 本品茎枝横走，呈长圆柱形而微扁，节部略膨大，并生多数黑色细须状不定根；表面褐色至棕褐色，有细密纵肋线，无毛。叶多卷曲，水生叶展平后呈长圆形或长圆状披针形，长 5 ~ 12 cm，宽 2.5 ~ 4 cm，先端微尖或钝，基部心形或圆形，无毛，陆生或伸出水面叶展平后呈长圆状披针形，长 4 ~ 8 cm，宽 1 ~ 1.5 cm，先端急尖，两面被短伏毛，托叶鞘筒状，先端截形，叶柄由托叶鞘中部以上伸出。花序穗状；花被褐色，雄蕊 5，花柱 2。气微，味微涩。

| 功能主治 | 苦，平。清热利湿，解毒。用于足部水肿，痢疾，尿血，潮热，多汗，疔疮，无名肿毒。

| 用法用量 | 内服煎汤，9 ~ 15 g。外用适量，鲜品捣敷。

| 附　注 | 本种的拉丁学名已修订为 *Persicaria amphibia* (L.) Gray。

蓼科 Polygonaceae 蓼属 *Polygonum*

中华抱茎蓼 *Polygonum amplexicaule* D. Don var. *sinense* Forb. et Hemsl. ex Stew.

| 药 材 名 | 鸡血七（药用部位：根茎。别名：蜈蚣七、倒生莲）。

| 形态特征 | 多年生草本。根茎粗壮，横走，紫褐色，长可达 15 cm。茎直立，分枝，高 20 ~ 60 cm。基生叶卵形，长 4 ~ 10 cm，宽 2 ~ 5 cm，先端长渐尖，基部心形，边缘脉端微增厚，稍外卷，上面绿色，无毛，下面淡绿色，有时沿叶脉具短柔毛，叶柄比叶片长或与叶片近等长；茎生叶长卵形，较小，具短柄，上部叶近无柄或抱茎，托叶鞘筒状，膜质，褐色，长 2 ~ 4 cm，开裂至基部，无缘毛。总状花序呈穗状，稀疏；苞片卵圆形，膜质，褐色；花梗细，比苞片长；花被深红色，5 深裂，花被片狭椭圆形，长 3 ~ 4 mm，宽 1.5 ~ 2 mm；雄蕊 8，花柱 3，柱头头状。瘦果椭圆形，黑褐色，有光泽，长 4 ~ 5 mm，稍突出花被之外。花期 8 ~ 9 月，果期 9 ~ 10 月。

| 生境分布 | 生于海拔 1 200 ~ 2 100 m 的山坡草地或林缘。分布于湖南常德（澧县）等。

| 资源情况 | 野生资源稀少。药材来源于野生。

| 采收加工 | 秋季采挖，洗净，去粗皮，鲜用或晒干。

| 功能主治 | 酸、苦，平；有毒。清热解毒，活血舒筋，行气止痛，止血生肌。用于感冒发热，咽喉肿痛，泄泻，痢疾，跌打损伤，胃痛，痛经，崩漏，外伤出血。

| 用法用量 | 内服煎汤，3 ~ 10 g；或浸酒；或研末。外用适量，鲜品捣敷；或研末撒。

| 附　　注 | 本种的拉丁学名已修订为 *Bistorta amplexicaulis* subsp. *sinensis* (F. B. Forbes et Hemsl. ex Steward) Soják。

蓼科 Polygonaceae 蓼属 *Polygonum*

萹蓄
Polygonum aviculare L.

| 药 材 名 | 萹蓄（药用部位：地上部分）。

| 形态特征 | 一年生草本。茎平卧、上升或直立，高 10 ~ 40 cm，自基部多分枝，具纵棱。叶椭圆形、狭椭圆形或披针形，长 1 ~ 4 cm，宽 3 ~ 12 mm，先端钝圆或急尖，基部楔形，全缘，两面无毛，下面侧脉明显；叶柄短或近无柄，基部具关节；托叶鞘膜质，下部褐色，上部白色，撕裂脉明显。花单生或数朵簇生于叶腋，遍布于植株；苞片薄膜质；花梗细，顶部具关节；花被 5 深裂，花被片椭圆形，长 2 ~ 2.5 mm，绿色，边缘白色或淡红色；雄蕊 8，花丝基部扩展；花柱 3，柱头头状。瘦果卵形，具 3 棱，长 2.5 ~ 3 mm，黑褐色，密被由小点组成的细条纹，无光泽，与宿存花被近等长或较宿存花

被长。花期 5 ~ 7 月，果期 6 ~ 8 月。

| **生境分布** | 生于海拔 10 ~ 2 100 m 的田边、沟边湿地。湖南各地均有分布。

| **资源情况** | 野生资源丰富。药材来源于野生。

| **采收加工** | 夏季叶茂盛时采收，除去根及杂质，晒干。

| **药材性状** | 本品茎呈圆柱形而略扁，有分枝，长 15 ~ 40 cm，直径 0.2 ~ 0.3 cm；表面灰绿色或棕红色，有微凸起的细密纵纹；节部稍膨大，有浅棕色的膜质托叶鞘，节间长约 3 cm；质硬，易折断，断面髓部白色。叶互生，近无柄或具短柄；叶片多脱落或皱缩、破碎，完整者展平后呈披针形，全缘，两面均呈棕绿色或灰绿色。气微，味微苦。

| **功能主治** | 苦，微寒。归膀胱经。利尿通淋，杀虫，止痒。用于热淋涩痛，小便短赤，虫积腹痛，湿疹，阴痒带下。

| **用法用量** | 内服煎汤，9 ~ 15 g。外用适量，煎汤洗。

蓼科 Polygonaceae 蓼属 *Polygonum*

毛蓼
Polygonum barbatum L.

药材名

毛蓼（药用部位：全草。别名：小蓼子草、蓼子草、红蓼子）。

形态特征

多年生草本。根茎横走。茎直立，高 40 ~ 90 cm，无毛或疏生短柔毛，不分枝或上部分枝。叶披针形或椭圆状披针形，长 7 ~ 15 cm，宽 1.5 ~ 4 cm，先端渐尖，基部楔形，两面生短柔毛，边缘及叶脉较多；叶柄长 0.5 ~ 0.8 cm，密生细刚毛；托叶鞘筒状，膜质，长 1.5 ~ 2 cm，表面密生长柔毛，缘毛粗硬，较叶鞘长或与之等长。总状花序呈穗状，长 4 ~ 8 cm，顶生及腋生，直立，通常数个组成圆锥状，稀单生；花序梗疏生短柔毛或近无毛；苞片漏斗状，表面无毛或疏生短毛，每苞片内含 3 ~ 5 花，花梗短；花被白色或淡绿色，花被片椭圆形，长 1.5 ~ 2 mm；雄蕊 5 ~ 8；花柱 3，下部连合。瘦果卵形，具 3 棱，长 1.5 ~ 2 mm，黑色，有光泽，包于宿存花被内。花期 8 ~ 9 月，果期 9 ~ 10 月。

生境分布

生于海拔 1 000 m 以下的水旁、田边、路边湿地及林下。湖南各地均有分布。

| 资源情况 | 野生资源丰富。药材来源于野生。

| 采收加工 | 初花期采收，鲜用或晒干。

| 药材性状 | 本品茎枝圆柱形，粗壮，黄褐色，密被伏毛，断面中空，节部略膨大。叶卷曲，易破碎，展平后呈披针形或狭披针形，长 8 ~ 15 cm，宽 1 ~ 2 cm，先端长渐尖，基部楔形，并下延至叶柄，两面被短伏毛，褐色，草质；托叶鞘长筒状，长 1.5 ~ 2 cm，密被粗伏毛，膜质，先端有粗壮的长睫毛。总状花序顶生及腋生，长可达 10 cm；花被白色或淡绿色。瘦果卵形，具 3 棱，长约 2 mm，黑色，有光泽，具宿存花被。气微，味微涩。

| 功能主治 | 辛，温。清热解毒，排脓生肌，活血，透疹。用于外感发热，喉蛾，久疟，痢疾，泄泻，痈肿，疽，瘘，瘰疬溃破不敛，蛇虫咬伤，跌打损伤，风湿痹痛，麻疹不透等。

| 用法用量 | 内服煎汤，9 ~ 15 g。外用适量，捣敷；或煎汤洗。

| 附　注 | 本种的拉丁学名已修订为 *Persicaria barbata* (L.) H. Hara。

蓼科 Polygonaceae 蓼属 Polygonum

头花蓼

Polygonum capitatum Buch.-Ham. ex D. Don

| 药 材 名 | 红酸杆（药用部位：全草。别名：太阳草、石辣蓼）。

| 形态特征 | 多年生草本。根茎匍匐于地表或生于土层中，表面红褐色，多分枝；茎直立或蔓生，高 10 ~ 60 cm，呈紫红色，表面有纵棱，无毛或疏生柔毛。叶卵形或椭圆形，先端尖，基部楔形，全缘，长 1.5 ~ 3 cm，宽 1 ~ 2.5 cm，两面无毛或疏生柔毛，叶脉和叶缘有时毛更明显；叶柄短，被柔毛，叶上面有时具黑褐色新月形斑点；托叶鞘筒状，膜质，顶部截形，褐色，长 5 ~ 8 mm，有缘毛。总状花序紧缩，呈头状，花序梗有腺毛；苞片卵圆形，表面无毛；花被 5 深裂，淡红色，椭圆形，长 2 ~ 3 mm；雄蕊 8，花柱 3。瘦果三棱形，长 1.5 ~ 2 mm，黑色，包在宿存花被内。花期 6 ~ 9 月，果期 8 ~ 10 月。

| **生境分布** | 生于海拔 600 ~ 2 100 m 的山坡、路旁、田野潮湿地。湖南有广泛分布。

| **资源情况** | 野生资源较丰富。药材来源于野生。

| **采收加工** | 全年均可采收，洗净，鲜用或晒干。

| **药材性状** | 本品茎圆柱形，红褐色，节处略膨大并有柔毛；断面中空。叶互生，多皱缩，展平后呈椭圆形，长 1.5 ~ 3 cm，宽 1 ~ 2 cm，先端钝尖，基部楔形，全缘，具红色缘毛，上表面绿色，常有"人"字形红晕，下表面绿色带紫红色，两面均被褐色疏柔毛；叶柄短或近无柄；托叶鞘筒状，膜质，基部有草质耳状片。花序头状，顶生或腋生；花被 5 裂；雄蕊 8。瘦果卵形，具 3 棱，黑色。

| **功能主治** | 苦、辛，凉。清热凉血，利尿。用于尿路感染，痢疾，腹泻，血尿。外用于尿布皮炎，黄水疮。

| **用法用量** | 内服煎汤，15 ~ 30 g。外用适量，捣敷；或煎汤洗；或熬膏涂。

| **附　　注** | 本种的拉丁学名已修订为 *Persicaria capitate* (Buch.-Ham. ex D. Don) H. Gross。

蓼科 Polygonaceae 蓼属 Polygonum

火炭母 *Polygonum chinense* L.

| 药 材 名 | 火炭母草（药用部位：全草。别名：赤地利、白饭草、乌炭子）、
火炭母草根（药用部位：根）。

| 形态特征 | 多年生草本。根茎粗壮，表面红褐色，内部黄色。茎直立，高
70 ~ 100 cm，无毛，具纵棱，多分枝。叶卵形或长卵形，长 4 ~
10 cm，宽 2 ~ 4 cm，先端短渐尖，基部截形或宽心形，全缘，
两面无毛，有时下面沿叶脉疏生短柔毛，下部叶具叶柄；叶柄长
1 ~ 2 cm，通常基部具叶耳，上部叶近无柄或抱茎；托叶鞘膜质，
无毛，长 1.5 ~ 2.5 cm，具脉纹，先端偏斜，无缘毛。花序头状，
通常数个排成圆锥状，顶生或腋生，花序梗被腺毛；苞片宽卵形，
每苞内具 1 ~ 3 花；花被 5 深裂，白色或淡红色，裂片卵形，果时

增大，呈肉质，蓝黑色；雄蕊 8，比花被短；花柱 3，中下部合生。瘦果宽卵形，具 3 棱，长 3 ～ 4 mm，黑色，无光泽，包于宿存的花被。花期 7 ～ 9 月，果期 8 ～ 10 月。

| **生境分布** | 生于海拔 30 ～ 2 100 m 的山坡草坡、山谷湿地。湖南各地均有分布。

| **资源情况** | 野生资源丰富。药材来源于野生。

| **采收加工** | **火炭母草**：夏、秋季采收，晒干或鲜用。
火炭母草根：夏、秋季采挖，鲜用或晒干。

| **药材性状** | **火炭母草**：本品茎棕色至棕紫色，有纵皱纹，节间颇长，节部膨大；质脆易折断，髓部疏松。叶片皱缩，呈枯黄色或黄绿色，主脉两侧有紫黑色斑块，隐约可见；托叶鞘筒状，浅黄棕色，常破碎而不完整。气微，味淡、微苦。

| **功能主治** | **火炭母草**：辛、苦，凉；有毒。清热利湿，凉血解毒，平肝明目，活血舒筋。用于痢疾，泄泻，咽喉肿痛，白喉，肺热咳嗽，百日咳，肝炎，带下，恶性肿瘤，中耳炎，湿疹，眩晕，耳鸣，角膜云翳，跌打损伤。
火炭母草根：辛、甘，平。补益脾肾，平降肝阳，清热解毒，活血消肿。用于体虚乏力，耳鸣，耳聋，头目眩晕，带下，乳痈，肺痈，跌打损伤。

| **用法用量** | **火炭母草**：内服煎汤，9 ～ 15 g，鲜品 30 ～ 60 g。外用适量，捣敷；或煎汤洗。
火炭母草根：内服煎汤，9 ～ 15 g。外用适量，研末调敷。

| **附　　注** | 本种的拉丁学名已修订为 *Persicaria chinensis* (L.) H. Gross。

蓼科 Polygonaceae 蓼属 *Polygonum*

硬毛火炭母

Polygonum chinense L. var. *hispidum* Hook. f.

| 药 材 名 | 小红人（药用部位：块根。别名：一条龙、火炭草、火炭菜）。

| 形态特征 | 本变种与火炭母的区别是：本变种叶两面被糙硬毛；茎、枝具倒生糙硬毛。

| 生境分布 | 生于海拔 600 ~ 2 100 m 的山坡草地、山谷灌丛。分布于湖南怀化（辰溪）等。

| 资源情况 | 野生资源稀少。药材来源于野生。

| 采收加工 | 全年均可采挖，洗净，切片，晒干。

| 功能主治 | 酸，凉。清大肠热毒，活血止血。用于痢疾，泄泻，月经不调，崩

漏，产后流血过多，跌打损伤。

| **用法用量** | 内服煎汤，10 ～ 15 g。

| **附　注** | 本种的拉丁学名已修订为 *Persicaria chinensis* var. *hispida* (Hook. f.) Kantachot。

蓼科 Polygonaceae 蓼属 Polygonum

蓼子草

Polygonum criopolitanum Hance

药材名

蓼子草（药用部位：全草或根。别名：小莲蓬、细叶一枝莲）。

形态特征

一年生草本。茎自基部分枝，平卧，丛生，节部生根，高 10 ~ 15 cm，被长糙伏毛及稀疏的腺毛。叶狭披针形或披针形，长 1 ~ 3 cm，宽 3 ~ 8 mm，先端急尖，基部狭楔形，两面被糙伏毛，边缘具缘毛及腺毛；叶柄极短或近无柄；托叶鞘膜质，密被糙伏毛，先端截形，具长缘毛。花序头状，顶生，花序梗密被腺毛；苞片卵形，长 2 ~ 2.5 mm，密生糙伏毛，具长缘毛，每苞内具 1 花；花梗比苞片长，密被腺毛，顶部具关节；花被 5 深裂，淡紫红色，花被片卵形，长 3 ~ 5 mm；雄蕊 5，花药紫色；花柱 2，中上部合生。瘦果椭圆形，双凸透镜状，长约 2.5 mm，有光泽，包于宿存花被内。花期 7 ~ 11 月，果期 9 ~ 12 月。

生境分布

生于海拔 50 ~ 900 m 的河滩沙地、沟边湿地。湖南各地均有分布。

| **资源情况** | 野生资源丰富。药材来源于野生。

| **采收加工** | 夏、秋季采收，鲜用或晒干。

| **功能主治** | 微苦、辛，平。祛风解表，清热解毒。用于感冒发热，毒蛇咬伤。

| **用法用量** | 内服煎汤，15 ~ 30 g。外用适量，鲜品捣敷。

| **附　注** | 本种的拉丁学名已修订为 *Persicaria criopolitana* (Hance) Migo。

蓼科 Polygonaceae 虎杖属 Reynoutria

虎杖
Reynoutria japonica Houtt.

| 药 材 名 | 虎杖（药用部位：根及根茎）、虎杖叶（药用部位：叶）。

| 形态特征 | 多年生草本。地下根茎粗壮，横走，木质化，表面棕褐色至黑色，内部黄红色。茎直立，高50～200 cm，有分枝，中空，节明显，有纵棱，表面散生红色或紫色斑点，无毛。单叶，叶宽卵形或卵状椭圆形，长5～12 cm，宽4～9 cm，先端渐尖，全缘，基部圆形或宽楔形，无毛；托叶鞘膜质，褐色，筒状，早落。花单性，雌雄异株；圆锥花序腋生，花序长3～8 cm；苞片漏斗状，长1.5～2 mm，无毛，每苞含2～4花；花梗长2～4 mm；雄花花被片具绿色中脉，无翅，雄蕊8，比花被长；雌花花被淡绿色，5深裂，2轮，外轮3花被片背部具翅，果时增大，花柱3，柱头流苏状。

瘦果卵形，具 3 棱，黑褐色，有光泽，包于宿存花被内。花期 8 ~ 9 月，果期 9 ~ 10 月。

| **生境分布** | 生于海拔 140 ~ 2 000 m 的山坡灌丛、山谷、路旁、田边湿地。栽培于土层深厚、水资源丰富、质地疏松的土壤中。湖南各地均有分布。

| **资源情况** | 野生资源丰富。栽培资源丰富。药材来源于野生和栽培。

| **采收加工** | 虎杖：春、秋季采挖，除去须根，洗净，趁鲜切短段或厚片，晒干。
虎杖叶：春、夏、秋季均可采收，洗净，鲜用或晒干。

| **药材性状** | 虎杖：本品多为圆柱形短段或不规则厚片，长 1 ~ 7 cm，直径 0.5 ~ 2.5 cm。外皮棕褐色，有纵皱纹和须根痕，切面皮部较薄，木部宽广，棕黄色，射线放射状，皮部与木部较易分离。根茎髓中有隔或呈空洞状。质坚硬。气微，味微苦、涩。

| **功能主治** | 虎杖：微苦，微寒。归肝、胆、肺经。利湿退黄，清热解毒，散瘀止痛，止咳化痰。用于湿热黄疸，淋浊，带下，风湿痹痛，痈肿疮毒，烫火伤，经闭，癥瘕，跌打损伤，肺热咳嗽。
虎杖叶：苦，平。祛风湿，解热毒。用于风湿关节疼痛，蛇咬伤，漆疮。

| **用法用量** | 虎杖：内服煎汤，9 ~ 15 g。外用适量，制成煎液或油膏涂敷。
虎杖叶：内服煎汤，9 ~ 15 g。外用适量，捣敷；或煎汤浸渍。

蓼科 Polygonaceae 蓼属 *Polygonum*

大箭叶蓼

Polygonum darrisii Lévl.

| 药 材 名 | 大箭叶蓼（药用部位：全草。别名：蛇子草、蛇倒退）。

| 形态特征 | 一年生草本。茎蔓生，长1～2m，暗红色，四棱形，沿棱具稀疏的倒生皮刺。叶长三角形或三角状箭形，长4～10cm，宽3～5cm，先端渐尖，基部箭形，边缘疏生刺状缘毛，上面无毛，下面沿中脉疏生皮刺；叶柄长3～6cm，具倒生皮刺；托叶鞘筒状，边缘具1对叶状耳，耳披针形，草质，绿色，长0.6～1.5cm。总状花序头状，顶生或腋生，花序梗通常不分枝，无腺毛，具稀疏的倒生短皮刺；苞片长卵形，先端渐尖，每苞内通常具2花；花梗比苞片短；花被5深裂，白色或淡红色，花被片椭圆形；雄蕊8，比花被短；花柱3，中下部合生，柱头头状。瘦果近球形，微具3棱，

黑褐色，有光泽，长约 3 mm，包于宿存花被内。花期 6 ~ 8 月，果期 7 ~ 10 月。

| **生境分布** | 生于海拔 300 ~ 1 700 m 的山地沟边、路旁潮湿处。湖南各地均有分布。

| **资源情况** | 野生资源丰富。药材来源于野生。

| **采收加工** | 夏、秋季采收，晒干。

| **功能主治** | 清热解毒。用于痢疾，疔毒，皮肤瘙痒，蛇咬伤。

| **附 注** | 本种的拉丁学名已修订为 *Persicaria senticosa* var. *sagittifolia* (H. Lév. et Vaniot) Yonek. et H. Ohashi。

蓼科 Polygonaceae 蓼属 Polygonum

稀花蓼 *Polygonum dissitiflorum* Hemsl.

| 药 材 名 |

稀花蓼（药用部位：全草。别名：红降龙草、白回归、连牙刺）。

| 形态特征 |

一年生草本。茎直立或下部平卧，分枝，具稀疏的倒生短皮刺，通常疏生星状毛，高 70 ~ 100 cm。叶卵状椭圆形，长 4 ~ 14 cm，宽 3 ~ 7 cm，先端渐尖，基部戟形或心形，边缘具短缘毛，上面绿色，下面淡绿色，疏生星状毛，沿中脉具倒生皮刺；叶柄长 2 ~ 5 cm，通常具星状毛及倒生皮刺；托叶鞘膜质，长 0.6 ~ 1.5 cm，偏斜，具短缘毛。花序圆锥状，顶生或腋生，花稀疏，间断，花序梗细，紫红色，密被紫红色腺毛；苞片漏斗状，包围花序轴，长 2.5 ~ 3 mm，绿色，具缘毛，每苞内具 1 ~ 2 花，花梗无毛，与苞片近等长；花被 5 深裂，淡红色，花被片椭圆形，长约 3 mm；雄蕊 7 ~ 8，比花被短；花柱 3，中下部合生。瘦果近球形，先端微具 3 棱，暗褐色，长约 33.5 mm，包于宿存花被内。花期 6 ~ 8 月，果期 7 ~ 9 月。

| 生境分布 | 生于海拔 140 ~ 1 500 m 的河边湿地、山谷草丛。湖南有广泛分布。

| 资源情况 | 野生资源一般。药材来源于野生。

| 采收加工 | 花期采收全草，鲜用或晾干。

| 功能主治 | 清热解毒，利湿。用于急、慢性肝炎，小便淋沥，毒蛇咬伤。

| 用法用量 | 内服煎汤，30 ~ 60 g。外用适量，捣敷。

| 附　　注 | 本种的拉丁学名已修订为 *Persicaria dissitiflora* (Hemsl.) H. Gross ex T. Mori。

蓼科 Polygonaceae 蓼属 Polygonum

长箭叶蓼
Polygonum hastatosagittatum Mak.

药材名

长箭叶蓼（药用部位：全草）。

形态特征

一年生草本。茎直立或下部近平卧，高 40 ~ 90 cm，分枝，具纵棱，沿棱具倒生短皮刺，皮刺长 0.3 ~ 1 mm。叶披针形或椭圆形，长 3 ~ 7（~ 10）cm，宽 1 ~ 2（~ 3）cm，先端急尖或近渐尖，基部箭形或近戟形，上面无毛或被短柔毛，有时被短星状毛，下面有时被短星状毛；叶柄长 1 ~ 2.5 cm，具倒生皮刺；托叶鞘筒状，膜质，长 1.5 ~ 2 cm，先端截形，具长缘毛。总状花序呈短穗状，长 1 ~ 1.5 cm，顶生或腋生，花序梗二叉分枝，密被短柔毛及腺毛；苞片宽椭圆形或卵形，长 2.5 ~ 3 mm，具缘毛，每苞内通常具 2 花；花梗长 4 ~ 6 mm，密被腺毛；花被 5 深裂，淡红色，花被片宽椭圆形，长 3 ~ 4 mm；雄蕊 7 ~ 8；花柱 3，柱头头状。瘦果卵形，具 3 棱，深褐色，具光泽，长 3 ~ 4 mm，包于宿存花被内。花期 8 ~ 9 月，果期 9 ~ 10 月。

生境分布

生于海拔 50 ~ 2 100 m 的水边、沟边湿地。

湖南各地均有分布。

| **资源情况** | 野生资源丰富。药材来源于野生。

| **功能主治** | 清热解毒，祛风除湿，活血止痛。用于痈肿疮毒，头疮，足癣，风湿痹痛，腰痛，神经痛，跌打损伤，瘀血肿痛，月经不调，毒蛇咬伤。

| **附　　注** | 本种的拉丁学名已修订为 *Persicaria hastatosagittata* (Makino) Nakai ex T. Mori。

蓼科 Polygonaceae 蓼属 *Polygonum*

水蓼 *Polygonum hydropiper* L.

| 药 材 名 |

水蓼（药用部位：地上部分。别名：辣蓼草、辣子草、水红花）、水蓼根（药用部位：根）、蓼实（药用部位：果实。别名：蓼子、水蓼子）。

| 形态特征 |

一年生草本，高 40 ~ 70 cm。茎直立，多分枝，无毛，节膨大。叶披针形或椭圆状披针形，长 4 ~ 8 cm，宽 0.5 ~ 2.5 cm，先端渐尖，基部楔形，全缘，具缘毛，两面无毛，被褐色小点，有时沿中脉具短硬伏毛，具辛辣味；叶柄长 4 ~ 8 mm；托叶鞘筒状，膜质，褐色，长 1 ~ 1.5 cm，疏生短硬伏毛，先端截形，具短缘毛。总状花序穗状，顶生或腋生，长 3 ~ 8 cm，通常下垂，花稀疏；苞片漏斗状，长 2 ~ 3 mm，绿色，边缘膜质，疏生短缘毛，每苞内具 3 ~ 5 花；花梗比苞片长；花被 5 深裂，稀 4 裂，绿色，上部白色或淡红色，被黄褐色透明腺点，花被片椭圆形，长 3 ~ 3.5 mm；雄蕊 6，稀 8，比花被短；花柱 2 ~ 3。瘦果卵形，长 2 ~ 3 mm，双凸透镜状，密被小点，黑褐色，无光泽，包于宿存花被内。花期 5 ~ 9 月，果期 6 ~ 10 月。

| **生境分布** | 生于海拔 50 ~ 2 100 m 的河滩、水沟边、山谷湿地。湖南各地均有分布。

| **资源情况** | 野生资源丰富。药材来源于野生。

| **采收加工** | **水蓼：**秋季开花时采收，割取地上部分，晒干或鲜用。
水蓼根：秋季开花时采挖，洗净，鲜用或晒干。
蓼实：秋季果实成熟时采收，除去杂质，鲜用或阴干。

| **药材性状** | **水蓼：**本品茎圆柱形，有分枝，长 30 ~ 70 cm；表面灰绿色或棕红色，有细棱线，节膨大；质脆，易折断，断面浅黄色，中空。叶互生，有柄；叶片皱缩或破碎，完整者展平后呈披针形或卵状披针形，长 4 ~ 8 cm，宽 0.7 ~ 1.5 cm，先端渐尖，基部楔形，全缘，上表面棕褐色，下表面褐绿色，两面有棕黑色斑点及细小的腺点；托叶鞘筒状，长 0.8 ~ 1.1 cm，紫褐色，缘毛长 1 ~ 3 mm。总状花序穗状，长 3 ~ 8 cm，花簇稀疏间断；花被淡绿色，5 裂，密被腺点。以叶多、带花、味辛辣浓烈者为佳。

| **功能主治** | **水蓼：**辛、苦，平。归脾、胃、大肠经。行滞化湿，散瘀止血，祛风止痒，解毒。用于湿滞内阻，脘闷腹痛，泄泻，痢疾，疳积，崩漏，血滞经闭，痛经，跌打损伤，风湿痹痛，便血，外伤出血，皮肤瘙痒，湿疹，风疹，足癣，痈肿，毒蛇咬伤。
水蓼根：辛，温。活血调经，健脾利湿，解毒消肿。用于月经不调，疳积，痢疾，肠炎，疟疾，跌打肿痛，蛇虫咬伤。
蓼实：辛，温。归肺、脾、肝经。化湿利水，破瘀散结，解毒。用于吐泻腹痛，水肿，小便不利，癥积痞胀，痈肿疮疡，瘰疬。

| **用法用量** | **水蓼：**内服煎汤，10 ~ 15 g，鲜品 30 ~ 60 g。外用适量，捣汁；或煎汤浸洗；或捣敷。
水蓼根：内服煎汤，15 ~ 20 g；或浸酒。外用鲜品适量，捣敷；或煎汤洗。
蓼实：内服煎汤，6 ~ 15 g；或研末，或绞汁。外用适量，煎汤浸洗；或研末调敷。

| **附　注** | 本种的拉丁学名已修订为 *Persicaria hydropiper* (L.) Spach。

蓼科 Polygonaceae 蓼属 *Polygonum*

蚕茧草 *Polygonum japonicum* Meisn.

| 药 材 名 |　蚕茧草（药用部位：全草。别名：蓼子草、小蓼子草、红蓼子）。

| 形态特征 |　多年生草本。根茎横走。茎直立，淡红色，无毛，有时具稀疏的短硬伏毛，节部膨大，高 50 ~ 100 cm。叶披针形，近薄革质，坚硬，长 7 ~ 15 cm，宽 1 ~ 2 cm，先端渐尖，基部楔形，全缘，两面疏生短硬伏毛，中脉上毛较密，有缘毛；叶柄短或近无柄；托叶鞘筒状，膜质，长 1.5 ~ 2 cm，具硬伏毛，先端截形，缘毛长 1 ~ 1.2 cm。总状花序呈穗状，长 6 ~ 12 cm，顶生，通常数个再集成圆锥状；苞片漏斗状，绿色，上部淡红色，具缘毛，每苞内具 3 ~ 6 花，花梗长 2.5 ~ 4 mm；雌雄异株，花被 5 深裂，白色或淡红色，花被片长椭圆形，长 2.5 ~ 3 mm；雄蕊 8，雄蕊比花被长；花柱 2 ~ 3，

中下部合生，花柱比花被长。瘦果卵形，具 3 棱或双凸透镜状，长 2.5 ~ 3 mm，黑色，有光泽，包于宿存花被内。花期 8 ~ 10 月，果期 9 ~ 11 月。

| **生境分布** | 生于海拔 20 ~ 1 700 m 的路边湿地、水边及山谷草地。湖南各地均有分布。

| **资源情况** | 野生资源丰富。药材来源于野生。

| **采收加工** | 花期采收，鲜用或晾干。

| **药材性状** | 本品茎枝圆柱形，上部有分枝；表面棕褐色，无毛；断面中空。叶皱缩，易破碎，亚革质，长椭圆状披针形或披针形，长 6 ~ 12 cm，宽 1 ~ 1.5 cm，先端渐尖，基部楔形，两面均被短伏毛；托叶鞘筒状，褐色，膜质，先端截形，有长缘毛。穗状花序集成圆锥状或单个生于枝端；花被白色或黄白色，长 2.5 ~ 3 mm。瘦果卵圆形，两面凸出，黑色，有光泽，包被于宿存花被内。

| **功能主治** | 辛，温。解毒，止痛，透疹。用于疮疡肿痛，诸虫咬伤，腹泻，痢疾，腰膝冷痛，麻疹透发不畅。

| **用法用量** | 内服煎汤，9 ~ 15 g。外用适量，捣敷。

| **附　　注** | 本种的拉丁学名已修订为 *Persicaria japonica* (Meisn.) H. Gross ex Nakai。

蓼科 Polygonaceae 蓼属 Polygonum

愉悦蓼

Polygonum jucundum Meisn.

| 药 材 名 |

愉悦蓼（药用部位：全草）。

| 形态特征 |

一年生草本。茎直立，基部近平卧，多分枝，无毛，高 60 ~ 90 cm。叶椭圆状披针形，长 6 ~ 10 cm，宽 1.5 ~ 2.5 cm，两面疏生硬伏毛或近无毛，先端渐尖，基部楔形，全缘，具短缘毛；叶柄长 3 ~ 6 mm；托叶鞘膜质，淡褐色，筒状，长 0.5 ~ 1 cm，疏生硬伏毛，先端截形，缘毛长 5 ~ 11 mm。总状花序呈穗状，顶生或腋生，长 3 ~ 6 cm，花排列紧密；苞片漏斗状，绿色，缘毛长 1.5 ~ 2 mm，每苞内具 3 ~ 5 花；花梗长 4 ~ 6 mm，明显比苞片长；花被 5 深裂，花被片长圆形，长 2 ~ 3 mm；雄蕊 7 ~ 8；花柱 3，下部合生，柱头头状。瘦果卵形，具 3 棱，黑色，有光泽，长约 2.5 mm，包于宿存花被内。花期 8 ~ 9 月，果期 9 ~ 11 月。

| 生境分布 |

生于海拔 30 ~ 700 m 的山坡草地、山谷路旁及沟边湿地。湖南有广泛分布。

| 资源情况 | 野生资源较丰富。药材来源于野生。

| 功能主治 | 用于肠炎，痢疾；外用于湿疹，顽癣，蛇犬咬伤。

| 附　　注 | 本种的拉丁学名已修订为 *Persicaria jucunda* (Meisn.) Migo。

蓼科 Polygonaceae 蓼属 Polygonum

酸模叶蓼

Polygonum lapathifolium L.

| 药 材 名 |　鱼蓼（药用部位：全草。别名：蓼草、大马蓼、水辣蓼）。

| 形态特征 |　一年生草本，高 40 ~ 90 cm。茎直立，具分枝，无毛，节部膨大。叶披针形或宽披针形，长 5 ~ 15 cm，宽 1 ~ 3 cm，先端渐尖或急尖，基部楔形，上面绿色，常有 1 大的黑褐色新月形斑点，两面沿中脉被短硬伏毛，全缘，边缘具粗缘毛；叶柄短，具短硬伏毛；托叶鞘筒状，长 1.5 ~ 3 cm，膜质，淡褐色，无毛，具多数脉，先端截形，无缘毛，稀具短缘毛。总状花序呈穗状，顶生或腋生，近直立，花紧密，通常由数个花穗再组成圆锥状，花序梗被腺体；苞片漏斗状，边缘具稀疏短缘毛；花被淡红色或白色，4（~ 5）深裂，花被片椭圆形，脉粗壮，先端分叉，外弯；雄蕊通常 6。瘦果宽卵形，

双凹，长 2 ～ 3 mm，黑褐色，有光泽，包于宿存花被内。花期 6 ～ 8 月，果期 7 ～ 9 月。

| 生境分布 | 分布于海拔 30 ～ 2 100 m 的田边、路旁、水边、荒地或沟边湿地。湖南各地均有分布。

| 资源情况 | 野生资源丰富。药材来源于野生。

| 采收加工 | 夏、秋季采收，晒干或鲜用。

| 药材性状 | 本品茎圆柱形，褐色或浅绿色，无毛，常具紫色斑点。叶片卷曲，展平后呈披针形或长圆状披针形，长 7 ～ 15 cm，宽 1 ～ 3 cm，先端渐尖，基部楔形，主脉及叶缘具刺伏毛；托叶鞘筒状，膜质，无毛。花序圆锥状，由数个花穗组成；苞片漏斗状，内具数花；花被通常 4 裂，淡绿色或粉红色，具腺点；雄蕊 6；花柱 2，向外弯曲。瘦果卵圆形，侧扁，两面微凹，黑褐色，有光泽，长 2 ～ 3 mm，包于宿存花被内。气微，味微涩。

| 功能主治 | 辛、苦，微温。解毒，除湿，活血。用于疮疡肿痛，瘰疬，腹泻，痢疾，湿疹，疳积，风湿痹痛，跌打损伤，月经不调。

| 用法用量 | 内服煎汤，3 ～ 10 g。外用适量，捣敷；或煎汤洗。

| 附　注 | 本种的拉丁学名已修订为 *Persicaria lapathifolia* (L.) Delarbre。

蓼科 Polygonaceae 蓼属 *Polygonum*

绵毛酸模叶蓼

Polygonum lapathifolium L. var. *salicifolium* Sibth.

| 药 材 名 |

辣蓼草（药用部位：全草）。

| 形态特征 |

一年生草本，高 40 ~ 90 cm。茎直立，具
分枝，无毛，节部膨大。叶披针形或宽披针
形，长 5 ~ 15 cm，宽 1 ~ 3 cm，先端渐尖
或急尖，基部楔形，上面深绿色，被疏绒毛，
下面密生白色绵毛；叶柄短，具短硬伏毛；
托叶鞘筒状，长 1.5 ~ 3 cm，膜质，淡褐色，
无毛，具多数脉，先端截形，无缘毛，稀具
短缘毛。总状花序呈穗状，顶生或腋生，近
直立，花紧密，通常由数个花穗再组成圆锥
状，花序梗被腺体；苞片漏斗状，边缘具
稀疏短缘毛；花被淡红色或白色，4（~ 5）
深裂，花被片椭圆形，脉粗壮，先端分叉，
外弯；雄蕊通常 6。瘦果宽卵形，双凹，长 2 ~
3 mm，黑褐色，有光泽，包于宿存花被内。
花期 6 ~ 8 月，果期 7 ~ 9 月。

| 生境分布 |

分布于海拔 30 ~ 2 100 m 的田边、路旁、
水边、荒地或沟边湿地。湖南各地均有分布。

| **资源情况** | 野生资源较丰富。药材来源于野生。

| **采收加工** | 夏、秋季采收，晾干。

| **药材性状** | 本品茎直径约为 6 mm；表面有紫红色斑点。叶上面常有黑褐色新月形斑，无毛或被稀白色绵毛，下面密被白色绵毛，有腺点；托叶鞘无缘毛。圆锥花序，花密生；花被 4 裂，有腺点。气微，味辛、辣。以叶多、带花、味辛辣浓烈者为佳。

| **功能主治** | 辛，温。解毒，健脾，化湿，活血，截疟。用于疮疡肿痛，暑湿腹泻，肠炎，痢疾，疳积，跌打损伤，疟疾。

| **用法用量** | 内服煎汤，10 ~ 20 g。

| **附　注** | 本种的拉丁学名已修订为 *Persicaria lapathifolia* var. *salicifolia* (Sibth.) Miyabe。

蓼科 Polygonaceae 蓼属 Polygonum

圆基长鬃蓼

Polygonum longisetum De Br. var. *rotundatum* A. J. Li

| 药 材 名 | 圆基长鬃蓼（药用部位：全草或根）。

| 形态特征 | 一年生草本。茎直立、上升或基部近平卧，自基部分枝，高 30 ~ 60 cm，无毛，节部稍膨大。叶披针形或宽披针形，长 5 ~ 13 cm，宽 1 ~ 2 cm，先端急尖或狭尖，基部圆形或近圆形，上面近无毛，下面沿叶脉具短伏毛，边缘具缘毛；叶柄短或近无柄；托叶鞘筒状，长 7 ~ 8 mm，疏生柔毛，先端截形，具缘毛，长 6 ~ 7 mm。总状花序呈穗状，顶生或腋生，细弱，下部间断，直立，长 2 ~ 4 cm；苞片漏斗状，无毛，边缘具长缘毛，每苞内具 5 ~ 6 花；花梗长 2 ~ 2.5 mm，与苞片近等长；花被 5 深裂，淡红色或紫红色，花被片椭圆形，长 1.5 ~ 2 mm；雄蕊 6 ~ 8；花柱 3，中下部合生，柱

头头状。瘦果宽卵形，具 3 棱，黑色，有光泽，长约 2 mm，包于宿存花被内。花期 6 ~ 8 月，果期 7 ~ 9 月。

| 生境分布 | 生于海拔 40 ~ 800 m 的山谷水边、河边草地。分布于湖南永州（江永、新田）、湘西州（泸溪、古丈）等。

| 资源情况 | 野生资源稀少。药材来源于野生。

| 功能主治 | 散寒，活血。用于麻疹，大病或跌损后受寒，腹痛；外用于痈疮肿毒，跌打损伤。

| 附　　注 | 本种的拉丁学名已修订为 *Persicaria longiseta* var. *rotundata* (A. J. Li) Bo Li。

蓼科 Polygonaceae 蓼属 Polygonum

长鬃蓼 *Polygonum longisetum* De Br.

| 药 材 名 | 白辣蓼（药用部位：全草。别名：辣蓼）。

| 形态特征 | 一年生草本。茎直立、上升或基部近平卧，自基部分枝，高 30 ~ 60 cm，无毛，节部稍膨大。叶披针形或宽披针形，长 5 ~ 13 cm，宽 1 ~ 2 cm，先端急尖或狭尖，基部楔形，上面近无毛，下面沿叶脉具短伏毛，边缘具缘毛；叶柄短或近无柄；托叶鞘筒状，长 7 ~ 8 mm，疏生柔毛，先端截形，具缘毛，长 6 ~ 7 mm。总状花序呈穗状，顶生或腋生，细弱，下部间断，直立，长 2 ~ 4 cm；苞片漏斗状，无毛，边缘具长缘毛，每苞内具 5 ~ 6 花；花梗长 2 ~ 2.5 mm，与苞片近等长；花被 5 深裂，淡红色或紫红色，花被片椭圆形，长 1.5 ~ 2 mm；雄蕊 6 ~ 8，花柱 3，中下部合生，柱

头头状。瘦果宽卵形，具 3 棱，黑色，有光泽，长约 2 mm，包于宿存花被内。花期 6 ~ 8 月，果期 7 ~ 9 月。

| **生境分布** | 生于海拔 30 ~ 1 000 m 的山谷水边、河边草地。湖南各地均有分布。

| **资源情况** | 野生资源丰富。药材来源于野生。

| **采收加工** | 夏、秋季采收，晾干。

| **功能主治** | 辛，温。归肝、胃、大肠经。解毒，除湿。用于肠炎，细菌性痢疾，无名肿毒，阴疳，瘰疬，毒蛇咬伤，风湿痹痛。

| **用法用量** | 内服煎汤，9 ~ 30 g。外用适量，捣敷；或煎汤洗。

| **附　注** | 本种的拉丁学名已修订为 *Persicaria longiseta* (Bruijn) Moldenke。

蓼科 Polygonaceae 蓼属 Polygonum

小头蓼

Polygonum microcephalum D. Don

| 药材名 | 小头蓼（药用部位：全草）。

| 形态特征 | 多年生草本，具根茎。茎直立或外倾，高 40 ~ 60 cm，具纵棱，分枝。叶宽卵形或三角状卵形，长 6 ~ 10 cm，宽 2 ~ 4 cm，先端渐尖，基部近圆形，沿叶柄下延，无毛或疏生柔毛；叶柄具翅；托叶鞘筒状，松散，长 7 ~ 10 mm，被柔毛，先端截形，有缘毛。花序头状，直径 5 ~ 7 mm，顶生，通常成对，花序梗无毛；苞片卵形，先端尖；花被 5 深裂，白色，花被片椭圆形，长 2 ~ 3 mm；雄蕊 8，比花被短；花 3，中下部合生，柱头头状。瘦果宽卵形，具 3 棱，长 2 ~ 2.5 mm，黑褐色，具小点，无光泽。花期 5 ~ 9 月，果期 7 ~ 11 月。

| 生境分布 | 生于海拔 1 000 ~ 2 000 m 的山坡林下、山谷草丛。分布于湖南常德

（石门）、张家界（桑植）等。

| **资源情况** | 野生资源稀少。药材来源于野生。

| **功能主治** | 清热解毒，止泻。

何首乌 *Fallopia multiflora* (Thunb.) Harald.

| 药 材 名 | 何首乌（药用部位：块根。别名：首乌、铁秤砣、红内消）、夜交藤（药用部位：藤茎。别名：首乌藤）。

| 形态特征 | 多年生缠绕藤本。块根肥厚，长椭圆形，黑褐色。茎细长，长 2 ～ 4 m，缠绕他物生长。叶卵状心形，长 3 ～ 7 cm，宽 2 ～ 5 cm，先端渐尖，基部心形；叶柄细，长 1.5 ～ 3 cm；托叶鞘筒状，长 3 ～ 5 mm，薄膜质，易破碎，褐色。花序圆锥状，顶生及腋生，分枝开展，具细纵棱；苞片三角状卵形，具小突起，顶端尖，每苞含花 2 ～ 4；花梗纤细，长 2 ～ 3 mm，下部具关节，果时延长；花被白色或淡绿色，深裂，大小不等，果时增大，近圆形，直径 6 ～ 7 mm；雄蕊 8，花丝下部较宽；花柱 3，极短，柱头头状。瘦果卵形，具 3 棱，

长 2.5 ～ 3 mm，黑褐色，有光泽，包于宿存花被内。花期 8 ～ 9 月，果期 9 ～ 10 月。

| **生境分布** | 生于海拔 200 ～ 2 200 m 的草坡、路边、山坡石隙及灌丛中。栽培于肥沃的砂壤土中。湖南各地均有分布。

| **资源情况** | 野生资源丰富。栽培资源丰富。药材来源于野生和栽培。

| **采收加工** | **何首乌**：秋、冬季叶枯萎时采挖，削去两端，洗净，将个大者切成块，干燥。
夜交藤：夏、秋季采割带叶藤茎，或秋、冬季采割不带叶藤茎，除去残叶，捆成把，晒干或烘干。

| **药材性状** | **何首乌**：本品呈团块状或不规则纺锤形，长 6 ～ 15 cm，直径 4 ～ 12 cm。表面红棕色或红褐色，皱缩不平，有浅沟，并有横长皮孔及细根痕。体重，质坚实，不易折断，断面浅黄棕色或浅红棕色，显粉性，皮部有 4 ～ 11 个类圆形异型维管束环列，形成云锦状花纹，中央木部较大，有的呈木心状。
夜交藤：本品呈细长圆柱状，通常扭曲，有时分枝，直径 3 ～ 7 mm。表面棕红色或棕褐色，粗糙，有扭曲的纵皱纹和节，并散生红色小斑点，栓皮菲薄，呈鳞片状剥落。质硬而脆，易折断，断面皮部棕红色，木部淡黄色，木质部呈放射状，中央为疏松的白色髓部。气无，味微苦、涩。以枝条粗壮、均匀、外皮棕红色者为佳。

| **功能主治** | **何首乌**：苦、甘、涩，微温。归肝、心、肾经。解毒，消痈，截疟，润肠通便。用于疮痈，瘰疬，风疹瘙痒，久疟体虚，肠燥便秘。
夜交藤：甘、微苦，平。归心、肝经。养心安神，通络，祛风。用于失眠，多梦，血虚身痛，肌肤麻木，风湿痹痛，风疹瘙痒。

| **用法用量** | **何首乌**：内服煎汤，3 ～ 6 g。
夜交藤：内服煎汤，10 ～ 20 g。外用适量，煎汤洗；或捣敷。

蓼科 Polygonaceae 蓼属 *Polygonum*

小蓼花
Polygonum muricatum Meisn.

| **药 材 名** | 小蓼花（药用部位：全草）。

| **形态特征** | 一年生草本，高 80 ～ 100 cm。茎多分枝，具纵棱，棱上有极稀疏的倒生短皮刺，长 0.5 ～ 1 mm，基部近平卧。叶卵形或长圆状卵形，长 2.5 ～ 6 cm，宽 1.5 ～ 3 cm，先端渐尖或急尖，基部宽截形、圆形或近心形，上面无毛或疏生短柔毛，极少具短星状毛，下面疏生短星状毛及短柔毛，沿中脉具倒生短皮刺或糙伏毛，边缘密生短缘毛；叶柄长 0.7 ～ 2 cm，疏被倒生短皮刺；托叶鞘膜质，长 1 ～ 2 cm，无毛，先端截形，具长缘毛。总状花序呈穗状，穗状花序再组成圆锥状；苞片宽椭圆形或卵形，具缘毛；花梗长约 2 mm，比苞片短；花被 5 深裂，白色或淡紫红色，长 2 ～ 3 mm；雄蕊通常 6 ～ 8；花柱 3，柱头头状。瘦果卵形，具 3 棱，黄褐色，平滑，有

光泽，长 2 ~ 2.5 mm，包于宿存花被内。花期 7 ~ 8 月，果期 9 ~ 10 月。

| **生境分布** | 生于海拔 50 ~ 2 100 m 的山谷水边、田边湿地。湖南有广泛分布。

| **资源情况** | 野生资源一般。药材来源于野生。

| **功能主治** | 清热解毒，祛风除湿，活血止痛。用于痈疮肿毒，头疮，足癣，皮肤瘙痒，痢疾，风湿痹痛，腰痛，神经痛，跌打损伤，瘀血肿痛，月经不调。

| **附　　注** | 本种的拉丁学名已修订为 *Persicaria muricata* (Meisn.) Nemoto。

蓼科 Polygonaceae 蓼属 Polygonum

尼泊尔蓼

Polygonum nepalense Meisn.

| 药 材 名 | 猫儿眼睛（药用部位：全草；别名：小猫眼、野荞子、野荞菜）。

| 形态特征 | 一年生草本。茎外倾或斜上，基部多分枝，无毛或在节部疏生腺毛，高 20 ~ 40 cm。下部叶卵形或三角状卵形，长 3 ~ 5 cm，宽 2 ~ 4 cm，先端急尖，基部宽楔形，沿叶柄下延成翅，两面无毛或疏被刺毛，疏生黄色透明腺点；叶柄长 1 ~ 3 cm，或近无柄，抱茎；托叶鞘筒状，长 5 ~ 10 mm，膜质，淡褐色，先端斜截形，无缘毛，基部具刺毛。花序头状，顶生或腋生，基部常具 1 叶状总苞片，花序梗细长，上部具腺毛；苞片卵状椭圆形，通常无毛，边缘膜质；花梗比苞片短；花被通常 4 裂，淡紫红色或白色，花被片长圆形，长 2 ~ 3 mm，先端圆钝；雄蕊 5 ~ 6，与花被近等长，花药暗紫色；

花柱 2，下部合生，柱头头状。瘦果宽卵形，双凸透镜状，长 2 ～ 2.5 mm，黑色，无光泽，包于宿存花被内。花期 5 ～ 8 月，果期 7 ～ 10 月。

| **生境分布** | 生于海拔 200 ～ 2 100 m 的山坡草地、山谷路旁。湖南各地均有分布。

| **资源情况** | 野生资源丰富。药材来源于野生。

| **采收加工** | 夏、秋季采收，晾干。

| **功能主治** | 苦、酸，寒。清热解毒，除湿通络。用于咽喉肿痛，目赤，牙龈肿痛，赤白痢疾，风湿痹痛。

| **用法用量** | 内服煎汤，9 ～ 15 g。

| **附　　注** | 本种的拉丁学名已修订为 *Persicaria nepalensis* (Meisn.) H. Gross。

蓼科 Polygonaceae 蓼属 Polygonum

红蓼

Polygonum orientale L.

药材名

荭草（药用部位：茎、叶。别名：九节龙、大接骨、追风草）、水红花子（药用部位：果实）、荭草根（药用部位：根茎）、荭草花（药用部位：花序）。

形态特征

一年生草本。茎直立，粗壮，高 1 ~ 2 m，上部多分枝，密被长柔毛。叶宽卵形或卵状披针形，长 10 ~ 20 cm，宽 5 ~ 12 cm，先端渐尖，基部圆形或近心形，微下延，全缘，密生缘毛，两面密生短柔毛，叶脉上密生长柔毛；叶柄长 2 ~ 10 cm，具长柔毛；托叶鞘筒状，膜质，长 1 ~ 2 cm，被长柔毛，具长缘毛，通常沿先端具绿色的翅。总状花序呈穗状，顶生或腋生，长 3 ~ 7 cm，花紧密，微下垂，数个再组成圆锥状；苞片宽漏斗状，长 3 ~ 5 mm，绿色，被短柔毛，具长缘毛，每苞内具 3 ~ 5 花；花梗比苞片长；花被 5 深裂，长 3 ~ 4 mm，淡红色或白色；雄蕊 7，比花被长；花盘明显；花柱 2，中下部合生，比花被长，柱头头状。瘦果近圆形，双凹，直径 3 ~ 3.5 mm，黑褐色，有光泽，包于宿存花被内。花期 6 ~ 9 月，果期 8 ~ 10 月。

| 生境分布 | 生于海拔 30 ~ 2 100 m 的沟边湿地、村边路旁。湖南各地均有分布。

| 资源情况 | 野生资源丰富。药材来源于野生。

| 采收加工 | **荭草**：晚秋降霜后采收，洗净，将茎切成小段，晒干，将叶置通风处阴干。
水红花子：秋季果实成熟时割取果穗，晒干，打下果实，除去杂质。
荭草根：夏、秋季挖取，洗净，晒干或鲜用。
荭草花：夏季开花时采收，鲜用或晒干。

| 药材性状 | **荭草**：本品茎呈圆柱形，密被黄色长柔毛；表面绿色或棕色；断面有髓或中空。
叶互生，卵形或宽卵形，长 3 ~ 15 cm，宽 2 ~ 8 cm，多皱缩、破碎，褐绿色，
先端渐尖，基部近圆形，全缘，两面密生短毛，具松弛抱茎的圆筒状托叶鞘。
气微，味辛。

水红花子：本品呈扁圆形，直径 2 ~ 3.5 mm，厚 1 ~ 1.5 mm。表面棕黑色或红棕色，有光泽，两面微凹，中部略有纵向隆起。先端有凸起的柱基，基部有略凸起的浅棕色果柄痕，有的有膜质花被残留。质硬。气微，味淡。

| 功能主治 | **荭草：**辛，平；有小毒。归肝、脾经。祛风除湿，清热解毒，活血，截疟。用于风湿痹痛，痢疾，腹泻，吐泻转筋，水肿，脚气，痈疮疔疖，蛇虫咬伤，疳积，疝气，跌打损伤，疟疾。

水红花子：咸，微寒。归肝、胃经。散血消癥，消积止痛，利水消肿。用于癥瘕痞块，瘿瘤，食积不消，胃脘胀痛，水肿，腹水。

荭草根：辛，凉；有毒。清热解毒，除湿通络，生肌敛疮。用于痢疾，肠炎，水肿，脚气，风湿痹痛，跌打损伤，荨麻疹，疮痈肿痛或久溃不敛。

荭草花：辛，温。行气活血，消积，止痛。用于头痛，心胃气痛，腹中痞积，痢疾，疳积。

| 用法用量 | **荭草：**内服煎汤，9 ~ 15 g；或浸酒；或研末。外用适量，研末敷；或捣敷；或煎汤洗。

水红花子：内服煎汤，15 ~ 30 g。外用适量，熬膏敷。

荭草根：内服煎汤，9 ~ 15 g。外用适量，煎汤洗。

荭草花：内服煎汤，3 ~ 6 g；或研末；或熬膏。外用适量，熬膏贴。

| 附　　注 | 本种的拉丁学名已修订为 *Persicaria orientalis* (L.) Spach。

掌叶蓼
Polygonum palmatum Dunn

| 药 材 名 | 掌叶蓼（药用部位：全草）。

| 形态特征 | 多年生草本。茎直立，粗壮，高可达 1 m，具纵棱，被糙伏毛及短星状毛，上部多分枝。叶掌状深裂，呈圆形或宽卵形，长 7 ~ 15 cm，宽 8 ~ 16 cm，两面被短星状毛，疏生缘毛，基部有时沿叶柄下延成狭翅，裂片 5 ~ 7，卵形，先端渐尖，基部缢缩；叶柄长 5 ~ 12 cm，被糙伏毛及短星状毛；托叶鞘短，膜质，筒状，偏斜，疏松，长 1.5 ~ 2.5 cm，被糙伏毛及星状毛，疏生缘毛。花序头状，直径约 1 cm，数个再集成圆锥状，花序梗密生短星状毛及糙伏毛；苞片披针形，被星状毛及稀疏糙伏毛，每苞内具 2 ~ 3 花；花梗无毛，比苞片短；花被 5 深裂，淡红色，花被片椭圆形，长 2.5 ~ 3 mm；

雄蕊 8 ~ 10；花柱 3，中下部合生。瘦果卵形，具 3 棱，长 3 ~ 3.5 mm，褐色，具小点，无光泽，包于宿存花被内。花期 7 ~ 8 月，果期 9 ~ 10 月。

| 生境分布 | 生于海拔 350 ~ 1 500 m 的山谷水边、山坡林下湿地。分布于湖南怀化（靖州）、湘潭（湘潭）、衡阳（蒸湘、耒阳）、益阳（桃江）、株洲（渌口）、郴州（安仁）等。

| 资源情况 | 野生资源一般。药材来源于野生。

| 采收加工 | 夏季采收，切段，晒干或鲜用。

| 药材性状 | 本品茎枝圆柱形，多分枝，棕红色至紫红色，表面有纵棱线纹，被短柔毛，断面中空。叶多皱曲，展平后叶片呈掌状，5 ~ 7 深裂，裂片近菱形，基部 2 裂片较小，近披针形，先端长渐尖，基部深凹，表面有伏毛及短柔毛；托叶鞘斜截形，有明显脉纹，膜质，有伏毛。头状花序排列成聚伞状；花被淡红色，有明显脉纹。瘦果卵形，有 3 棱，淡褐色，有点状花纹。气微，味微涩。

| 功能主治 | 苦、酸，凉。止血，清热。用于吐血，衄血，崩漏，血痢，外伤出血。

| 用法用量 | 内服煎汤，10 ~ 15 g。外用适量，鲜叶捣敷；或干叶研末撒。

| 附　　注 | 本种的拉丁学名在 FOC 中被修订为 *Persicaria palmata* (Dunn) Yonek. et H. Ohashi。

蓼科 Polygonaceae 蓼属 Polygonum

杠板归 *Polygonum perfoliatum* L.

| 药 材 名 | 杠板归（药用部位：地上部分。别名：老虎刺、猫公刺、白大老鸦酸）、杠板归根（药用部位：根）。

| 形态特征 | 一年生草本。茎攀缘，多分枝，长 1 ~ 2 m，具纵棱，沿棱具稀疏的倒生皮刺。叶三角形，长 3 ~ 7 cm，宽 2 ~ 5 cm，先端钝或微尖，基部截形或微心形，薄纸质，上面无毛，下面沿叶脉疏生皮刺；叶柄与叶片近等长，具倒生皮刺，盾状着生于叶片近基部；托叶鞘叶状，草质，绿色，圆形或近圆形，穿叶，直径 1.5 ~ 3 cm。总状花序呈短穗状，不分枝，顶生或腋生，长 1 ~ 3 cm；苞片卵圆形，每苞片内具花 2 ~ 4；花被 5 深裂，白色或淡红色，花被片椭圆形，长约 3 mm，果时增大，肉质，深蓝色；雄蕊 8，略短于花被；花柱 3，

中上部合生，柱头头状。瘦果球形，直径 3 ~ 4 mm，黑色，有光泽，包于宿存花被内。花期 6 ~ 8 月，果期 7 ~ 10 月。

| 生境分布 | 生于海拔 80 ~ 2 100 m 的田边、路旁、山谷湿地。湖南各地均有分布。

| 资源情况 | 野生资源丰富。药材来源于野生。

| 采收加工 | 杠板归：夏季开花时采割，晒干。

杠板归根：夏季采挖，除净泥土，鲜用或晒干。

| 药材性状 | 杠板归：本品茎略呈方柱形，有棱角，多分枝，直径可达 0.2 cm；表面紫红色或紫棕色，棱角上有倒生钩刺，节略膨大，节间长 2 ~ 6 cm；断面纤维性，黄白色，有髓或中空。叶互生，有长柄，盾状着生；叶片多皱缩，展平后呈近等边三角形，灰绿色至红棕色，下面叶脉和叶柄均有倒生钩刺；托叶鞘包于茎节上或脱落。短穗状花序顶生或生于上部叶腋；苞片圆形；花小，多萎缩或脱落。气微，茎味淡，叶味酸。

| 功能主治 | 杠板归：酸，微寒。归肺、膀胱经。清热解毒，利水消肿，止咳。用于咽喉肿痛，肺热咳嗽，小儿顿咳，水肿尿少，湿热泻痢，湿疹，疖肿，蛇虫咬伤。

杠板归根：酸、苦，平。解毒消肿。用于对口疮，痔疮，肛瘘。

| 用法用量 | 杠板归：内服煎汤，15 ~ 30 g。外用适量，煎汤熏洗。

杠板归根：内服煎汤，9 ~ 15 g，鲜品 15 ~ 30 g。外用适量，捣敷。

蓼科 Polygonaceae 蓼属 Polygonum

春蓼
Polygonum persicaria L.

| 药 材 名 | 马蓼（药用部位：全草。别名：大蓼、墨记草、春蓼）。

| 形态特征 | 一年生草本。茎直立或上升，疏生柔毛或近无毛，高 40 ~ 80 cm。叶披针形或椭圆形，长 4 ~ 15 cm，宽 1 ~ 2.5 cm，先端渐尖或急尖，基部狭楔形，两面疏生短硬伏毛，下面中脉上毛较密，上面近中部有时具黑褐色斑点，边缘具粗缘毛；叶柄长 5 ~ 8 mm，被硬伏毛；托叶鞘筒状，膜质，长 1 ~ 2 cm，疏生柔毛，先端截形，缘毛长 1 ~ 3 mm。总状花序呈穗状，顶生或腋生，较紧密，长 2 ~ 6 cm，数个再集成圆锥状，花序梗具腺毛或无毛；苞片漏斗状，紫红色，具缘毛，每苞内含 5 ~ 7 花；花梗长 2.5 ~ 3 mm；花被通常 5 深裂，紫红色，花被片长圆形，长 2.5 ~ 3 mm，脉明显；雄蕊 6 ~ 7；花

柱 2，偶 3，中下部合生。瘦果近圆形或卵形，双凸透镜状，稀具 3 棱，长 2 ～ 2.5 mm，黑褐色，平滑，有光泽，包于宿存花被内。花期 6 ～ 9 月，果期 7 ～ 10 月。

| 生境分布 | 生于海拔 80 ～ 1 800 m 的沟边湿地。分布于湖南长沙（岳麓）、邵阳（邵阳）、益阳（赫山）。

| 资源情况 | 野生资源稀少。药材来源于野生。

| 采收加工 | 6 ～ 9 月花期采收，晒干。

| 功能主治 | 辛、苦，温。归肺、脾、大肠经。发汗除湿，消食，杀虫。用于风寒感冒，风寒湿痹，伤食泄泻，肠道寄生虫病。

| 用法用量 | 内服煎汤，6 ～ 12 g。

| 附　　注 | 本种的拉丁学名在 FOC 中被修订为 *Persicaria maculosa* Gray。

蓼科 Polygonaceae 蓼属 Polygonum

习见蓼 *Polygonum plebeium* R. Br.

| 药 材 名 | 小萹蓄（药用部位：全草。别名：黑鱼草）。

| 形态特征 | 一年生草本。茎平卧，自基部分枝，长 10 ~ 40 cm，具纵棱，沿棱具小突起，通常小枝的节间比叶片短。叶狭椭圆形或倒披针形，长 0.5 ~ 1.5 cm，宽 2 ~ 4 mm，先端钝或急尖，基部狭楔形，两面无毛，侧脉不明显；叶柄极短或近无柄；托叶鞘膜质，白色，透明，长 2.5 ~ 3 mm，先端撕裂。花 3 ~ 6，簇生于叶腋，遍布于全株；苞片膜质；花梗中部具关节，比苞片短；花被 5 深裂，花被片长椭圆形，绿色，背部稍隆起，边缘白色或淡红色，长 1 ~ 1.5 mm；雄蕊 5，花丝基部稍扩展，比花被短；花柱 3，稀 2，极短，柱头头状。瘦果宽卵形，具 3 锐棱或呈双凸透镜状，长 1.5 ~ 2 mm，黑褐色，平滑，有光泽，包于宿存花被内。花期 5 ~ 8 月，果期 6 ~ 9 月。

| 生境分布 | 生于海拔 30 ～ 2 100 m 的田边、路旁、水边湿地。湖南各地均有分布。

| 资源情况 | 野生资源丰富。药材来源于野生。

| 采收加工 | 开花时采收，晒干或鲜用。

| 功能主治 | 苦，凉。归膀胱、大肠、肝经。利尿通淋，清热解毒，化湿杀虫。用于热淋，石淋，黄疸，痢疾，恶疮疥癣，外阴湿痒，蛔虫病。

| 用法用量 | 内服煎汤，10 ～ 15 g，鲜品 30 ～ 60 g；或捣汁饮。外用适量，捣敷；或煎汤洗。

| 附　　注 | 本种的中文名称在 FOC 中被修订为习见萹蓄。

蓼科 Polygonaceae 蓼属 Polygonum

丛枝蓼
Polygonum posumbu Buch.-Ham. ex D. Don

| 药 材 名 | 丛枝蓼（药用部位：全草。别名：辣蓼）。

| 形态特征 | 一年生草本。茎细弱，无毛，具纵棱，高 30 ～ 70 cm，下部多分枝，外倾。叶卵状披针形或卵形，长 3 ～ 6（～ 8）cm，宽 1 ～ 2（～ 3）cm，先端尾状渐尖，基部宽楔形，纸质，两面疏生硬伏毛或近无毛，下面中脉稍凸出，边缘具缘毛；叶柄长 5 ～ 7 mm，具硬伏毛；托叶鞘筒状，薄膜质，长 4 ～ 6 mm，具硬伏毛，先端截形，缘毛粗壮，长 7 ～ 8 mm。总状花序呈穗状，顶生或腋生，细弱，下部间断，花稀疏，长 5 ～ 10 cm；苞片漏斗状，无毛，淡绿色，边缘具缘毛，每苞片内含 3 ～ 4 花；花梗短；花被 5 深裂，淡红色，花被片椭圆形，长 2 ～ 2.5 mm；雄蕊 8，比花被短；花柱 3，下部

合生，柱头头状。瘦果卵形，具 3 棱，长 2 ～ 2.5 mm，黑褐色，有光泽，包于宿存花被内。花期 6 ～ 9 月，果期 7 ～ 10 月。

| 生境分布 | 生于海拔 150 ～ 2 100 m 的山坡林下、山谷水边。湖南各地均有分布。

| 资源情况 | 野生资源丰富。药材来源于野生。

| 采收加工 | 花期采收，鲜用或晒干。

| 药材性状 | 本品茎枝圆柱形，基部多分枝，棕褐色至红褐色，节部稍膨大，无毛，断面中空。叶片皱缩，卷曲，易破碎，展平后呈卵形或卵状披针形，长 3 ～ 6 cm，宽 1.5 ～ 2 cm，先端急狭而成尾状，基部狭楔形，两面及叶缘有伏毛，或仅沿脉疏生伏毛，淡绿色至褐棕色，草质；托叶鞘短筒状，疏生伏毛，先端截形，有长睫毛。花序穗状，单生或 2 ～ 3 花序集生，花穗细弱，花簇稀疏；花被粉红色。瘦果三棱形，黑色，有光泽，包于宿存花被内。气微，味微涩。

| 功能主治 | 辛，平。清热燥湿，健脾消疳，活血调经，解毒消肿。用于泄泻，痢疾，疳积，月经不调，湿疹，足癣，毒蛇咬伤。

| 用法用量 | 内服煎汤，15 ～ 30 g。外用适量，捣敷；或煎汤洗。

| 附　　注 | 本种的拉丁学名在 FOC 中被修订为 *Persicaria posumbu* (Buch.-Ham. ex D. Don) H. Gross。

伏毛蓼
Polygonum pubescens Blume

| 药 材 名 | 伏毛蓼（药用部位：全草）、伏毛蓼根（药用部位：根）。

| 形态特征 | 一年生草本。茎直立，高 60 ~ 90 cm，疏生短硬伏毛，多分枝，节部膨大。叶卵状披针形或宽披针形，长 5 ~ 10 cm，宽 1 ~ 2.5 cm，先端渐尖或急尖，基部宽楔形，中部具黑褐色斑点，两面密被短硬伏毛，边缘具缘毛，无辛辣味；叶柄稍粗壮，长 4 ~ 7 mm，密生硬伏毛；托叶鞘筒状，膜质，长 1 ~ 1.5 cm，具硬伏毛，先端截形，具粗壮的长缘毛。总状花序呈穗状，顶生或腋生，花稀疏，长 7 ~ 15 cm，上部下垂，下部间断；苞片漏斗状，边缘近膜质，具缘毛，每苞内具 3 ~ 4 花；花梗细弱，比苞片长；花被 5 深裂，绿色，上部红色，密生淡紫色透明腺点，花被片椭圆形，长 3 ~ 4 mm；雄

蕊 8，比花被短；花柱 3，中下部合生。瘦果卵形，具 3 棱，黑色，密生小凹点，长 2.5 ~ 3 mm，包于宿存花被内。花期 8 ~ 9 月，果期 8 ~ 10 月。

| **生境分布** | 生于海拔 50 ~ 1 000 m 的沟边、水旁、田边湿地。分布于湖南株洲（荷塘）、常德（石门）、衡阳（衡东）等。

| **资源情况** | 野生资源较少。药材来源于野生。

| **功能主治** | **伏毛蓼：**清热解毒，祛风利湿，消滞，散瘀，止痛，止血，杀虫。用于食滞，痢疾，泄泻，肠炎，胃痛，疟疾，崩漏，乳蛾，风湿关节痛，跌打肿痛；外用于皮肤瘙痒。

伏毛蓼根：用于痢疾。

| **附　注** | 本种的拉丁学名在 FOC 中被修订为 *Persicaria pubescens* (Blume) H. Hara。

蓼科 Polygonaceae 蓼属 Polygonum

羽叶蓼

Polygonum runcinatum Buch.-Ham. ex D. Don

| 药 材 名 | 赤胫散（药用部位：全草。别名：荞黄连、广川草、田枯七）。

| 形态特征 | 多年生草本，具根茎。茎近直立或上升，高 30 ~ 60 cm，具纵棱，有毛或近无毛，节部通常具倒生伏毛。叶羽裂，长 4 ~ 8 cm，宽 2 ~ 4 cm，顶生裂片较大，三角状卵形，先端渐尖，侧生裂片 1 ~ 3 对，两面疏生糙伏毛，具短缘毛；下部叶叶柄具狭翅，基部有耳，上部叶叶柄较短或近无柄；托叶鞘膜质，筒状，松散，长约 1 cm，有柔毛，先端截形，具缘毛。花序头状，紧密，直径 1 ~ 1.5 cm，顶生，通常成对，花序梗具腺毛；苞片长卵形，边缘膜质；花梗细弱，比苞片短；花被 5 深裂，淡红色或白色，花被片长卵形，长 3 ~ 3.5 mm；雄蕊通常 8，比花被短，花药紫色；花柱 3，中下部合生。

瘦果卵形，具 3 棱，长 2 ~ 3 mm，黑褐色，无光泽，包于宿存花被内。花期 4 ~ 8 月，果期 6 ~ 10 月。

| **生境分布** | 生于海拔 1 200 ~ 2 100 m 的山坡草地、山谷路旁。分布于湖南湘西州（花垣、古丈、保靖）、怀化（麻阳、洪江）、邵阳（邵阳）、娄底（新化）等。

| **资源情况** | 野生资源较少。药材来源于野生。

| **采收加工** | 夏、秋季采收，扎把，晒干或鲜用。

| **药材性状** | 本品根茎纤细，红褐色，节部肿大，有众多须根。茎圆柱形，细弱，稍扁，上部略有分枝，淡绿色或略带红褐色，有毛或近无毛；断面中空。叶卵形、长卵形或三角状卵形，长 4 ~ 8 cm，宽 2 ~ 4 cm，先端渐尖，基部近截形或微心形，并下延至叶柄，且常于两侧形成 1 ~ 3 对向内凹的圆形裂片，上面有暗紫色三角形斑纹；托叶鞘筒状，膜质，褐色。花序顶生，由数个头状花序组成；花被白色或粉红色。气微，味微涩。

| **功能主治** | 苦、微酸、涩，平。清热解毒，活血舒筋。用于痢疾，泄泻，赤白带下，经闭，痛经，乳痈，疮疖，无名肿毒，毒蛇咬伤，跌打损伤，劳伤腰痛。

| **用法用量** | 内服煎汤，9 ~ 15 g，鲜品 15 ~ 30 g；或浸酒。外用适量，鲜品捣敷；或研末调敷；或醋磨搽；或煎汤熏洗。

| **附　注** | 本种的拉丁学名在 FOC 中被修订为 *Persicaria runcinata* (Buch.-Ham. ex D. Don) H. Gross。

蓼科 Polygonaceae 蓼属 *Polygonum*

赤胫散
Polygonum runcinatum Buch.-Ham. ex D. Don var. *sinense* Hemsl.

| 药 材 名 | 赤胫散（药用部位：全草。别名：荞黄连、广川草、甜荞莲）。

| 形态特征 | 本变种与羽叶蓼的主要区别是：本变种头状花序较小，直径 5 ~
7 mm，数个再集成圆锥状；叶基部通常具 1 对裂片，两面无毛或疏
生短糙伏毛。

| 生境分布 | 生于海拔 800 ~ 2 100 m 的山坡草地、山谷灌丛。湖南各地均有
分布。

| 资源情况 | 野生资源丰富。药材来源于野生。

| 采收加工 | 夏、秋季采收，扎把，晒干或鲜用。

| 药材性状 | 本品根茎纤细，红褐色，节部肿大，有众多须根。茎圆柱形，细弱，稍扁，上部略有分枝，淡绿色或略带红褐色，有毛或近无毛；断面中空。叶卵形、长卵形或三角状卵形，长 5 ~ 8 cm，宽 3 ~ 5 cm，先端渐尖，基部近截形或微心形，并下延至叶柄，且常于两侧形成 1 对向内凹的圆形裂片，上面有暗紫色三角形斑纹；托叶鞘筒状，膜质，褐色。花序顶生，由数个头状花序组成；花被白色或粉红色。气微，味微涩。

| 功能主治 | 苦、微酸、涩，平。清热解毒，活血舒筋。用于痢疾，泄泻，赤白带下，经闭，痛经，乳痈，疮疖，无名肿毒，毒蛇咬伤，跌打损伤，劳伤腰痛。

| 用法用量 | 内服煎汤，9 ~ 15 g，鲜品 15 ~ 30 g；或浸酒。外用适量，鲜品捣敷；或研末调敷；或醋磨搽；或煎汤熏洗。

| 附　注 | 本种的拉丁学名在 FOC 中被修订为 *Persicaria runcinata* var. *sinensis* (Hemsl.) Bo Li。

蓼科 Polygonaceae 蓼属 Polygonum

刺蓼
Polygonum senticosum (Meisn.) Franch. et Sav.

| 药 材 名 | 廊茵（药用部位：全草。别名：红大老鸦酸草、石宗草、蛇不钻）。

| 形态特征 | 茎攀缘，长 1 ~ 1.5 m，多分枝，被短柔毛，四棱形，沿棱具倒生皮刺。叶片三角形或长三角形，长 4 ~ 8 cm，宽 2 ~ 7 cm，先端急尖或渐尖，基部戟形，两面被短柔毛，下面沿叶脉具稀疏的倒生皮刺，边缘具缘毛；叶柄粗壮，长 2 ~ 7 cm，具倒生皮刺；托叶鞘筒状，边缘具叶状翅，翅肾圆形，草质，绿色，具短缘毛。花序头状，顶生或腋生，花序梗分枝，密被短腺毛；苞片长卵形，淡绿色，边缘膜质，具短缘毛，每苞内具花 2 ~ 3；花梗粗壮，比苞片短；花被 5 深裂，淡红色，花被片椭圆形，长 3 ~ 4 mm；雄蕊 8，2 轮，比花被短；花柱 3，中下部合生，柱头头状。瘦果近球形，微具 3 棱，

黑褐色，无光泽，长 2.5 ~ 3 mm，包于宿存花被内。花期 6 ~ 7 月，果期 7 ~ 9 月。

| **生境分布** | 生于海拔 120 ~ 1 500 m 的山坡、山谷及林下。湖南各地均有分布。

| **资源情况** | 野生资源丰富。药材来源于野生。

| **采收加工** | 夏、秋季采收，洗净，鲜用或晒干。

| **功能主治** | 苦、酸、微辛，平。清热解毒，利湿止痒，散瘀消肿。用于痈疮疔疖，毒蛇咬伤，湿疹，黄水疮，带状疱疹，跌打损伤，痔疮。

| **用法用量** | 内服煎汤，15 ~ 30 g；或研末，1.5 ~ 3 g。外用适量，鲜品捣敷；或榨汁涂；或煎汤洗。

| **附　　注** | 本种的拉丁学名在 FOC 中被修订为 *Persicaria senticosa* (Meisn.) H. Gross ex Nakai。

蓼科 Polygonaceae 蓼属 Polygonum

箭叶蓼

Polygonum sieboldii Meisn.

| 药 材 名 | 雀翘（药用部位：全草）。

| 形态特征 | 一年生草本。茎基部外倾，上部近直立，有分枝，无毛，四棱形，沿棱具倒生皮刺。叶宽披针形或长圆形，长 2.5 ~ 8 cm，宽 1 ~ 2.5 cm，先端急尖，基部箭形，上面绿色，下面淡绿色，两面无毛，下面沿中脉具倒生短皮刺，全缘，无缘毛；叶柄长 1 ~ 2 cm，具倒生皮刺；托叶鞘膜质，偏斜，无缘毛，长 0.5 ~ 1.3 cm。花序头状，通常成对，顶生或腋生，花序梗细长，疏生短皮刺；苞片椭圆形，先端急尖，背部绿色，边缘膜质，每苞内具 2 ~ 3 花；花梗短，长 1 ~ 1.5 mm，比苞片短；花被 5 深裂，白色或淡紫红色，花被片长圆形，长约 3 mm；雄蕊 8，比花被短；花柱 3，中下部合生。瘦

果宽卵形，具 3 棱，黑色，无光泽，长约 2.5 mm，包于宿存花被内。花期 6 ~ 9 月，果期 8 ~ 10 月。

| 生境分布 | 生于海拔 90 ~ 2 100 m 的山谷、沟旁、水边。湖南各地均有分布。

| 资源情况 | 野生资源丰富。药材来源于野生。

| 采收加工 | 夏、秋季采收，扎成束，鲜用或阴干。

| 功能主治 | 辛、苦，平。祛风除湿，清热解毒。用于风湿关节痛，疮痈疖肿，泄泻，痢疾，毒蛇咬伤。

| 用法用量 | 内服煎汤，6 ~ 15 g，鲜品 15 ~ 30 g；或捣汁饮。外用适量，煎汤熏洗；或鲜品捣敷。

| 附　注 | 本种名称在 FOC 中被修订为箭头蓼 *Persicaria sagittata* var. *sieboldii* (Meisner) Nakai。

蓼科 Polygonaceae 蓼属 Polygonum

支柱蓼

Polygonum suffultum Maxim.

| 药 材 名 | 红三七（药用部位：根茎。别名：钻山狗、荞莲、蜈蚣草）。

| 形态特征 | 多年生草本。根茎粗壮，呈念珠状，黑褐色。茎直立或斜上，细弱，
通常数条自根茎发出，高 10 ~ 40 cm。基生叶卵形或长卵形，长
5 ~ 12 cm，宽 3 ~ 6 cm，先端渐尖或急尖，基部心形，全缘，疏
生短缘毛，两面无毛或疏生短柔毛，叶柄长 4 ~ 15 cm；茎生叶
卵形，具短柄，最上部的叶无柄，抱茎；托叶鞘褐色，筒状，长 2 ~
4 cm，先端偏斜，开裂，无缘毛。总状花序呈穗状，顶生或腋生，
长 1 ~ 2 cm；苞片膜质，长卵形，先端渐尖，长约 3 mm，每苞内
具 2 ~ 4 花；花梗细弱，长 2 ~ 2.5 mm，比苞片短；花被 5 深裂，
白色或淡红色，花被片倒卵形或椭圆形，长 3 ~ 3.5 mm；雄蕊 8，
比花被长；花柱 3，基部合生，柱头头状。瘦果宽椭圆形，具 3 锐棱，

长 3.5 ~ 4 mm，黄褐色，有光泽，稍长于宿存花被。花期 6 ~ 7 月，果期 7 ~ 10 月。

| **生境分布** | 生于海拔 1 300 ~ 2 100 m 的山坡路旁、林下湿地及沟边。分布于湖南湘西州（保靖）、张家界（永定）、怀化（会同）、常德（石门）等。

| **资源情况** | 野生资源较少。药材来源于野生。

| **采收加工** | 秋季采挖，除去须根及杂质，洗净，晾干。

| **药材性状** | 本品呈结节状，平直或稍弯曲，长 2 ~ 9 cm，直径 0.5 ~ 2 cm。表面紫褐色或棕褐色，有 6 ~ 10 节，每节呈扁球形，外被残存叶基，并有残留细根及点状根痕，有时两节之间明显变细、延长，习称"过江枝"。质硬，易折断，折断面近圆形，浅粉红色或灰黄色，近边缘处有 12 ~ 30 个黄白色维管束，维管束排成断续的环状。气微，味涩。

| **功能主治** | 苦、涩，凉。归肝、脾经。止血止痛，活血调经，除湿清热。用于跌打伤痛，外伤出血，吐血，便血，崩漏，月经不调，赤白带下，湿热下痢，痈疮。

| **用法用量** | 内服煎汤，9 ~ 15 g；或研末，6 ~ 9 g；或浸酒。外用适量，研末调敷。

| **附　注** | 本种的拉丁学名在 FOC 中被修订为 *Bistorta suffulta* (Maxim.) H. Gross。

蓼科 Polygonaceae 蓼属 Polygonum

戟叶蓼
Polygonum thunbergii Sieb. et Zucc.

| 药 材 名 | 水麻芀（药用部位：全草。别名：藏氏蓼、凹叶蓼、火烫草）。

| 形态特征 | 一年生草本。茎直立或上升，具纵棱，沿棱具倒生皮刺，基部外倾，节部生根，高 30 ～ 90 cm。叶戟形，长 4 ～ 8 cm，宽 2 ～ 4 cm，先端渐尖，基部截形或近心形，两面疏生刺毛，极少具稀疏的星状毛，边缘具短缘毛，中部裂片卵形或宽卵形，侧生裂片较小，卵形；叶柄长 2 ～ 5 cm，具倒生皮刺，通常具狭翅；托叶鞘膜质，边缘具叶状翅，翅近全缘，具粗缘毛。花序头状，顶生或腋生，分枝，花序梗具腺毛及短柔毛；苞片披针形，先端渐尖，具缘毛，每苞内具 2 ～ 3 花；花梗无毛，比苞片短；花被 5 深裂，淡红色或白色，花被片椭圆形，长 3 ～ 4 mm；雄蕊 8，2 轮，比花被短；花柱 3，中下部合生，

柱头头状。瘦果宽卵形，具 3 棱，黄褐色，无光泽，长 3 ～ 3.5 mm，包于宿存花被内。花期 7 ～ 9 月，果期 8 ～ 10 月。

| **生境分布** | 生于海拔 90 ～ 1 850 m 的山谷湿地、山坡草丛。湖南各地均有分布。

| **资源情况** | 野生资源丰富。药材来源于野生。

| **采收加工** | 夏季采收，鲜用或晒干。

| **功能主治** | 苦、辛，寒。祛风清热，活血止痛。用于风热头痛，咳嗽，麻疹，痢疾，跌打伤痛，干血痨。

| **用法用量** | 内服煎汤，9 ～ 15 g。外用适量，研末调敷。

| **附　　注** | 本种的拉丁学名在 FOC 中被修订为 *Persicaria thunbergii* (Siebold et Zucc.) H. Gross。

蓼科 Polygonaceae 蓼属 Polygonum

粘蓼

Polygonum viscoferum Mak.

药材名

粘蓼（药用部位：全草）。

形态特征

一年生草本。茎直立，高 30 ～ 70 cm，通常自基部分枝，节间上部具柔毛。叶披针形或宽披针形，长 4 ～ 10 cm，宽 1 ～ 2 cm，先端渐尖，基部圆形或楔形，边缘具长缘毛，两面疏生糙硬毛，中脉上的毛较密；叶柄极短或近无柄；托叶鞘筒状，膜质，长 6 ～ 12 mm，具长糙硬毛，先端截形，具长缘毛。总状花序呈穗状，细弱，顶生或腋生，长 4 ～ 7 cm，通常数个再组成圆锥状，花稀疏或密生，下部间断，花序梗无毛，疏生可分泌黏液的腺体；苞片漏斗状，绿色，无毛，边缘膜质，具缘毛，每苞内含花 3 ～ 5，花梗比苞片长；花被 4 ～ 5 深裂，淡绿色，花被片椭圆形，长 1 ～ 1.5 mm；雄蕊 7 ～ 8，比花被短；花柱 3，中下部合生。瘦果椭圆形，具 3 棱，黑褐色，平滑，有光泽，长约 1.5 mm，包于宿存花被内。花期 7 ～ 9 月，果期 8 ～ 10 月。

生境分布

生于海拔 500 ～ 1 800 m 的路旁湿地、山谷水边、山坡阴处。分布于湖南邵阳（邵阳）、湘西州（古丈）等。

| **资源情况** | 野生资源较少。药材来源于野生。

| **功能主治** | 杀虫，止痛。

| **附　　注** | 本种的拉丁学名在 FOC 中被修订为 *Persicaria viscofera* (Makino) H. Gross ex Nakai。

蓼科 Polygonaceae 蓼属 Polygonum

香蓼

Polygonum viscosum Buch.-Ham. ex D. Don

| **药 材 名** | 香蓼（药用部位：茎、叶）。

| **形态特征** | 一年生草本，植株具香味。茎直立或上升，多分枝，密被长糙硬毛
及腺毛，高 50 ~ 90 cm。叶卵状披针形或椭圆状披针形，长 5 ~
15 cm，宽 2 ~ 4 cm，先端渐尖或急尖，基部楔形，沿叶柄下延，
两面被糙硬毛，叶脉上毛较密，全缘，密生短缘毛；托叶鞘膜质，
筒状，长 1 ~ 1.2 cm，密生短腺毛及长糙硬毛，先端截形，具长缘
毛。总状花序呈穗状，顶生或腋生，长 2 ~ 4 cm，通常数个再组成
圆锥状，花序梗密被开展的长糙硬毛及腺毛；苞片漏斗状，具长糙
硬毛及腺毛，边缘疏生长缘毛，每苞内具 3 ~ 5 花；花梗比苞片长；
花被 5 深裂，淡红色，花被片椭圆形，长约 3 mm；雄蕊 8，比花被

短；花柱 3，中下部合生。瘦果宽卵形，具 3 棱，黑褐色，有光泽，长约 2.5 mm，包于宿存花被内。花期 7 ~ 9 月，果期 8 ~ 10 月。

| **生境分布** | 生于海拔 30 ~ 1 900 m 的路旁湿地、沟边草丛。分布于湖南衡阳（珠晖、雁峰、石鼓、蒸湘）、邵阳（双清）、岳阳（君山、岳阳、华容）、常德（安乡、临澧）、娄底（新化）等。

| **资源情况** | 野生资源一般。药材来源于野生。

| **采收加工** | 花期采收，扎成束，晾干。

| **药材性状** | 本品茎枝长圆柱形，上部或有分枝；表面褐绿色至黑绿色，密被长茸毛，并具腺毛，故粗糙而黏；断面中空。叶卷曲，易破碎，展平后呈披针形或宽披针形，长 4 ~ 13 cm，宽 1 ~ 2.5 cm，先端渐尖，基部楔形，褐绿色至黑绿色，两面及叶缘均被短伏毛，沿主脉有长茸毛；托叶鞘筒状，先端截形，基部有狭翅，密被长茸毛。气芳香，味微涩。

| **功能主治** | 辛，平。理气除湿，健胃消食。用于胃气痛，消化不良，疳积，风湿关节痛。

| **用法用量** | 内服煎汤，6 ~ 15 g。

| **附　　注** | 本种的拉丁学名在 FOC 中被修订为 *Persicaria viscosa* (Buch.-Ham. ex D. Don) H. Gross ex Nakai。

蓼科 Polygonaceae 酸模属 Rumex

酸模 *Rumex acetosa* L.

药材名

酸模（药用部位：根。别名：田鸡脚、水牛舌头、大山七）、酸模叶（药用部位：茎叶）。

形态特征

多年生草本。根为须根。茎直立，高 40 ~ 100 cm，具深沟槽，通常不分枝。基生叶和茎下部叶箭形，长 3 ~ 12 cm，宽 2 ~ 4 cm，先端急尖或圆钝，基部裂片急尖，全缘或微波状，叶柄长 2 ~ 10 cm；茎上部叶较小，具短叶柄或无柄；托叶鞘膜质，易破裂。花序狭圆锥状，顶生，分枝稀疏；花单性，雌雄异株；花梗中部具关节；花被片 6，2 轮，雄花内花被片椭圆形，长约 3 mm，外花被片较小，雄蕊 6，雌花内花被片果时增大，近圆形，直径 3.5 ~ 4 mm，全缘，基部心形，网脉明显，基部具极小的小瘤，外花被片椭圆形，反折。瘦果椭圆形，具 3 锐棱，两端尖，长约 2 mm，黑褐色，有光泽。花期 5 ~ 7 月，果期 6 ~ 8 月。

生境分布

生于海拔 400 ~ 2 100 m 的山坡、林缘、沟边、路旁。湖南各地均有分布。

| 资源情况 | 野生资源丰富。药材来源于野生。

| 采收加工 | 酸模：夏季采挖，洗净，晒干或鲜用。

酸模叶：夏季采收，洗净，晒干或鲜用。

| 药材性状 | 酸模：本品稍肥厚，长 3.5 ~ 7 cm，直径 1 ~ 6 mm。表面棕紫色或棕色，有细纵皱纹。质脆，易折断，断面棕黄色，粗糙，纤维性。气微，味微苦、涩。

酸模叶：本品多皱缩。完整基生叶展平后有长柄，叶柄长可达 10 cm，茎生叶无柄或抱茎，叶片卵状长圆形，长 3 ~ 12 cm，宽 2 ~ 4 cm，先端钝或微尖，基部箭形或近戟形，全缘或呈微波状，叶表面不甚光滑，枯绿色；托叶鞘膜质，斜截形。气微，味苦、酸、涩。

| 功能主治 | 酸模：酸、微苦，寒。凉血止血，泻热通便，利尿，杀虫。用于吐血，便血，月经过多，热痢，目赤，便秘，小便不通，淋浊，恶疮，疥癣，湿疹。

酸模叶：酸、微苦，寒。泻热通便，利尿，凉血止血，解毒。用于便秘，小便不利，内痔出血，疮疡，丹毒，疥癣，湿疹，烫伤。

| 用法用量 | 酸模：内服煎汤，9 ~ 15 g；或捣汁。外用适量，捣敷。

酸模叶：内服煎汤，15 ~ 30 g。外用适量，捣敷；或研末调涂。

蓼科 Polygonaceae 酸模属 Rumex

皱叶酸模 *Rumex crispus* L.

| 药 材 名 |

牛耳大黄（药用部位：根）、牛耳大黄叶（药用部位：叶）。

| 形态特征 |

多年生草本。根粗壮，黄褐色。茎直立，高 50 ～ 120 cm，不分枝或上部分枝，具浅沟槽。基生叶披针形或狭披针形，长 10 ～ 25 cm，宽 2 ～ 5 cm，先端急尖，基部楔形，边缘皱波状；茎生叶较小，狭披针形；叶柄长 3 ～ 10 cm；托叶鞘膜质，易破裂。花序狭圆锥状，花序分枝近直立或上升；花两性，淡绿色；花梗细，中下部具关节，关节果时稍膨大；花被片 6，外花被片椭圆形，长约 1 mm，内花被片果时增大，宽卵形，长 4 ～ 5 mm，网脉明显，先端稍钝，基部近截形，近全缘，全部具小瘤，稀 1 片具小瘤，小瘤卵形，长 1.5 ～ 2 mm。瘦果卵形，先端急尖，具 3 锐棱，暗褐色，有光泽。花期 5 ～ 6 月，果期 6 ～ 7 月。

| 生境分布 |

生于海拔 30 ～ 2 100 m 的河滩、沟边湿地。分布于湖南娄底（娄星、涟源）、邵阳（新宁）、株洲（荷塘）、岳阳（君山、汨罗）、怀化（会同、芷江）等。

| **资源情况** | 野生资源一般。药材来源于野生。

| **采收加工** | **牛耳大黄**：4 ~ 5 月采挖，洗净，晒干或鲜用。
牛耳大黄叶：4 ~ 5 月采收，晒干或鲜用。

| **药材性状** | **牛耳大黄**：本品呈不规则圆锥状条形，长 10 ~ 20 cm，直径达 2.5 cm，单根或于中段有数个分枝。根头先端具干枯的茎基，其周围可见多数呈片状的棕色干枯叶基。表面棕色至深棕色，有不规则纵皱纹及多数近圆形的须根痕。质硬，断面黄棕色，纤维性。气微，味苦。
牛耳大黄叶：本品枯绿色，皱缩。展平后基生叶具长叶柄，叶片薄纸质，披针形至长圆形，长 16 ~ 22 cm，宽 1.5 ~ 4 cm，基部多为楔形；茎生叶较小，叶柄较短，叶片多为长披针形，先端急尖，基部圆形、截形或楔形，边线波状折皱，两面无毛；托叶鞘筒状，膜质。气微，味苦、涩。

| **功能主治** | **牛耳大黄**：苦，寒。归心、肝、大肠经。清热解毒，凉血止血，通便杀虫。用于急、慢性肝炎，肠炎，痢疾，慢性支气管炎，吐血，衄血，便血，崩漏，热结便秘，痈疽肿毒，疥癣，白秃疮。
牛耳大黄叶：清热解毒，止咳。用于热结便秘，咳嗽，痈肿疮毒。

| **用法用量** | **牛耳大黄**：内服煎汤，10 ~ 15 g。外用适量，捣敷；或研末调搽。
牛耳大黄叶：内服煎汤；或煮食。外用适量，捣敷。

蓼科 Polygonaceae 酸模属 Rumex

齿果酸模 *Rumex dentatus* L.

| **药 材 名** | 牛舌草（药用部位：叶）。

| **形态特征** | 一年生草本。茎直立，高 30 ~ 70 cm，自基部分枝，枝斜上，具浅沟槽。茎下部叶长圆形或长椭圆形，长 4 ~ 12 cm，宽 1.5 ~ 3 cm，先端圆钝或急尖，基部圆形或近心形，边缘浅波状，茎生叶较小；叶柄长 1.5 ~ 5 cm。花序总状，顶生和腋生，具叶，由数个再组成圆锥状花序，长达 35 cm，多花，轮状排列，花轮间断；花梗中下部具关节；外花被片椭圆形，长约 2 mm，内花被片果时增大，三角状卵形，长 3.5 ~ 4 mm，宽 2 ~ 2.5 mm，先端急尖，基部近圆形，网纹明显，全部具小瘤，小瘤长 1.5 ~ 2 mm，边缘每侧具 2 ~ 4 刺状齿，齿长 1.5 ~ 2 mm。瘦果卵形，具 3 锐棱，长 2 ~ 2.5 mm，

两端尖，黄褐色，有光泽。花期 5 ~ 6 月，果期 6 ~ 7 月。

| **生境分布** | 生于海拔 30 ~ 1 000 m 的沟边湿地、山坡路旁。湖南有广泛分布。

| **资源情况** | 野生资源丰富。药材来源于野生。

| **采收加工** | 4 ~ 5 月采收，鲜用或晒干。

| **药材性状** | 本品枯绿色，皱缩。展平后基生叶具长柄，叶片矩圆形或宽披针形，如牛舌状，长 4 ~ 8 cm，宽 1.5 ~ 2.5 cm，全缘，先端钝圆，基部圆形；茎生叶较小，叶柄短，叶片披针形或长披针形；托叶鞘膜质，筒状。气微，味苦、涩。

| **功能主治** | 苦，寒。清热解毒，杀虫止痒。用于乳痈，疮疡肿毒，疥癣。

| **用法用量** | 内服煎汤，3 ~ 10 g。外用适量，捣敷。

蓼科 Polygonaceae 酸模属 Rumex

羊蹄
Rumex japonicus Houtt.

| **药 材 名** | 羊蹄（药用部位：根。别名：牛大黄）、羊蹄叶（药用部位：叶）、羊蹄实（药用部位：果实）。 |

| **形态特征** | 多年生草本。茎直立，高 50 ~ 100 cm，上部分枝，具沟槽。基生叶长圆形或披针状长圆形，长 8 ~ 25 cm，宽 3 ~ 10 cm，先端急尖，基部圆形或心形，边缘微波状，下面沿叶脉具小突起，茎上部叶狭长圆形；叶柄长 2 ~ 12 cm；托叶鞘膜质，易破裂。花序圆锥状，花两性，多花轮生；花梗细长，中下部具关节；花被片 6，淡绿色，外花被片椭圆形，长 1.5 ~ 2 mm，内花被片果时增大，宽心形，长 4 ~ 5 mm，先端渐尖，基部心形，网脉明显，边缘具不整齐的小齿，齿长 0.3 ~ 0.5 mm，全部具小瘤，小瘤长卵形，长 |

2 ～ 2.5 mm。瘦果宽卵形，具 3 锐棱，长约 2.5 mm，两端尖，暗褐色，有光泽。花期 5 ～ 6 月，果期 6 ～ 7 月。

| 生境分布 | 生于海拔 30 ～ 2 100 m 的田边路旁、河滩、沟边湿地。湖南各地均有分布。

| 资源情况 | 野生资源丰富。药材来源于野生。

| 采收加工 | 羊蹄：秋季当地上叶变黄时，挖出根部，洗净，鲜用或切片晒干。
羊蹄叶：夏、秋季采收，洗净，晒干或鲜用。
羊蹄实：春季果实成熟时采收，晒干。

| 药材性状 | 羊蹄：本品类圆锥形，长 6 ～ 18 cm，直径 0.8 ～ 1.8 cm。根头部有残留茎基及支根痕。根表面棕灰色，具纵皱纹及横向凸起的皮孔样疤痕。质硬，易折断，断面灰黄色，颗粒状。气特殊，味微苦、涩。
羊蹄叶：本品枯绿色，皱缩。展平后基生叶具较长叶柄，叶片长圆形至披针状长圆形，长 16 ～ 22 cm，宽 4 ～ 9 cm，先端急尖，基部圆形或微心形，边缘具微波状折皱；茎生叶较小，披针形或披针状长圆形。气微，味苦、涩。
羊蹄实：本品宽卵形，有 3 棱，为增大的内轮花被片所包围。内轮花被片宽卵状心形，长 5 mm，宽 6 mm，边缘有锯齿，具 1 卵形小瘤。干燥果实表面棕色。气微，味微苦。

| 功能主治 | 羊蹄：苦，寒。归心、肝、大肠经。清热通便，凉血止血，杀虫止痒。用于大便秘结，吐血，衄血，肠风便血，痔血，崩漏，疥癣，白秃疮，痈疮肿毒，跌打损伤。
羊蹄叶：甘，寒。凉血止血，通便，解毒消肿，杀虫止痒。用于肠风便血，便秘，疳积，痈疮肿毒，疥癣。
羊蹄实：苦，平。凉血止血，通便。用于赤白痢疾，漏下，便秘。

| 用法用量 | 羊蹄：内服煎汤，9 ～ 15 g；或捣汁；或熬膏。外用适量，捣敷；磨汁涂；或煎汤洗。
羊蹄叶：内服煎汤，10 ～ 15 g。外用适量，捣敷；或煎汤含漱。
羊蹄实：内服煎汤，3 ～ 6 g。

蓼科 Polygonaceae 酸模属 Rumex

尼泊尔酸模 *Rumex nepalensis* Spreng.

| 药 材 名 |

羊蹄（药用部位：根。别名：牛大黄）、羊蹄叶（药用部位：叶）、羊蹄实（药用部位：果实）。

| 形态特征 |

多年生草本。根粗壮。茎直立，高 50 ~ 100 cm，具沟槽，无毛，上部分枝。基生叶长圆状卵形，长 10 ~ 15 cm，宽 4 ~ 8 cm，先端急尖，基部心形，全缘，两面无毛或下面沿叶脉具小突起，茎生叶卵状披针形；叶柄长 3 ~ 10 cm；托叶鞘膜质，易破裂。花序圆锥状；花两性；花梗中下部具关节；花被片 6，2 轮，外轮花被片椭圆形，长约 1.5 mm，内轮花被片果时增大，宽卵形，长 5 ~ 6 cm，先端急尖，基部截形，边缘每侧具 7 ~ 8 刺状齿，齿长 2 ~ 3 mm，先端呈钩状，一部分或全部具小瘤。瘦果卵形，具 3 锐棱，先端急尖，长约 3 mm，褐色，有光泽。花期 4 ~ 5 月，果期 6 ~ 7 月。

| 生境分布 |

生于海拔 400 ~ 1 400 m 的山坡路旁、山谷草地。分布于湖南岳阳（华容）、益阳（资阳）、张家界（武陵源）、湘西州（泸溪、凤凰、保靖、龙山）、怀化（麻阳）等。

| **资源情况** | 野生资源一般。药材来源于野生。

| **采收加工** | **羊蹄：** 秋季当地上叶变黄时，挖出根部，洗净，鲜用或切片晒干。

羊蹄叶： 夏、秋季采收，洗净，鲜用或晒干。

羊蹄实： 果实成熟时采摘，晒干。

| **药材性状** | **羊蹄：** 本品类圆锥形，下部有分枝，长约 13 cm，直径达 2.5 cm。根头部具残留茎基及支根痕，周围具少量干枯的棕色叶基纤维，其下有密集横纹。根表面黄灰色，具纵沟及横长皮孔样疤痕。质硬易折断，折断面淡棕色。气微，味苦、涩。

羊蹄叶： 本品枯绿色，皱缩。基生叶具较长叶柄，叶片长圆形至长圆状披针形，长 10 ~ 15 cm，宽 4 ~ 8 cm，先端急尖，基部圆形或微心形，边缘具微波状折皱；茎生叶较小，披针形或长圆状披针形。气微，味苦、涩。

羊蹄实： 本品宽卵形，有 3 棱，为增大的内轮花被片所包围。内轮花被片宽卵形，长 5 mm，宽 6 mm，边缘有锯齿，具小瘤。干燥的果实表面棕色。气微，味微苦。

| **功能主治** | **羊蹄：** 苦，寒。归心、肝、大肠经。清热通便，凉血止血，杀虫止痒。用于大便秘结，吐血，衄血，肠风便血，痔血，崩漏，疥癣，白秃疮，痈疮肿毒，跌打损伤。

羊蹄叶： 甘，寒。凉血止血，通便，解毒消肿，杀虫止痒。用于肠风便血，便秘，疳积，痈疮肿毒，疥癣。

羊蹄实： 苦，平。凉血止血，通便。用于赤白痢疾，漏下，便秘。

| **用法用量** | **羊蹄：** 内服煎汤，9 ~ 15 g；或捣汁；或熬膏。外用适量，捣敷；或磨汁涂；或煎汤洗。

羊蹄叶： 内服煎汤，10 ~ 15 g。外用适量，捣敷；或煎汤含漱。

羊蹄实： 内服煎汤，3 ~ 6 g。

蓼科 Polygonaceae 酸模属 Rumex

钝叶酸模
Rumex obtusifolius L.

| 药 材 名 |

土大黄（药用部位：根。别名：止血草、牛大黄、土三七）、土大黄叶（药用部位：叶）。

| 形态特征 |

多年生草本。根粗壮，直径可达 1.5 cm。茎直立，高 60 ~ 120 cm，有分枝，具深沟槽，无毛。基生叶长圆状卵形或长卵形，长 15 ~ 30 cm，宽 6 ~ 15 cm，先端钝圆或稍尖，基部心形，边缘微波状，上面无毛，下面疏生小突起，叶柄长 6 ~ 12 cm，被小突起；茎生叶长卵形，较小，叶柄较短；托叶鞘膜质，易破裂。花序圆锥状，具叶，分枝斜上；花两性，密集成轮；花梗细弱，丝状，中下部具关节，关节明显；外花被片狭长圆形，长约 1.5 mm，内花被片果时增大，呈狭三角状卵形，先端稍钝，基部截形，长 4 ~ 6 mm，宽 2 ~ 3 mm（不包括刺状齿），边缘每侧具 2 ~ 3 刺状齿，齿长 0.8 ~ 1.5 mm，通常 1 片具小瘤。瘦果卵形，具 3 锐棱，长约 2.5 mm，暗褐色，有光泽。花期 5 ~ 6 月，果期 6 ~ 7 月。

| 生境分布 |

生于海拔 50 ~ 1 100 m 的田边路旁、沟边湿地。分布于湖南湘西州（保靖）、怀化（新晃）、湘潭（雨湖）、岳阳（平江）等。

| **资源情况** | 野生资源较少。药材来源于野生。

| **采收加工** | 土大黄：9 ~ 10 月采挖，除去杂质，洗净，切片，晾干或鲜用。

土大黄叶：春、夏季采收，洗净，鲜用或晒干。

| **药材性状** | 土大黄：本品呈长圆锥形，长约 17 cm，直径达 1.4 cm，表面棕色至棕褐色，上段具横纹，其下具多数纵皱纹，散有横长皮孔样疤痕及点状须根痕。质硬，断面黄色，可见棕色形成层环及放射状纹理。气微，味稍苦。

土大黄叶：本品皱缩。基生叶有长柄，托叶鞘膜质，脱落，叶片卵形至卵状长椭圆形，长 20 ~ 30 cm，宽 6 ~ 15 cm，先端钝或钝圆，基部心形或歪心形，叶下面有明显的小瘤状突起；茎生叶卵状披针形，较小。

| **功能主治** | 土大黄：辛、苦，凉。清热解毒，凉血止血，祛瘀消肿，通便，杀虫。用于肺痨咯血，肺痈，吐血，瘀滞腹痛，跌打损伤，大便秘结，痄腮，痈疮肿毒，烫伤，疥癣，湿疹。

土大黄叶：苦、酸，平。清热解毒，凉血止血，消肿散瘀。用于肺痈，肺痨咯血，痈疮肿毒，痄腮，咽喉肿痛，跌打损伤。

| **用法用量** | 土大黄：内服煎汤，10 ~ 15 g。外用适量，捣敷；或磨汁涂。

土大黄叶：内服煎汤，9 ~ 15 g，鲜品 30 ~ 60 g；或捣汁。外用适量，捣敷。

蓼科 Polygonaceae 酸模属 Rumex

巴天酸模 *Rumex patientia* L.

| **药 材 名** | 牛西西（药用部位：根。别名：羊蹄根、牛舌棵、野大救驾）、牛西西叶（药用部位：叶。别名：酸模叶、金不换叶、羊铁叶）。

| **形态特征** | 多年生草本。根肥厚，直径可达 3 cm。茎直立，粗壮，高 90 ～ 150 cm，上部分枝，具深沟槽。基生叶长圆形或长圆状披针形，长 15 ～ 30 cm，宽 5 ～ 10 cm，先端急尖，基部圆形或近心形，边缘波状；叶柄粗壮，长 5 ～ 15 cm；茎上部叶披针形，较小，具短叶柄或近无柄；托叶鞘筒状，膜质，长 2 ～ 4 cm，易破裂。花序圆锥状，大型；花两性；花梗细弱，中下部具关节；关节果时稍膨大，外花被片长圆形，长约 1.5 mm，内花被片果时增大，宽心形，长 6 ～ 7 mm，先端圆钝，基部深心形，边缘近全缘，具网脉，全部或一部分具小瘤；小瘤长卵形，通常不能全部发育。瘦果卵形，具 3 锐棱，

先端渐尖，褐色，有光泽，长 2.5 ~ 3 mm。花期 5 ~ 6 月，果期 6 ~ 7 月。

| 生境分布 | 生于海拔 20 ~ 2 000 m 的沟边湿地、水边。分布于湖南郴州（汝城）、怀化（通道）、邵阳（绥宁）、张家界（桑植）等。

| 资源情况 | 野生资源稀少。药材来源于野生。

| 采收加工 | 牛西西：全年均可采挖，洗净切片，晒干或鲜用。
牛西西叶：植物生长茂盛时采收，鲜用或晒干。

| 药材性状 | 牛西西：本品呈圆条形或类圆锥形，有少数分枝，长达 20 cm，直径达 3 cm。根头部膨大，先端有残存茎基，周围有棕黑色的鳞片状叶基纤维束与须根痕，其下有密集的横纹。表面棕灰色至棕褐色，具纵皱纹与点状凸起的须根痕，及横向延长的皮孔样疤痕。质坚韧，难折断，折断面黄灰色，纤维性甚强。气微，味苦。

| 功能主治 | 牛西西：苦、酸，寒。清热解毒，止血消肿，通便，杀虫。用于吐血，衄血，便血，崩漏，赤白带下，紫癜，痢疾，肝炎，大便秘结，小便不利，痈疮肿毒，疥癣，跌打损伤，烫火伤。
牛西西叶：苦，寒。祛风止痒，敛疮，清热解热。用于皮肤瘙痒，烫火伤，咽痛。

| 用法用量 | 牛西西：内服煎汤，10 ~ 30 g。外用适量，捣敷；或醋磨涂；或研末调敷；或煎汤洗。
牛西西叶：内服煎汤，15 ~ 30 g；或绞汁。外用适量，煎汤洗；或捣敷。

蓼科 Polygonaceae 酸模属 Rumex

长刺酸模 *Rumex trisetifer* Stokes

| 药 材 名 |

野菠菜（药用部位：全草或根）。

| 形态特征 |

一年生草本。根粗壮，红褐色。茎直立，高
30 ～ 80 cm，褐色或红褐色，具沟槽，分枝
开展。茎下部叶长圆形或披针状长圆形，长
8 ～ 20 cm，宽 2 ～ 5 cm，先端急尖，基部
楔形，边缘波状，茎上部的叶较小，狭披针
形；叶柄长 1 ～ 5 cm；托叶鞘膜质，早落。
花序总状，顶生和腋生，具叶，再组成大型
圆锥状花序；花两性，多花轮生，上部较紧
密，下部稀疏；花梗细长，近基部具关节；
花被片 6，2 轮，黄绿色，外花被片披针形，
较小，内花被片果时增大，呈狭三角状卵
形，长 3 ～ 4 mm，宽 1.5 ～ 2 mm（不包
括针刺），先端狭窄，急尖，基部截形，全
部具小瘤，边缘每侧具 1 针刺，针刺长 3 ～
4 mm，直伸或微弯。瘦果椭圆形，具 3 锐棱，
两端尖，长 1.5 ～ 2 mm，黄褐色，有光泽。
花期 5 ～ 6 月，果期 6 ～ 7 月。

| 生境分布 |

生于海拔 30 ～ 1 300 m 的田边湿地、水边、
山坡草地。湖南有广泛分布。

| **资源情况** | 野生资源较丰富。药材来源于野生。

| **采收加工** | 全年均可采收，鲜用或晒干。

| **药材性状** | 本品根粗大，单根或数根簇生，偶有分枝；表面棕褐色，断面黄色；味苦。茎粗壮。基生叶较大，具长柄，叶片披针形至长圆形，长可达 20 cm，宽 1.5 ~ 4 cm，基部多为楔形；茎生叶叶柄短，叶片较小，先端急尖，基部圆形、截形或楔形，边缘具波状折皱；托叶鞘筒状，膜质。圆锥花序，小花黄色或淡绿色。气微，味苦、涩。

| **功能主治** | 酸、苦，寒。凉血，解毒，杀虫。用于肺痨咯血，痔疮出血，痈疮肿毒，疥癣，皮肤瘙痒。

| **用法用量** | 内服煎汤，10 ~ 15 g，鲜品用量加倍。外用适量，捣敷；或煎汤洗。

商陆科 Phytolaccaceae 商陆属 *Phytolacca*

商陆

Phytolacca acinosa Roxb.

| 药 材 名 | 商陆（药用部位：根。别名：下山虎、牛大黄）、商陆花（药用部位：花）、商陆叶（药用部位：叶）。

| 形态特征 | 多年生草本，高 0.5 ~ 1.5 m。根肥大，肉质，倒圆锥形，外皮淡黄色或灰褐色，内面黄白色。茎直立，有纵沟，肉质，绿色或红紫色，多分枝。叶片薄纸质，长 10 ~ 30 cm，宽 4.5 ~ 15 cm；叶柄长 1.5 ~ 3 cm，粗壮。总状花序顶生或与叶对生，圆柱状，直立，通常比叶短，密生多花；花序梗长 1 ~ 4 cm；花梗基部的苞片线形，长约 1.5 mm，上部 2 小苞片线状披针形，膜质，花梗细，长 6 ~ 10（~ 13）mm，基部变粗；花两性，直径约 8 mm；花被片 5，白色或黄绿色，先端圆钝，长 3 ~ 4 mm，宽约 2 mm，大小相等，花后常反折；雄蕊 8 ~ 10，与花被片近等长，心皮通常为 8，分离；花

柱短，直立，先端下弯。果序直立；浆果扁球形，直径约 7 mm，熟时呈黑色；种子肾形，黑色，长约 3 mm，具 3 棱。花期 5 ~ 8 月，果期 6 ~ 10 月。

| **生境分布** | 生于海拔 1 300 m 以下的山沟边、山坡疏林下、林缘路旁、住宅旁及垃圾堆上。栽培于砂壤、红壤等土壤中，对土壤要求不严。湖南有广泛分布。

| **资源情况** | 野生资源较丰富。栽培资源一般。药材来源于野生和栽培。

| **采收加工** | **商陆：**秋季至次春采挖，除去须根和泥沙，切成块或片，晒干或阴干。
商陆花：7 ~ 8 月采集，去杂质，晒干或阴干。
商陆叶：春、夏季采收，鲜用或晒干。

| **药材性状** | **商陆：**本品为横切或纵切的不规则块片，厚薄不等，外皮灰黄色或灰棕色。横切片弯曲不平，边缘皱缩，直径 2 ~ 8 cm，切面浅黄棕色或黄白色，木部隆起，形成数个凸起的同心性环轮；纵切片弯曲或卷曲，长 5 ~ 8 cm，宽 1 ~ 2 cm，木部呈条状凸起。质硬。气微，味稍甜，久嚼麻舌。

商陆花：本品略呈颗粒状圆球形，直径约 6 mm，棕黄色或淡黄褐色，具短梗。短梗基部有 1 苞片及 2 小苞片，苞片线形。花被片 5，卵形或椭圆形，长 3 ~ 4 mm。雄蕊 8 ~ 10，有时脱落，心皮 8 ~ 10。有时可见顶弯稍反曲的短小柱头。体轻，质柔韧。气微，味淡。

| 功能主治 | 商陆：苦，寒；有毒。归肺、脾、肾、大肠经。逐水消肿，通利二便，解毒散结。用于水肿胀满，二便不通；外用于痈肿疮毒。

商陆花：微苦、甘，平。归心、肾经。化痰开窍。用于痰湿上蒙，健忘，嗜睡，耳目不聪。

商陆叶：清热解毒。用于痈肿疮毒。

| 用法用量 | 商陆：内服煎汤，3 ~ 9 g。外用适量，煎汤熏洗。

商陆花：内服研末，1 ~ 3 g。

商陆叶：外用适量，捣敷；或研末撒。

商陆科 Phytolaccaceae 商陆属 Phytolacca

垂序商陆 *Phytolacca americana* L.

| 药 材 名 | 商陆（药用部位：根。别名：下山虎、牛大黄）、商陆花（药用部位：花）、美商陆叶（药用部位：叶）、美商陆子（药用部位：种子）。

| 形态特征 | 多年生草本，高 1 ~ 2 m。根粗壮，肥大，倒圆锥形。茎直立，圆柱形，有时带紫红色。叶片椭圆状卵形或卵状披针形，长 9 ~ 18 cm，宽 5 ~ 10 cm，先端急尖，基部楔形；叶柄长 1 ~ 4 cm。总状花序顶生或侧生，长 5 ~ 20 cm；花梗长 6 ~ 8 mm；花白色，微带红晕，直径约 6 mm；花被片 5，雄蕊、心皮及花柱通常为 10，心皮合生。果序下垂；浆果扁球形，成熟时呈紫黑色；种子肾圆形，直径约 3 mm。花期 6 ~ 8 月，果期 8 ~ 10 月。

| 生境分布 | 生于海拔 1 300 m 以下的山沟边、山坡疏林下、林缘路旁、住宅旁

及垃圾堆上。湖南各地均有分布。

| **资源情况** | 野生资源丰富。药材来源于野生。

| **采收加工** | 商陆：秋季至次春采挖，除去须根和泥沙，切成块或片，晒干或阴干。

商陆花：7 ~ 8 月采集，去杂质，晒干或阴干。

美商陆叶：叶茂盛而花未开时采收，除去杂质，干燥。

美商陆子：9 ~ 10 月采收，晒干。

| **药材性状** | 商陆：本品为横切或纵切的不规则块片，厚薄不等。外皮灰黄色或灰棕色。横切片弯曲不平，边缘皱缩，直径2 ~ 8 cm，切面浅黄棕色或黄白色，木部隆起，形成数个凸起的同心性环轮；纵切片弯曲或卷曲，长 5 ~ 8 cm，宽 1 ~ 2 cm，木部呈条状凸起。质硬。气微，味稍甜，久嚼麻舌。

商陆花：本品略呈颗粒状圆球形，直径约 6 mm，棕黄色或淡黄褐色，具短梗。短梗基部有 1 苞片及 2 小苞片，苞片线形。花被片5，卵形或椭圆形，长 3 ~ 4 mm，雄蕊 8 ~ 10，有时脱落，心皮 8 ~ 10。有时可见顶弯稍反曲的短小柱头。体轻，质柔韧。气微，味淡。

美商陆叶：本品常皱缩，展平后呈卵状长椭圆形或长椭圆状披针形，长 10 ~ 14 cm，宽 4 ~ 6 cm，全缘，上表面浅绿色，下表面浅棕黄色，羽状网脉于叶背明显突出，主脉粗壮；叶柄长约 2 cm，上面具浅槽。体轻，质脆。气微，味淡。

| **功能主治** | 商陆：苦，寒；有毒。归肺、脾、肾、大肠经。逐水消肿，通利二便，解毒散结。用于水肿胀满，二便不通；外用于痈肿疮毒。

商陆花：微苦、甘，平。归心、肾经。化痰开窍。用于痰湿上蒙，健忘，嗜睡，耳目不聪。

美商陆叶：清热。用于脚气。

美商陆子：苦，寒；有毒。利水消肿。用于水肿，小便不利。

| **用法用量** | 商陆：内服煎汤，3 ~ 9 g。外用适量，煎汤熏洗。孕妇禁用。

商陆花：内服研末，1 ~ 3 g。

美商陆叶：内服煎汤，3 ~ 6 g。

商陆科 Phytolaccaceae 商陆属 *Phytolacca*

日本商陆 *Phytolacca japonica* Makino

| 药 材 名 | 日本商陆（药用部位：根）。

| 形态特征 | 多年生草本，高近 1 m。叶片长圆形至卵状长圆形，先端渐尖或急尖，基部楔形，长 15 ～ 32 cm，宽 5 ～ 10 cm。总状花序直立；花淡红色；雄蕊约 10；心皮 6 ～ 10，合生。果序长 4.5 ～ 11 cm，直径 2 ～ 3.5 cm；浆果扁球形，直径 8 mm；种子肾圆形，亮黑色，直径约 3 mm，具纤细同心条纹。花果期 6 ～ 8 月。

| 生境分布 | 生于海拔 1 100 m 以下的林缘、路边、村旁和沟谷草丛中。分布于湖南张家界（武陵源）、湘西州（永顺）、怀化（麻阳）、邵阳（新宁）等。

| **资源情况** | 野生资源较少。药材来源于野生。

| **功能主治** | 用于水肿胀满，二便不通；外用于痈肿疮毒。

紫茉莉科 Nyctaginaceae 黄细心属 Boerhavia

直立黄细心 *Boerhavia erecta* L.

| 药 材 名 |

直立黄细心（药用部位：全草）。

| 形态特征 |

草本，高 20 ～ 80 cm。茎直立或基部外倾，被微柔毛或几无毛。叶片卵形、长圆形或披针形，长 1.5 ～ 3.5 cm，宽 1 ～ 2.5 cm，先端急尖，稀钝，基部圆形或楔形，下面灰白色，具下陷的红色腺体；叶柄长 1.5 ～ 4 cm。聚伞圆锥花序紧密，花序梗长 1.5 ～ 2 cm；花梗长 0.5 ～ 5 mm，有 1 ～ 2 披针形小苞片；花被管状或钟状，有 5 不明显的棱，中部缢缩，上部长 1.5 ～ 2 mm，白色、红色或粉红色；雄蕊 2 ～ 3，稍伸出花被。果实倒圆锥形，长约 3 mm，先端截形，无毛，5条棱间的沟稍呈波状。花果期夏季。

| 生境分布 |

生于低海拔空旷沙地上。分布于湖南衡阳（祁东）、株洲（渌口）等。

| 资源情况 |

野生资源稀少。药材来源于野生。

| **功能主治** | 镇静。

紫茉莉科 Nyctaginaceae **叶子花属** *Bougainvillea*

光叶子花
Bougainvillea glabra Choisy

| 药 材 名 | 叶子花（药用部位：花）。

| 形态特征 | 藤状灌木。茎粗壮，枝下垂，无毛或疏生柔毛；刺腋生，长 5 ~ 15 mm。叶片纸质，卵形或卵状披针形，长 5 ~ 13 cm，宽 3 ~ 6 cm，先端急尖或渐尖，基部圆形或宽楔形，上面无毛，下面被微柔毛；叶柄长 1 cm。花顶生于枝端的 3 苞片内，花梗与苞片中脉贴生，每个苞片上生 1 花；苞片叶状，紫色或洋红色，长圆形或椭圆形，长 2.5 ~ 3.5 cm，宽约 2 cm，纸质；花被管长约 2 cm，淡绿色，疏生柔毛，有棱，先端 5 浅裂；雄蕊 6 ~ 8；花柱侧生，线形，边缘扩展成薄片状，柱头尖；花盘基部合生，呈环状，上部呈撕裂状。花期冬、春季。

| 生境分布 | 栽培于庭院、屋旁、公园、街边。湖南各地均有分布。 |

| 资源情况 | 栽培资源丰富。药材来源于栽培。 |

| 采收加工 | 冬、春季花开时采收，晒干。 |

| 药材性状 | 本品常 3 花簇生在苞片内，花梗与苞片中脉合生。苞片叶状，暗红色或紫色，椭圆形，长 3 ~ 3.5 cm，纸质。花被管长 1.5 ~ 2 cm，淡绿色，疏生柔毛，有棱；雄蕊 6 ~ 8；子房具 5 棱。 |

| 功能主治 | 苦、涩，温。活血调经，化湿止带。用于血瘀经闭，月经不调，赤白带下。 |

| 用法用量 | 内服煎汤，9 ~ 15 g。 |

紫茉莉科 Nyctaginaceae 紫茉莉属 Mirabilis

紫茉莉 *Mirabilis jalapa* L.

| 药 材 名 |

紫茉莉根（药用部位：块根）、紫茉莉叶（药用部位：叶）、紫茉莉子（药用部位：果实）、紫茉莉花（药用部位：花）。

| 形态特征 |

一年生草本，高可达 1 m。根粗，倒圆锥形，黑色或黑褐色。茎直立，圆柱形，多分枝，无毛或疏生细柔毛，节稍膨大。叶片卵形或卵状三角形，长 3 ~ 15 cm，宽 2 ~ 9 cm，先端渐尖，基部截形或心形，全缘，两面均无毛，脉隆起；叶柄长 1 ~ 4 cm，上部叶几无柄。花常数朵簇生于枝端，午后开放，有香气，次日午前凋萎；花梗长 1 ~ 2 mm；总苞钟形，长约 1 cm，5 裂，裂片三角状卵形，先端渐尖，无毛，具脉纹，果时宿存；花被紫红色、黄色、白色或杂色，高脚碟状，筒部长 2 ~ 6 cm，檐部直径 2.5 ~ 3 cm，5浅裂；雄蕊 5，花丝细长，常伸出花外，花药球形；花柱单生，线形，伸出花外，柱头头状。瘦果球形，直径 5 ~ 8 mm，革质，黑色，表面具皱纹；种子胚乳白粉质。花期 6 ~ 10 月，果期 8 ~ 11 月。

| 生境分布 | 栽培于庭院、屋旁、街边，有时亦为野生。湖南各地均有分布。

| 资源情况 | 野生资源较少。栽培资源丰富。药材来源于野生和栽培。

| 采收加工 | **紫茉莉根：** 播种当年 10 ~ 11 月收获。挖出块根，洗净泥沙，鲜用，或去尽芦头及须根，刮去粗皮，去尽黑色斑点，切片，立即晒干或炕干，以免块根变黑而影响品质。

紫茉莉叶： 叶生长茂盛而花未开时采摘，洗净，鲜用。

紫茉莉子： 9 ~ 10 月果实成熟时采收，除去杂质，晒干。

紫茉莉花： 7 ~ 9 月花盛开时采收，鲜用或晒干。

| 药材性状 | **紫茉莉根：** 本品呈长圆锥形或圆柱形，有的压扁，有的可见支根，长 5 ~ 10 cm，直径 1.5 ~ 5 cm。表面灰黄色，有纵皱纹及须根痕。先端有茎基痕。质坚硬，不易折断，断面不整齐，可见环纹。经蒸煮者断面角质样。无臭，味淡，有刺喉感。

紫茉莉叶： 本品多卷缩，完整者展平后呈卵形或三角形，长 4 ~ 10 cm，宽约 4 cm，先端长尖，基部截形或心形，边缘微波状，上表面暗绿色，下表面灰绿色，叶柄较长，具茸毛。气微，味甘。

紫茉莉子：本品呈卵圆形，直径 5 ～ 8 mm。外表面黑色，有 5 明显棱脊，布满点状突起；内表面较光滑，棱脊明显。先端有花柱基痕，基部有果柄痕。质硬。种子黄棕色，胚乳较发达，白色，粉质。

| 功能主治 |　紫茉莉根：甘、淡，微寒。清热利湿，解毒活血。用于热淋，白浊，水肿，赤白带下，关节肿痛，痈疮肿毒，乳痈，跌打损伤。

紫茉莉叶：甘、淡，微寒。清热解毒，祛风渗湿，活血。用于痈肿疮毒，疥癣，跌打损伤。

紫茉莉子：甘，微寒。清热化斑，利湿解毒。用于面生斑痣，脓疱疮。

紫茉莉花：微甘，凉。归肺经。润肺，凉血。用于咯血。

| 用法用量 |　紫茉莉根：内服煎汤，15 ～ 30 g，鲜品 30 ～ 60 g。外用适量，鲜品捣敷。

紫茉莉叶：外用适量，鲜品捣敷；或绞汁外搽。

紫茉莉子：外用适量，去外壳，研末搽；或煎汤洗。

紫茉莉花：内服，60 ～ 120 g，鲜品捣汁。

番杏科 Aizoaceae 粟米草属 *Mollugo*

粟米草
Mollugo stricta L.

| 药 材 名 | 粟米草（药用部位：全草。别名：地麻黄、地杉树、鸭脚瓜子草）。

| 形态特征 | 一年生铺散草本，高达 30 cm。茎纤细，多分枝，具棱，无毛，老茎常呈淡红褐色。叶 3 ～ 5 假轮生或对生；茎生叶披针形或线状披针形，长 1.5 ～ 4 cm，基部渐狭，全缘，中脉明显；叶柄短或近无柄。花小，聚伞花序，梗细长，顶生或与叶对生；花梗长 1.5 ～ 6 mm；花被片 5，淡绿色，椭圆形或近圆形，长 1.5 ～ 2 mm；雄蕊 3，花丝基部稍宽；子房 3 室，花柱短，线形。蒴果近球形，与宿存花被等长，3 瓣裂；种子多数，肾形，栗色，具多数颗粒状突起。花期 6 ～ 8 月，果期 8 ～ 10 月。

| 生境分布 | 生于空旷荒地、农田及河坝等。湖南各地均有分布。

| **资源情况** | 野生资源丰富。药材来源于野生。 |

| **采收加工** | 5 ~ 6 月采收，晒干或鲜用。 |

| **功能主治** | 淡、涩，凉。清热化湿，解毒消肿。用于腹痛泄泻，痢疾，感冒咳嗽，中暑，痱子，目赤肿痛，疮疖肿毒，毒蛇咬伤，烫火伤。 |

| **用法用量** | 内服煎汤，10 ~ 30 g。外用适量，鲜品捣敷或塞鼻。 |

| **附　注** | 本种的拉丁学名在 FOC 中被修订为 *Trigastrotheca stricta* (L.) Thulin。 |